PENSE & ENRIQUEÇA

NAPOLEON HILL

PENSE & ENRIQUEÇA

Tradução
Gabriel Zide Neto

53ª edição

Rio de Janeiro | 2025

CIP-BRASIL. CATALOGAÇÃO NA PUBLICAÇÃO
SINDICATO NACIONAL DOS EDITORES DE LIVROS, RJ

H545p
53ª ed.

Hill, Napoleon, 1883-1970
Pense e enriqueça / Napoleon Hill; tradução: Gabriel Zide Neto. --
53ª ed. – Rio de Janeiro: BestSeller, 2025.
il.

Tradução de: Think and Grow Rich
ISBN 978-85-4650-146-5

1. Sucesso. 2. Autorrealização. I. Zide Neto, Gabriel. II. Título.

18-53891

CDD: 158.1
CDU: 159.947

Meri Gleice Rodrigues de Souza – Bibliotecária – CRB-7/6439

Texto revisado segundo o novo Acordo Ortográfico da Língua Portuguesa.
Título original norte-americano
THINK AND GROW RICH
Copyright da tradução © 2014 by Editora Best Seller Ltda.

O material original deste livro é uma reprodução da edição completa de 1937 de *Think and Grow Rich: Teaching for the first time, the famous Andrew Carnegie formula for Money-making, based upon the thirteen proven steps to riches*, escrito por Napoleon Hill, impresso em agosto de 1937, publicado por The Ralston Society Meriden, Conn., e que está agora em domínio público. Esta edição não é de forma alguma afiliada, financiada ou aprovada por Napoleon Hill, sua família e seus herdeiros, pela Napoleon Hill Foundation ou pela Ralston Society.

Capa: Renan Araújo
Editoração eletrônica: Abreu's System

Todos os direitos reservados. Proibida a reprodução,
no todo ou em parte, sem autorização prévia por escrito da editora,
sejam quais forem os meios empregados.

Direitos exclusivos de publicação em língua portuguesa para o Brasil
adquiridos pela
EDITORA BEST SELLER LTDA.
Rua Argentina, 171, parte, São Cristóvão
Rio de Janeiro, RJ – 20921-380
que se reserva a propriedade literária desta tradução

Impresso no Brasil

ISBN 978-85-4650-146-5

Seja um leitor preferencial Record.
Cadastre-se e receba informações sobre nossos lançamentos e nossas promoções.

Atendimento e venda direta ao leitor:
sac@record.com.br

SUMÁRIO

O que você mais quer?   7
Prefácio do editor à primeira edição   11
Introdução do autor à primeira edição   15

1. Introdução   25
2. Desejo (*O primeiro passo para a riqueza*)   43
3. Fé (*O segundo passo para a riqueza*)   67
4. Autossugestão (*O terceiro passo para a riqueza*)   92
5. Conhecimento especializado
   (*O quarto passo para a riqueza*)   100
6. Imaginação (*O quinto passo para a riqueza*)   118
7. Planejamento organizado (*O sexto passo para a riqueza*)   135
8. Decisão (*O sétimo passo para a riqueza*)   186
9. Perseverança (*O oitavo passo para a riqueza*)   201
10. O poder da mente mestra (*O nono passo para a riqueza*)   223
11. O mistério da transmutação sexual
    (*O décimo passo para a riqueza*)   232
12. A mente subconsciente (*O 11º passo para a riqueza*)   259
13. O cérebro (*O 12º passo para a riqueza*)   269
14. O sexto sentido (*O 13º passo para a riqueza*)   277
15. Como vencer os seis fantasmas do medo
    (Limpando a mente para ser rica)   291

O QUE VOCÊ MAIS QUER?

apresentação da 1ª edição

Dinheiro, fama, poder, felicidade, personalidade, tranquilidade?

Os 13 passos para a riqueza apresentados neste livro são a filosofia mais rápida e confiável para a realização individual já apresentada até hoje para o homem ou a mulher que estiver em busca de um objetivo definido na vida.

Antes de começar o livro, você vai se beneficiar imensamente se aceitar o fato de que *este livro não foi escrito para entreter*. E não é possível digerir adequadamente todo o seu conteúdo em uma semana ou em um mês.

Depois de ler o livro inteiro, o Dr. Miller Reese Hutchison, um consultor de engenharia conhecido em todos os Estados Unidos e sócio de longa data de Thomas Edison, disse:

"Este livro não é um romance. É um livro didático sobre realizações individuais que saiu direto das experiências de centenas dos homens de maior sucesso dos Estados Unidos. Deve ser *estudado*, *digerido* e usado em sua meditação. Não se deve ler mais de um capítulo por noite. O leitor deve sublinhar as frases que o impressionarem mais. Posteriormente, deve voltar a esses trechos e lê-los de novo. *Um verdadeiro aprendiz não irá simplesmente ler este livro*, mas sim absorver seu conteúdo e assimilá-lo. Este livro deve ser adotado por todas as escolas de ensino médio e não se deve permitir que nenhum aluno ou aluna se forme sem que tenha passado satisfatoriamente numa prova sobre seu conteúdo. Essa filosofia não vai substituir as matérias que se ensinam nas escolas, mas permitirá que se *organize e se aplique* os conhecimentos adquiridos, convertendo-os num trabalho útil e adequadamente remunerado, sem perda de tempo."

O Dr. John R. Turner, reitor do College of the City of New York, depois de ler este livro, falou:

"O melhor exemplo do quanto essa filosofia é precisa é o seu próprio filho Blair, cuja dramática história de vida você narrou no capítulo sobre Desejo."

O Dr. Turner se referia ao filho do autor, que, nascido sem a devida capacidade auditiva, não só evitou virar surdo-mudo, como acabou por transformar essa deficiência num ativo sem preço, ao aplicar a filosofia nele descrita.

A MANEIRA MAIS PROVEITOSA DE UTILIZAR ESTE LIVRO

Depois de ler a história que começa na página 55, você vai perceber que tem nas mãos uma filosofia capaz de ser transformada em riqueza material, ou de servir para lhe trazer prontamente paz de espírito, compreensão, harmonia espiritual e, em alguns casos, a exemplo do filho do autor, de ajudá-lo a ser maior do que a dor e a angústia físicas.

O autor descobriu, analisando pessoalmente centenas de homens bem-sucedidos, que *todos* eles tinham o hábito de trocar ideias, no que eles chamavam de *reuniões*. Quando tinham problemas para serem resolvidos, eles se reuniam e discutiam livremente até descobrir, da contribuição conjunta de ideias, um plano que serviria a seus propósitos.

Você, que está lendo este livro, irá aproveitá-lo ao máximo se colocar em prática o princípio do Mente Mestra que ele descreve. Você pode fazer isso (como outros estão fazendo com sucesso) formando seu próprio grupo de estudos, com a quantidade que você quiser de pessoas que sejam amigas e harmoniosas. O grupo deve se reunir periodicamente, como, por exemplo, uma vez por semana. Deve-se ler um capítulo do livro em cada reunião, e depois seu conteúdo deve ser livremente discutido. Cada membro deve fazer anotações, escrevendo *todas as ideias que teve*, inspiradas pelo debate. Cada integrante deve ler e analisar o capítulo vários dias antes da leitura em voz alta e dos debates no clube. A leitura deve ser feita por alguém que seja bom orador e que saiba como colorir e preencher de sentimentos as frases.

Seguindo esse plano, o leitor obterá destas páginas não só a soma do melhor conhecimento organizado a partir da experiência de centenas de pessoas bem-sucedidas mas o que, de longe, é o mais importante: *ele estará se servindo de novas fontes de conhecimento que brotaram em sua mente, como também do conhecimento de todas as demais pessoas presentes, o que é inestimável.*

Se seguir esse plano *persistentemente*, é quase certo que irá descobrir e se apropriar da fórmula secreta pela qual Andrew Carnegie adquiriu sua imensa fortuna, a que o autor se refere na introdução.

PREFÁCIO DO EDITOR
À PRIMEIRA EDIÇÃO

Este livro reúne a experiência de mais de quinhentos homens extremamente ricos, que começaram do nada, sem ter o que dar para obter riqueza, a não ser pensamentos, ideias e planos bem-estruturados.

Aqui você tem toda a filosofia que permitirá ganhar dinheiro, organizada a partir das realizações concretas dos homens de maior sucesso dos Estados Unidos nos últimos cinquenta anos. Descreve não só o que fazer, mas também *como* fazer!

Traz instruções completas sobre como vender seus serviços pessoais.

Proporciona um sistema perfeito de autoanálise, que revelará imediatamente o que sempre ficava entre você e "aquela grana toda".

Descreve a famosa fórmula de Andrew Carnegie para a realização pessoal, por meio da qual ele acumulou centenas de milhões de dólares para si e tornou os inúmeros homens a quem ele ensinou o segredo milionários.

Talvez você não precise de tudo o que este livro revela — nenhum dos quinhentos homens cujas experiências são narradas aqui precisou —, mas talvez você precise de uma ideia, um plano ou uma sugestão para encaminhá-lo em direção à sua meta. Em algum lugar deste livro, você encontrará esse estímulo adicional.

O livro foi inspirado por Andrew Carnegie, depois de ele ter ganho milhões e se aposentado. Foi escrito pela pessoa a quem Carnegie revelou o incrível segredo de sua fortuna — o mesmo homem a quem os outros quinhentos ricaços revelaram a fonte da prosperidade.

Neste livro, você encontrará os 13 princípios da geração de riqueza, que são fundamentais para todas as pessoas que desejarem acumular dinheiro suficiente para garantir sua independência financeira. Acredita-se que a pesquisa necessária para preparar este livro, que cobriu mais de 25 anos de esforço contínuo, não poderia ser repetida por menos de 100 mil dólares.

Além disso, os conhecimentos contidos neste livro não poderiam jamais ser replicados, pelo preço que fosse, pela simples razão de que mais da metade dos quinhentos homens que forneceram essas informações já faleceram.

Nem toda riqueza pode ser medida em dinheiro!

O dinheiro e os bens materiais são fundamentais para a independência do corpo e da mente, mas tem gente que acha que as maiores riquezas só podem ser avaliadas em termos de amizades duradouras, relações familiares harmoniosas, simpatia e compreensão entre sócios e uma harmonia interior que traz uma paz de espírito que só pode ser medida em valores espirituais!

Todos os que lerem, entenderem e aplicarem essa filosofia estarão mais bem-preparados para atrair e se deliciar com aqueles estados mais elevados que sempre foram e sempre serão negados a *todos os que não estiverem prontos para eles.*

Portanto, trate de se preparar, quando se expuser à influência dessa filosofia, para experimentar uma mudança de vida que per-

Prefácio do editor à primeira edição

mitirá que você não só negocie o seu caminho na vida com harmonia e compreensão, mas também irá prepará-lo para a acumulação de uma abundância de recursos materiais.

O editor
[The Ralston Society, 1937]

INTRODUÇÃO DO AUTOR
À PRIMEIRA EDIÇÃO

EM TODOS OS CAPÍTULOS deste livro, eu menciono o segredo da riqueza que gerou fortunas para os mais de quinhentos homens extremamente ricos que eu analisei nos mínimos detalhes ao longo de anos.

Quem chamou minha atenção para esse segredo foi Andrew Carnegie, há mais de um quarto de século. O magnífico e admirável escocês o jogou descuidadamente na minha cabeça quando eu mal passava de um menino. Depois, recostou-se na poltrona, com um brilho alegre nos olhos, e me observou cuidadosamente para ver se eu tinha cérebro suficiente para entender o real significado do que ele havia me dito.

Quando viu que eu tinha entendido a ideia, perguntou se eu estaria disposto a passar talvez mais de vinte anos a desenvolvendo para então levá-la ao mundo, para aqueles homens e mulheres que, sem o segredo, poderiam passar pela vida como fracassados. Eu disse que estava e, com a colaboração do Sr. Carnegie, cumpri a promessa.

Este livro traz o segredo, depois de ele ter sido testado por milhares de pessoas, de todo tipo de profissão. Foi ideia do Sr.

Carnegie de que a fórmula mágica, que lhe rendeu uma fortuna extraordinária, deveria ser posta ao alcance de gente que não dispõe do tempo para investigar como as pessoas ganham dinheiro, e ele tinha a expectativa de que eu pudesse testar e demonstrar a infalibilidade da tal fórmula, por meio da experiência de homens e mulheres de todas as vocações. O Sr. Carnegie acreditava que essa fórmula deveria ser ensinada nas escolas e faculdades públicas e tinha a opinião de que, se ensinada adequadamente, ela revolucionaria todo o sistema de educação, de modo que o tempo que se perde na escola seria reduzido a menos da metade.

Sua experiência com Charles M. Schwab e outros rapazes parecidos, convenceu o Sr. Carnegie de que boa parte do que é ensinado na escola não tem valor algum, no que diz respeito a acumular riqueza. Ele chegou a essa conclusão porque admitira em sua empresa um jovem depois do outro, muitos com pouquíssima educação formal, e os transformou em líderes raros lhes ensinando a utilizar essa fórmula. Além disso, *seus ensinamentos geraram fortunas para todos os que seguiram à risca as instruções.*

No capítulo sobre fé, você vai conhecer a impressionante história da gigantesca United States Steel Corporation, como ela foi concebida e realizada por um dos jovens a quem o Sr. Carnegie provou que a fórmula funcionaria *para todos os que estivessem prontos para ela.* A simples aplicação do segredo por esse jovem — Charles M. Schwab — lhe gerou enorme fortuna, tanto em dinheiro, como em oportunidades. Num número muito genérico, essa aplicação específica da fórmula valeu cerca de *600 milhões de dólares.*

Esses fatos — e eles são bem-lembrados por quase todas as pessoas que conheceram Andrew Carnegie — por si só dão uma

Introdução do autor à primeira edição

boa ideia do que a leitura deste livro poderá proporcionar, *desde que você saiba o que quer.*

Mesmo antes de passar por vinte anos de testes práticos, o segredo foi passado para mais de 100 mil pessoas que o utilizaram em benefício próprio, exatamente como queria o Sr. Carnegie. Algumas ganharam verdadeiras fortunas. Outras tiveram êxito gerando harmonia em seus lares. Um clérigo o utilizou de maneira tão eficiente que seus rendimentos passaram de 75 mil dólares por ano.

Um alfaiate de Cincinatti, chamado Arthur Nash, usou seu negócio quase falido como uma espécie de "cobaia" para testar a fórmula. A empresa ressurgiu e fez os donos ganharem uma fortuna. E ela continua crescendo, embora o Sr. Nash não esteja mais entre nós. A experiência foi tão singular que os jornais e as revistas rasgaram elogios a ela, num valor equivalente a mais de 1 milhão de dólares em publicidade.

O segredo também foi passado a Stuart Austin Wier, de Dallas, no Texas. E ele estava preparado. Tanto que largou a profissão que exercia para estudar Direito. Deu certo? É uma história que vamos contar aqui.

Eu passei o segredo a Jennings Randolph no dia em que ele se formou na faculdade, e ele o aplicou com tanto sucesso que já está em seu terceiro mandato como congressista, com uma ótima chance de prosperar até chegar à Casa Branca.

Quando trabalhava como gerente de publicidade da LaSalle Extension University, que na época era pouco mais do que um nome, tive o privilégio de ver o presidente J. G. Chapline utilizar o segredo de maneira tão eficaz que desde então a LaSalle se tornou uma das grandes escolas de cursos de extensão do país.

O segredo a que me refiro é mencionado mais de cem vezes ao longo do livro. Ele não é chamado abertamente pelo nome, pois, ao que parece, funciona melhor quando se torna visível e é descoberto pelas pessoas que estão realmente preparadas para recebê-lo e que, quando procuram, acabam por se apropriar dele. Foi por isso que o Sr. Carnegie o jogou para mim com tanta discrição, sem me revelar seu nome.

Se você estiver pronto para utilizá-lo, irá reconhecê-lo pelo menos uma vez em todos os capítulos. Eu bem que gostaria de ter o privilégio de lhe dizer como saber se está preparado, mas assim você perderia boa parte do benefício que vai ter quando descobrir à sua própria maneira.

Enquanto este livro era escrito, meu filho, que estava no último ano da faculdade, pegou os originais do Capítulo 2, leu e descobriu o segredo sozinho. E usou essa informação de um modo tão eficaz que foi direto para um cargo de responsabilidade, com um salário inicial maior do que uma pessoa comum jamais chega a receber na vida. Essa história também é contada brevemente no Capítulo 2. Quando você for ler este capítulo, talvez descarte qualquer sensação que tenha tido, no início da leitura, de que este livro promete coisas demais. Além disso, se algum dia se sentiu desanimado, se já passou por dificuldades em que teve de usar todas as suas forças para superá-las, se tentou e fracassou, se já se sentiu incapacitado por causa de uma doença ou problema físico, a história da recuperação do meu filho pode se revelar um verdadeiro oásis no deserto das Esperanças Perdidas, justamente aquilo que você precisa.

Esse segredo também foi usado à exaustão pelo presidente Woodrow Wilson durante a Primeira Guerra Mundial e foi passado a todos os soldados que nela lutaram, cuidadosamente embalado no treinamento que receberam antes de ir para o front. O presidente Wilson me contou que esse foi um fator importante na hora de levantar os fundos de que precisava para a guerra.

Há mais de vinte anos, o ilustríssimo Manuel L. Quezon (na época comissário residente das Filipinas) foi inspirado pelo segredo a conquistar a liberdade para o seu povo. E ele realmente libertou as Filipinas e se tornou o primeiro presidente do país independente.

O importante a ser dito sobre esse segredo é que aqueles que o descobrem e o utilizam se veem alçados ao sucesso, com pouca necessidade de esforço, e nunca mais se deixam abater pelo fracasso! Se duvidar, dê uma olhada nos nomes daqueles que o utilizaram, onde quer que tenham sido citados, veja o que conquistaram e convença-se por si mesmo.

Nada vem em troca de nada. Isso simplesmente não existe.

O segredo a que me refiro não é obtido sem se pagar um preço, embora este seja bem menor do que o valor que ele tem. Por outro lado, não há preço que possa ser pago por aqueles que não o estejam procurando intencionalmente. Ele não pode ser doado, não pode ser comprado por qualquer soma em dinheiro, pois vem em duas partes. E uma delas já está na posse dos que estiverem prontos para ele.

É um segredo que serve igualmente a todos os que estão preparados. Não tem nada a ver com educação. Muito antes de eu ter nascido, o segredo deu um jeito de ser apropriado por Thomas A. Edison, e ele o utilizou com tamanha inteligência que se transformou no maior inventor do mundo, muito embora só tivesse três meses de educação formal.

Esse segredo também foi passado a um sócio de Thomas Edison. E ele o utilizou com tamanha eficiência que, embora ganhasse na época apenas 12 mil dólares por ano, acabaria por acumular uma fortuna imensa — e se aposentou da vida profissional ainda jovem. Essa história você vai conhecer no início do primeiro capítulo. E vai se convencer de que a riqueza não é algo inalcançável, que você realmente pode ser o que deseja ser, que dinheiro, fama, reconhecimento e felicidade podem ser obtidos por todos os que estiverem prontos e determinados a serem abençoados por isso.

Como é que eu sei de tudo isso? Essa é uma resposta que você vai encontrar antes de terminar este livro. Pode encontrá-la logo no primeiro capítulo. Ou na última página.

Enquanto eu cumpria os vinte anos da pesquisa de que fui incumbido pelo Sr. Carnegie, analisei centenas de homens conhecidos, muitos dos quais confessaram que acumularam suas grandes fortunas a partir da ajuda que receberam do segredo de Carnegie. Entre eles estavam...

Henry Ford	King Gillette
William Wrigley Jr.	Ralph A. Weeks
John Wanamaker	Juiz Daniel T. Wright
James J. Hill	Theodore Roosevelt
George S. Parker	John W. Davis
E. M. Statler	Elbert Hubbard
Henry L. Doherty	Wilbur Wright
Cyrus H. K. Curtis	William Jennings Bryan
George Eastman	Dr. David Starr Jordan
Charles M. Schwab	J. Odgen Armour
Harris F. Williams	Arthur Brisbane
Dr. Frank Gunsaulus	Woodrow Wilson
Daniel Willard	WM. Howard Taft

Introdução do autor à primeira edição

Luther Burbank	Edwin C. Barnes
Edward W. Bok	Clarence Darrow
Frank A. Munsey	John H. Patterson
Elbert H. Gary	Julius Rosenwald
Dr. Alexander Graham Bell	Stuart Austin Wier
John D. Rockefeller	Dr. Frank Crane
Thomas Edison	George M. Alexander
Frank A. Vander-LIP	J. G. Chapline
F. W. Woolworth	Hon. Jennings Randolph
Cel. Robert A. Dollar	Arthur Nash
Edward A. Filene	

E esses nomes são apenas uma fração das centenas de americanos famosos cujas realizações financeiras, ou em outros campos da vida, provaram que os que entendem e põem em prática o segredo de Carnegie atingem patamares elevados na vida. Eu nunca conheci alguém animado para utilizar o segredo que não tenha obtido sucesso em sua área de ação. E nunca conheci uma única pessoa que conseguisse se distinguir, ou acumular uma fortuna digna de nota, que não tivesse conhecimento do segredo. Desses dois fatos eu chego à conclusão de que o segredo é mais importante, como parte daquele conhecimento essencial para a autodeterminação, do que qualquer coisa que as pessoas recebam por aquilo que é popularmente chamado de "educação".

E, afinal de contas, o que é educação? Isso também vai ser respondido em detalhes.

Muitos desses homens tinham pouquíssima educação formal. John Wanamaker um dia me contou que a pouca educação que recebeu, obteve da mesma maneira que uma locomotiva recebe água, "agarrando e engolindo enquanto corre". Henry

Ford nunca chegou ao ensino médio, muito menos fez faculdade. Não quero aqui tentar minimizar o valor da educação. O que estou tentando é expressar minha opinião sincera de que os que dominam e põem em prática o segredo alcançam posições de destaque, acumulam riqueza e negociam com a vida em seus próprios termos, mesmo que a educação formal tenha sido escassa.

Em algum momento da leitura deste livro, o segredo a que me refiro vai saltar das páginas e se postar nitidamente na sua frente — se você estiver preparado para ele! Quando aparecer, você haverá de reconhecê-lo. Independentemente de você receber o sinal no primeiro ou no último capítulo, faça uma pausa na hora que ele se apresentar e beba algo especial, porque essa ocasião irá marcar o maior ponto de virada da sua vida.

Passemos agora ao Capítulo 1 e à história do meu querido amigo, que generosamente confessou ter visto um sinal místico, e cujas realizações profissionais são prova suficiente de que ele tomou o seu drinque. Enquanto estiver lendo essa e outras histórias, lembre-se de que elas tratam dos problemas importantes da vida, pelos quais todas as pessoas passam.

Os problemas que surgem quando se tenta ganhar a vida, ter esperança, coragem, felicidade e tranquilidade; para acumular riqueza e ganhar a liberdade do corpo e do espírito.

Lembre-se também, enquanto estiver lendo, de que este livro trata de fatos, não de ficção, e o objetivo é mostrar uma grande verdade universal por meio da qual todos os que estiverem preparados irão descobrir não só *o que* fazer, mas também *como* fazer! E receber aquele estímulo que é tão importante para se dar a partida.

Como uma última palavra de introdução, antes de passar a ler o primeiro capítulo, permita-me oferecer uma pequena sugestão, que pode servir como uma pista para uma forma de se reconhecer o segredo de Carnegie. É o seguinte: *todas as conquistas, toda riqueza obtida, começam com uma ideia!* Se estiver pronto para o segredo, já terá meio caminho andado e, assim, vai reconhecer a outra metade no momento em que ela chegar à sua mente.

O autor
[Napoleon Hill, 1937]

CAPÍTULO 1

INTRODUÇÃO: A HISTÓRIA DO HOMEM QUE "PENSOU" E CONSEGUIU VIRAR SÓCIO DE THOMAS EDISON

É ABSOLUTAMENTE VERDADE QUE "pensamentos são coisas", aliás, coisas muito poderosas, quando conjugadas com um objetivo definido, perseverança e um *desejo ardente* de que se transformem em riqueza ou outros bens materiais.

Há pouco mais de trinta anos, Edwin C. Barnes descobriu que as pessoas realmente *pensam e enriquecem*. Essa descoberta não aconteceu numa tarde. Veio aos poucos, começando com um desejo ardente de se tornar sócio do grande Thomas Edison.

Uma das principais características do desejo de Barnes era que ele era *definido*. Ele queria trabalhar *com* Thomas Edison e não *para* ele. Observe, com todo o cuidado, a descrição de como ele traduziu esse desejo em realidade e você terá uma melhor compreensão dos 13 princípios que levam à riqueza.

Quando esse desejo, ou impulso de pensamento, passou, primeiro, por sua cabeça, ele estava pronto para realizá-lo. Mas havia duas dificuldades pelo caminho. Ele não conhecia Thomas Edison e não tinha dinheiro suficiente para pagar a passagem de trem para Orange, em Nova Jersey.

Essas dificuldades seriam suficientes para desencorajar a maioria das pessoas de qualquer tentativa. Mas esse não era um desejo comum! Ele estava tão determinado a encontrar uma maneira de realizá-lo que acabou optando por viajar como "bagagem desconhecida". (Para os não iniciados, isso significa que ele foi para East Orange num trem de carga.)

Ele se apresentou no laboratório do Sr. Edison e anunciou que havia chegado para fazer negócios com o inventor. Anos depois, comentando sobre seu primeiro encontro com Barnes, Edison falou:

"Ele ficou ali, na minha frente, parecendo um vagabundo comum, *mas havia algo na expressão dele que dava a nítida impressão de que ele estava determinado a conseguir o que queria.* E eu já sabia, de muitos anos de experiência com as pessoas, que quando alguém realmente deseja uma coisa, com tanto vigor que está disposto a arriscar todo o seu futuro num único tiro, está destinado a ganhar. Eu lhe dei a oportunidade que pedia, *porque percebi que ele tinha metido na cabeça que ia ficar ali até conquistar o que queria.* E os eventos subsequentes mostraram que eu não estava errado."

O que o Sr. Barnes disse a Thomas Edison naquela ocasião foi muito menos importante do que *aquilo que ele pensou*. O próprio Edison disse isso! Não pode ter sido a aparência do rapaz o que acendeu a fagulha na sala de Edison, porque isso, com certeza, o desfavorecia. Foi o *pensamento* que fez a diferença.

Se o significado dessa afirmação pudesse ser mostrado a todas as pessoas que a lessem, o resto do livro seria dispensável.

Mas Barnes não se tornou sócio de Edison nessa primeira entrevista. O que ele conseguiu foi uma chance de trabalhar nas empresas do inventor, com um salário muito baixo, cumprindo tarefas que não tinham importância para Edison. Porém, o mais importante para Barnes era que essa era uma oportunidade de mostrar sua "mercadoria" no lugar onde ele esperava que seu "sócio" a visse.

Introdução

Meses se passaram. Aparentemente, nada havia acontecido para transformar em realidade a cobiçada meta que Barnes tinha posto na mente como seu Maior Objetivo Definido. Mas ele estava constantemente intensificando seu desejo de se tornar sócio nos negócios de Edison.

Os psicólogos dizem, corretamente, que "quando alguém está realmente preparado para uma coisa, ela aparece". Barnes estava pronto para ser sócio das empresas de Edison. Não apenas isso, ele estava determinado a continuar de prontidão até conseguir o que estava procurando.

Ele não disse para si mesmo: "Ah, sim, mas de que adianta tudo isso? Acho que vou mudar de ideia e virar vendedor." Em vez disso, o que ele disse foi: "Eu vim para cá fazer negócios com Thomas Edison, e vou conseguir, mesmo que leve todo o resto da minha vida." *E ele estava realmente falando sério!* Que histórias diferentes as pessoas contariam simplesmente se adotassem um Objetivo Definido e insistissem nele até que se transformasse numa obsessão que consumisse todo o seu ser!

Talvez o jovem Barnes ainda não soubesse naquela época, mas a determinação típica de um buldogue, a determinação em perseguir um único desejo, estava destinada a passar por cima de toda oposição e lhe trazer a oportunidade que ele tanto procurava.

Quando esta apareceu, veio numa forma diferente e de uma direção de onde Barnes não esperava. Esse é um dos truques das oportunidades. Elas têm o hábito de entrar sorrateiramente pela porta dos fundos, e geralmente aparecem disfarçadas de má sorte ou de uma derrota temporária. Talvez seja por isso que tantos deixam de reconhecê-las.

Thomas Edison tinha acabado de concluir um novo aparelho para escritório, chamado na época de Máquina de Ditar Edison (hoje Ediphone). Os vendedores não mostravam muito entusiasmo pela máquina. Não acreditavam que poderiam vendê-la, a não ser com muito esforço. E Barnes percebeu a oportunidade. Ela havia chegado de modo discreto, disfarçada de uma máquina meio esquisita que não interessava a ninguém, exceto a Barnes e ao próprio inventor.

Barnes sabia que podia vender a Máquina de Ditar Edison. Fez essa sugestão ao inventor e logo conseguiu a chance. Vendeu a máquina. Aliás, teve tanto sucesso nas vendas que Edison o contratou para distribuí-la e vendê-la por todos os Estados Unidos. Dessa sociedade nasceu o slogan: "Feito por Edison e instalado por Barnes."

A parceria se estendeu por mais de trinta anos. Com ela, Barnes ficou riquíssimo, mas também conseguiu uma coisa infinitamente mais importante. Ele provou que alguém pode realmente viver com base no "Pense e enriqueça".

Quanto valeu em dinheiro aquele desejo original de Barnes, eu realmente não tenho como saber. Talvez tenha lhe rendido uns 2 ou 3 milhões de dólares, mas a quantia, qualquer que seja, é insignificante se comparada com o bem maior de ter conquistado o conhecimento definitivo de que *um impulso do pensamento pode ser transformado numa contrapartida física*, mediante a aplicação de princípios bem conhecidos.

Barnes *pensou e conseguiu* virar sócio do grande Thomas Edison! Pensou e conseguiu ganhar uma fortuna. E não tinha nada com o que começar, exceto a capacidade de saber o que queria e a determinação de persistir nesse desejo até alcançá-lo.

Ele não tinha dinheiro para começar. Tinha pouquíssima educação. Nenhuma influência. Mas tinha iniciativa, fé e a vontade de vencer. Com essa forças intangíveis, ele *se fez* o braço direito do inventor mais importante de todos os tempos.

Agora, examinemos uma situação diferente e estudemos um homem que tinha muitas riquezas concretas, mas perdeu tudo *porque desistiu* quando estava a 1 metro da meta que tanto procurava.

A 1 METRO DO OURO

Uma das causas mais comuns do fracasso é o hábito de desistir quando se está tomado por um *sentimento temporário de derrota*. Todos nós cometemos esse erro de vez em quando.

Um tio de R. U. Darby foi acometido pela "febre do ouro" na época da Corrida do Ouro e partiu para o Oeste para cavar e enriquecer. Nunca tinha ouvido falar que *mais ouro foi retirado do cérebro dos homens do que da terra*. Ele obteve um terreno e se pôs a cavar com pá e picareta. Era uma vida difícil, mas sua fome de ouro era enorme.

Após semanas de trabalho, ele foi recompensado pela descoberta de uma jazida importante. Mas precisava das máquinas para trazê-la à superfície. Discretamente, ele cobriu a mina e voltou para casa, em Williamsburg, Maryland, e contou aos parentes e a alguns vizinhos de sua "sorte". Eles fizeram uma vaquinha para comprar as máquinas e mandaram tudo para lá. O tio e Darby voltaram para trabalhar na mina.

O primeiro carreto de ouro foi retirado e mandado a uma fundição. O resultado mostrou que eles eram donos de uma das minas mais ricas do Colorado! Mais alguns carretos de ouro e pagariam todas as dívidas. Depois viriam os lucros.

Quanto mais fundo as máquinas cavavam, mais alto subiam as expectativas de Darby e de seu tio! Foi aí que alguma coisa aconteceu! Eles tinham chegado ao fim do arco-íris e o pote de ouro não estava lá! Eles continuaram a cavar, tentando desesperadamente pegar a mesma jazida — mas sem sucesso algum.

Até que, finalmente, eles preferiram desistir.

Venderam as máquinas a um ferro-velho por algumas centenas de dólares e pegaram o trem de volta para casa. Alguns donos de ferro-velho são burros, mas esse não! Ele chamou um engenheiro de minas para examinar o local e fazer alguns cálculos. O engenheiro falou que o projeto tinha fracassado porque os donos não sabiam lidar com as falhas geológicas. Seus cálculos indicavam que a jazida seria encontrada a menos de 1 metro de onde os Darbys haviam parado de cavar! E foi exatamente ali que o homem a encontrou!

O dono do "ferro-velho" ganhou milhões de dólares com aquele ouro porque sabia que devia pedir o conselho de um especialista antes de desistir.

A maior parte do dinheiro usado para comprar as máquinas tinha saído do esforço de R. U. Darby, que na época era muito jovem. O dinheiro veio de parentes e vizinhos que acreditaram nele. E ele devolveu tudo o que pegou, mesmo que tenha levado anos para isso.

Muito tempo depois, o Sr. Darby conseguiria recuperar o prejuízo muitas vezes, *quando descobriu* que o desejo pode ser transformado em ouro. Foi uma descoberta que ele fez depois de começar a vender seguros de vida.

Sempre se lembrando de que havia perdido uma fortuna porque parara de cavar a menos de 1 metro de onde estava o ouro, Darby aproveitou essa experiência no novo trabalho simplesmente falando para si mesmo: "Eu desisti a menos de 1 metro de onde estava o ouro, mas nunca mais vou desistir *só porque as pessoas dizem 'não'* quando eu pedir para elas comprarem um seguro."

Darby faz parte de um seleto grupo de menos de cinquenta pessoas que conseguem vender mais de 1 milhão de dólares por ano em seguros de vida. Ele aprendeu a nunca desistir com a lição que aprendeu quando desistiu fácil demais de sua mina de ouro.

Antes de o sucesso entrar na vida de uma pessoa, ela com certeza vai ter que lidar com muitas derrotas temporárias e, talvez, alguns fracassos. Quando a derrota chega para alguém, o caminho mais fácil e lógico é desistir. E é exatamente o que a maioria das pessoas faz.

Mais de quinhentos dos homens mais bem-sucedidos dos Estados Unidos contaram a este autor que seu maior sucesso veio um passo *após* aquele ponto em que a derrota os havia deixado atordoados. O fracasso é um trapaceiro ardiloso e muito irônico. Ele se diverte esticando o pé para alguém tropeçar quando o sucesso está bem ao seu alcance.

UMA LIÇÃO DE PERSISTÊNCIA POR 50 CENTAVOS

Pouco depois de o Sr. Darby ter se formado na "Universidade dos Golpes da Vida" e ter decidido lucrar com a experiência em mineração, ele teve a boa sorte de presenciar um acontecimento que lhe mostrou que um "não" não significa necessariamente não.

Certa tarde, estava ele ajudando o tio a moer trigo num moinho antigo. O tio era dono de uma grande fazenda onde moravam alguns lavradores negros, que tinham direito a parte do que plantavam. Silenciosamente, a porta se abriu e uma pequena criança negra, filha de um dos lavradores, entrou e se postou junto à porta.

O tio ergueu os olhos, viu a menina e rosnou para ela, bruto.

— O que você quer?

A menina respondeu, tímida:

— Mamãe disse para o senhor mandar 50 centavos para ela.

— Negativo — replicou ele. — Pode ir para casa.

— Sim, senhor — respondeu a garota. *Mas não se moveu.*

O tio continuou trabalhando, tão ocupado que nem percebeu que a menina não tinha saído. Quando voltou a olhar e viu que ela permanecia no mesmo lugar, ralhou com ela:

— Eu já mandei você ir para casa! Se manda, senão vou te bater.

A menininha voltou a dizer "Sim, senhor", *mas não se moveu 1 centímetro.*

O tio deixou cair a saca de grãos que estava prestes a despejar na trituradora, pegou uma tábua e partiu para cima da menina com uma expressão ameaçadora no rosto.

Darby prendeu a respiração. Estava convicto de que iria testemunhar um assassinato. Sabia que o tio era estourado. E também que uma criança negra não deveria desafiar um branco naquela parte dos Estados Unidos.

Quando o tio chegou perto da criança, ela rapidamente deu um passo à frente, encarou-o nos olhos e gritou do alto de sua vozinha aguda:

— *A mamãe precisa desses 50 centavos!*

O tio parou, olhou para ela por uns instantes, largou a tábua no chão, colocou a mão no bolso, tirou meio dólar e deu para ela.

A menina pegou o dinheiro e lentamente recuou para a porta, sem jamais desviar os olhos do homem *que ela acabara de conquistar*. Depois que ela saiu, o tio se sentou numa caixa e ficou olhando para o nada, pela janela, por mais de dez minutos. Estava pensando, impressionado, na surra que tinha acabado de levar.

E Darby também estava refletindo. Foi a primeira vez em toda a sua vida que ele tinha visto uma criança negra *dominar* deliberadamente um adulto branco. Como é que ela conseguiu uma coisa daquelas? O que aconteceu com seu tio que fez com que ele perdesse toda a sua fúria e se tornasse dócil como um carneirinho? Que estranho poder foi exercido por aquela criança que a fez controlar um adulto? Esta e outras perguntas semelhantes passaram pela mente de Darby, mas ele só ia encontrar a resposta anos depois, quando me contou a história.

Estranhamente, o relato dessa experiência incomum foi feito no velho moinho, no exato local onde o tio recebera a tal surra. E, estranhamente, eu também tinha passado quase um quarto de século dedicado ao estudo do poder que permite uma criança negra, ignorante e analfabeta conquistar um homem inteligente.

Enquanto nós estávamos naquele velho moinho com cheiro de mofo, o Sr. Darby repetiu a história daquela conquista inusitada e perguntou:

— O que você conclui de tudo isso? Que poder estranho aquela menina usou que deixou o meu tio totalmente dominado?

A resposta a esta pergunta será encontrada nos princípios descritos neste livro. É uma resposta absolutamente completa. Traz detalhes e instruções suficientes para permitir que qualquer pessoa compreenda e ponha em prática a mesma força em que aquela menina por acaso tropeçou.

Mantenha a mente alerta e poderá observar exatamente que estranho poder veio ao socorro da menina. Falaremos mais sobre ele no próximo capítulo. Em algum lugar deste livro, você vai encontrar uma ideia que aumentará seus poderes de percepção e colocará no seu comando, para o seu benefício, essa mesma força irresistível. Você pode perceber esse poder no primeiro capítulo do livro ou ele pode invadir sua mente num dos capítulos seguintes. Pode aparecer na forma de uma simples ideia. Ou pode vir como se fosse um plano ou um objetivo. Pode fazer com que você volte a pensar em suas experiências de derrota ou fracasso e trazer à tona alguma lição pela qual poderá recobrar tudo o que perdeu.

Depois que eu contei ao Sr. Darby sobre o poder que a menininha negra utilizara sem saber, ele logo resumiu todos os seus trinta anos de experiência como vendedor de seguros e sinceramente admitiu que o sucesso que ele obteve nesse campo se deveu, em boa parte, à lição que aprendera com aquela criança.

O Sr. Darby destacou: "Toda vez que um cliente em potencial tentava me dispensar sem comprar nada, eu via aquela menina ali no velho moinho, com os olhos arregalados brilhando em desafio e dizia a mim mesmo: tenho que fazer essa venda. A grande maioria das vendas que eu já fiz aconteceu depois que as pessoas me disseram 'não'."

Ele se lembrava, também, do erro que cometeu quando parou a menos de 1 metro de onde estava o ouro, "porém", relatou, "aquela experiência foi uma verdadeira bênção disfarçada. Ela me ensinou a *sempre continuar*, não importa o quanto a estrada seja difícil, e isso era uma lição que eu tinha que aprender, antes que pudesse ser bem-sucedido em alguma coisa".

Essas histórias do Sr. Darby e do tio, da menininha negra e da mina de ouro, sem sombra de dúvida, serão lidas por centenas de pessoas que ganham a vida vendendo seguros de vida. Para todas elas, eu me atrevo a dizer que o Sr. Darby deve a essas duas experiências sua capacidade de vender mais de 1 milhão de dólares em seguros de vida, ano após ano.

A vida é esquisita e muitas vezes imponderável! Tanto os sucessos quanto os fracassos têm raízes em experiências simples. As do Sr. Darby foram simples e corriqueiras, no entanto, trouxeram a resposta para o seu destino e, por isso, foram tão importantes (para ele) quanto a vida em si. Ele lucrou com essas duas experiências dramáticas *porque as analisou* e encontrou a lição que elas traziam. Mas o que dizer da pessoa que não tem tempo, nem inclinação para estudar um fracasso, em busca do conhecimento que a leva ao sucesso? Onde, e como, ela irá aprender a arte de converter as derrotas nos degraus que levam às oportunidades?

Foi para responder a esta pergunta que este livro foi escrito.

E a resposta pediu o desenvolvimento de 13 princípios, mas, lembre-se, quando for ler, de que a resposta para as perguntas que o levaram a questionar a estranheza da vida podem ser encontradas *na sua própria mente*, através de uma ideia, um plano ou objetivo que pode vir à sua cabeça enquanto estiver lendo este livro.

Uma ótima ideia é tudo o que alguém precisa para alcançar o sucesso. Os princípios descritos neste livro são os melhores e mais práticos que existem e lidam com as maneiras e os meios de se gerar ideias práticas.

Antes de avançarmos na descrição desses princípios, acho que você tem o direito de receber uma importante informação. Quando o dinheiro começa a entrar, ele vem com tanta rapidez, e com tamanha abundância, que nos perguntamos onde é que ele andava se escondendo durante todos os anos de vacas magras. Essa é com certeza, uma afirmação impressionante, e mais ainda quando levamos em consideração a crença popular de que o dinheiro só vem para quem trabalha duro muitas horas por dia.

Quando você começar a adotar a fórmula pense e enriqueça, vai perceber que o dinheiro parte de um estado mental, com um objetivo definido, que não exige trabalho duro. Você e todas as outras pessoas devem se interessar em saber como chegar a esse estado mental que atrai o dinheiro. Eu passei 25 anos pesquisando, analisando mais de 25 mil pessoas, porque eu também queria saber como é que "os ricos ficaram ricos".

Sem essa pesquisa, não haveria este livro.

Aqui vale observar uma verdade muito significativa. A depressão financeira começou em 1929 e continuou até bater todos os recordes de destruição, até algum momento depois que o presidente Franklin Roosevelt tomou posse. Então a depressão começou a desaparecer. Assim como o eletricista de um teatro aumenta a iluminação gradativamente de modo que a escuridão acaba se tornando luz antes que você perceba, o lugar que o medo ocupava na mente das pessoas acabou se transformando pouco a pouco em fé.

Observe atentamente que, assim que você dominar os princípios dessa filosofia, e começar a seguir as instruções e aplicar os princípios, sua situação financeira vai começar a melhorar e tudo o que você tocar vai começar a se transformar num ativo para o seu próprio benefício. Impossível? De jeito nenhum!

Uma das maiores fraquezas da humanidade é o quanto o homem comum emprega a palavra "impossível". Ele conhece todas as regras do que não funciona. Sabe tudo o que não pode ser feito. Este livro foi escrito para aqueles que buscam as regras que fizeram os outros serem bem-sucedidos, e que estão *prontos para arriscar tudo* nessas regras.

Há muitos e muitos anos, eu comprei um belo dicionário. A primeira coisa que fiz foi achar a palavra "impossível" e, com todo o carinho, recortá-la do livro. Não seria nada mau se você fizesse o mesmo.

O sucesso vem para aqueles que têm uma consciência para o sucesso.

E o fracasso chega para aqueles que, por indiferença, têm uma consciência para o fracasso.

O objetivo deste livro é ajudar a todos os que querem aprender a arte de modificar suas mentes de uma consciência para o fracasso em uma consciência para o sucesso.

Outra fraqueza muito comum nas pessoas é o hábito de medir tudo — e todos — por *suas próprias* impressões e crenças. Algumas pessoas que lerem este livro vão pensar que ninguém pode simplesmente pensar e enriquecer. Elas não conseguem pensar como ricas, porque seus pensamentos estão imersos em pobreza, escassez, miséria, fracassos e derrotas.

Esses infelizes me lembram de um famoso chinês que chegou aos Estados Unidos para ser educado à moda americana. Era aluno da Universidade de Chicago. Um dia, o presidente Harper conheceu esse jovem asiático no campus e parou para conversar com ele por alguns minutos. O presidente perguntou qual ele achava que era a característica mais visível dos americanos.

— Ué — respondeu o chinês. — A abertura esquisita dos olhos de vocês. Os olhos de vocês são muito esquisitos!

E o que é que nós falamos dos chineses?

Nós nos recusamos a acreditar naquilo que não entendemos. Acreditamos tolamente que nossas limitações são a medida dos limites do homem. É lógico que são os olhos dos outros que têm uma "abertura esquisita". Porque eles não são como nós.

Introdução

Milhões de pessoas olham para as realizações de Henry Ford, depois que ele teve êxito, e o invejam por causa de sua sorte, sua genialidade, ou o que quer que creditem como a razão de sua fortuna. Talvez uma pessoa em cada 100 mil conheça o segredo do sucesso de Ford, e as que sabem são excessivamente modestas, ou relutantes em tocar nesse assunto, *de tão simples que ele é*. Um único exemplo vai ilustrar esse "segredo" perfeitamente.

Há alguns anos, Ford decidiu produzir aquele que seria o hoje famoso motor V-8. Ele queria construir um motor com todos os oito cilindros montados num só bloco e deu instruções a seus engenheiros para fazer um desenho do motor. O desenho foi feito num papel, mas todos os engenheiros concordaram, sem exceção, que era simplesmente *impossível* montar um motor de oito cilindros a gasolina numa única peça.

— Mesmo assim, tratem de produzir — disse Ford.

— Mas é impossível!

— Vão em frente — ordenou o patrão —, e continuem nesse projeto até dar certo, o tempo que for necessário.

Os engenheiros tocaram o trabalho. Não havia mais nada a fazer se quisessem continuar fazendo parte da equipe de Ford. Seis meses se passaram e nada aconteceu. Mais seis meses... e nada. Os engenheiros tentavam todo o tipo de plano para cumprir suas ordens, mas tudo parecia fora de cogitação.

— *Impossível!*

No fim do ano, Ford foi ver como andavam os engenheiros e eles o informaram que não tinham vislumbrado uma maneira de dar conta do trabalho.

— Continuem trabalhando — disse Ford. — É isso o que eu quero e é isso o que eu vou ter.

Eles continuaram e então, como que num passe de mágica, o segredo foi descoberto.

E a determinação de Henry Ford ganhou de novo!

Talvez essa história não tenha sido contada com precisão milimétrica, mas o todo e a substância estão corretas. Tire suas conclusões, você que deseja pensar e enriquecer, e deduza, se puder, o segredo para os milhões de dólares de Henry Ford. Não vai ter que olhar muito longe.

Henry Ford é um sucesso porque ele compreende *e põe em prática* os princípios do sucesso. Um deles é o desejo: saber aquilo que se quer. Lembre-se dessa história de Ford enquanto estiver lendo este livro e selecione as frases em que o segredo de suas realizações notáveis forem descritas. Se conseguir fazer isso, se puder indicar o grupo específico de princípios que fizeram de Henry Ford um homem rico, poderá ter o mesmo resultado que ele, em qualquer profissão.

VOCÊ É "O SENHOR DO SEU DESTINO E O CAPITÃO DA SUA ALMA" PORQUE...

Quando William Henley escreveu os proféticos versos "Eu sou o senhor do meu destino e o capitão da minha alma", deveria nos ter informado de que nós somos Senhores do nosso destino e capitães de nossas almas *porque* dispomos do poder de controlar nossos pensamentos.

Deveria ter dito a todos nós que o éter em que flutua nossa pequena Terra, em que nos movimentamos e vivemos, é uma forma de energia que se move num índice de vibração inacreditavelmente alto, e que esse éter é repleto de uma forma de poder universal que se adapta à natureza dos pensamentos que temos; e nos influencia, de uma maneira natural, a transformar nossos pensamentos em seu equivalente físico.

Se o poeta tivesse nos informado sobre essa grande verdade, nós saberíamos **a razão de sermos senhores do nosso destino e** capitães das nossas almas. Deveria ter nos dito, enfaticamente, que esse poder não tenta diferenciar pensamentos construtivos e destrutivos, que ele nos move a traduzir em realidade física nossos pensamentos de pobreza com a mesma rapidez com que nos influencia a agir com base em pensamentos de riqueza.

Ele também deveria ter nos contado que nossos cérebros se magnetizam com os pensamentos dominantes que carregamos na mente e, por meios desconhecidos, esses "ímãs" atraem as forças, as pessoas e as circunstâncias da vida que se harmonizam com a natureza dos pensamentos *dominantes*.

Ele também deveria ter nos contado que, antes que possamos acumular riqueza em abundância, temos que magnetizar nossas mentes com um desejo intenso de riqueza, que temos que nos tornar "conscientes do dinheiro" até que esse desejo nos leve a criar planos bem definidos para adquiri-lo.

Mas, como ele era poeta, e não filósofo, Henley se contentou em afirmar uma grande verdade na forma de poesia, deixando para aqueles que vieram depois o trabalho de interpretar o significado de seus versos.

Pouco a pouco, a verdade se revelou, até que agora parece certo que os princípios descritos neste livro guardam o segredo do domínio sobre o nosso destino financeiro.

Agora estamos capacitados para examinar o primeiro desses princípios. Mantenha a mente aberta e lembre-se, quando estiver lendo, de que eles não foram inventados por ninguém. Os princípios foram reunidos a partir das experiências de vida de mais de quinhentos homens que realmente acumularam riquezas em grande quantidade. Homens que começaram na pobreza, com pouquíssima educação e sem influência. Os princípios ajudaram esses homens. E você também pode colocá-los a seu próprio serviço para que seja beneficiado a longo prazo.

Vai ver que é fácil. Não há dificuldade.

Antes de ler o próximo capítulo, eu quero que você saiba que ele traz informações factuais que podem facilmente alterar todo o seu destino financeiro, uma vez que elas, com certeza, trouxeram modificações sensacionais para as duas pessoas nele descritas.

Eu também quero que você saiba que sou fortemente ligado a esses homens e que, mesmo se fosse a minha vontade, não poderia me dar o luxo de tomar liberdades com os fatos. Um deles é o meu amigo mais próximo nos últimos 25 anos e o outro é meu filho. O sucesso incomum alcançado pelos dois — que eles generosamente atribuem ao princípio descrito no próximo capítulo — mais do que justifica esta nota pessoal, como forma de enfatizar o enorme alcance desse princípio.

Há cerca de 15 anos, eu fiz o discurso de abertura no Salem College, em Salem, West Virginia. Enfatizei o princípio descrito no próximo capítulo com tamanha intensidade que um dos alunos da turma de formandos acabou se apropriando dele e o transformou em parte de sua filosofia de vida. Esse jovem, hoje, é membro do Congresso e importante personagem no governo atual. Pouco antes de este livro ir para a editora, ele me escreveu uma carta na qual dizia claramente sua opinião sobre o princípio do próximo capítulo, e eu decidi publicar a carta como uma introdução ao capítulo.

Ela lhe dará uma ideia das recompensas que estão por vir.

Meu caro Napoleon,

Como meu trabalho de congressista costuma me proporcionar vários insights sobre os problemas dos homens e das mulheres, escrevo-lhe para oferecer uma sugestão que tem sido útil a milhares de pessoas dignas.

Com as devidas desculpas, tenho que dizer que se essa sugestão for posta em prática, pode significar vários anos de trabalho e responsabilidade para você, mas eu me sinto impelido a fazê-la porque conheço o amor que você tem em prestar um serviço verdadeiramente útil.

Em 1922, você fez o discurso de abertura no Salem College, quando eu era aluno do último ano. Naquela palestra, você plantou em minha mente a ideia responsável pela oportunidade que hoje eu tenho de servir às pessoas do meu estado, e que também será responsável, em larga medida, por qualquer sucesso que eu vier a desfrutar no futuro.

A sugestão que tenho em mente é a seguinte: que você reúna num livro toda a palestra que deu no Salem College, de modo a oferecer aos americanos uma oportunidade de lucrar com seus muitos anos de experiência e de relações com os homens que, por sua grandeza, fizeram dos Estados Unidos o país mais rico do mundo.

Lembro-me como se fosse ontem da belíssima descrição que você fez do método pelo qual Henry Ford, com pouquíssima educação, nenhum tostão no bolso nem amigos importantes, lançou-se à estratosfera. Foi ali que meti na cabeça, antes mesmo de você terminar o discurso, que eu teria o meu lugar no mundo, independentemente de quanta dificuldade tivesse que superar.

Milhares de pessoas vão se formar este ano e nos próximos anos. Todas vão procurar exatamente o tipo de mensagem de incentivo que ouvi de você. Vão querer saber para que lado se virar, o que fazer, para começar na vida. E você pode dar isso a elas, porque já conseguiu ajudar a resolver os problemas de muita gente.

Se houver alguma maneira pela qual você puder prestar um serviço de tamanha grandeza, permita-me lhe dar a sugestão de incluir em seus livros uma das suas Tabelas de Análise Pessoal, para que o leitor conte com o benefício de uma autoavaliação, indicando, como você me mostrou há tantos anos, exatamente onde é que eu estou no meu caminho para o sucesso.

Um serviço como esse, que proporcione aos leitores um quadro completo e imparcial de seus defeitos e virtudes, pode ser para eles a diferença entre o sucesso e o fracasso. Um serviço como esse não tem preço.

Milhões de pessoas agora se defrontam com o problema de como voltar a se erguer na vida por causa da Depressão. E falo com experiência própria quando digo que sei que essas pessoas honestas adorariam a oportunidade de lhe contar seus problemas e receber suas sugestões para uma solução.

Você conhece os problemas que enfrentam aqueles que precisam começar tudo de novo. Existem milhares de pessoas nos Estados Unidos que gostariam de saber como poderiam converter suas ideias em dinheiro, gente que precisa começar do nada, sem um tostão no bolso, e recuperar o prejuízo. Se há alguém que pode ajudá-las, é você.

Se publicar esse livro, gostaria de me tornar o dono do primeiro exemplar que sair da gráfica, com um autógrafo seu.

Com meus melhores votos, acredite em mim,

Cordialmente,
Jennings Randolph

CAPÍTULO 12

DESEJO:
O PONTO DE PARTIDA PARA TODAS AS REALIZAÇÕES

O primeiro passo para a riqueza

Quando Edwin C. Barnes desceu do trem de carga em Orange, Nova Jersey, há mais de trinta anos, ele pode até ter parecido um vagabundo, mas seus *pensamentos* eram de um rei!

Enquanto caminhava dos trilhos do trem até o escritório de Thomas Edison, sua mente estava a todo vapor. Ele se viu *de pé, em frente a Edison*; ouviu-se pedindo a Edison uma oportunidade para pôr em prática a obsessão que consumia toda a sua vida, o desejo ardente de virar sócio do grande inventor.

O desejo dele não era uma *esperança*! Não era uma simples *vontade*! Era um *desejo* pulsante e fervoroso, que transcendia tudo mais. Era *definido*.

Esse desejo não nascera quando ele se aproximou de Edison. Já era o *desejo dominante* de Barnes há muito tempo. No começo, quando o desejo apareceu pela primeira vez em sua mente, provavelmente foi apenas uma vontade, mas não era mais uma simples vontade quando ele apareceu na sala de Edison.

Alguns anos mais tarde, Edwin C. Barnes voltou a ficar de frente para Edison, na mesma sala em que conhecera o inventor. Dessa vez, seu desejo havia se transformado em realidade. *Ele era sócio de Thomas Edison.* O sonho de sua vida tinha virado realidade. Hoje, as pessoas que conhecem Barnes o invejam, por causa da "sorte" que ele teve na vida. Elas o veem triunfante, sem se dar o trabalho de investigar a *causa* de seu sucesso.

Barnes teve êxito porque escolheu um objetivo definido e concentrou toda a sua energia, toda a sua força de vontade, todo o seu esforço, simplesmente *tudo*, em função desse objetivo. Ele não se tornou sócio de Thomas Edison no dia em que chegou. Ele se contentou em começar pelo trabalho mais simples, desde que isso lhe desse uma oportunidade para dar mais um passo em direção ao seu objetivo.

Cinco anos se passaram antes de aparecer a chance que ele tanto queria. Em todos esses anos, não havia nenhum raio de esperança, nenhuma promessa de que ele conseguiria realizar seu desejo. Para todo mundo, exceto o próprio Barnes, ele parecia ser apenas mais uma peça nas engrenagens empresariais de Edison, mas em sua mente ele era sócio de Edison em cada minuto, desde o primeiro dia em que foi trabalhar lá.

É uma ilustração notável do poder de um desejo definido. Barnes atingiu sua meta porque, mais do que qualquer outra coisa, ele queria ser sócio de Thomas Edison. Ele criou um plano para atingir esse objetivo. Mas queimou todas as pontes por trás dele. Ele se dedicou a esse desejo até que ele se tornasse a obsessão dominante de sua vida — e, finalmente, um fato consumado.

Quando foi a Orange, ele não disse a si mesmo: "Eu vou tentar convencer Edison a me dar um emprego qualquer." Ele disse: "Eu vou ver Edison e lhe comunicar que vim fazer negócios com ele."

Ele não disse: "Vou trabalhar alguns meses e, se não tiver incentivo algum para continuar, vou embora e arranjo outro emprego." Ele disse: "Eu vou começar de onde puder. Vou fazer qualquer coisa que Edison me mandar fazer, mas, *ainda que demore toda a minha vida,* eu vou ser sócio dele."

Ele não disse: "Vou ficar de olhos abertos para outra oportunidade, caso não consiga o que quero nas empresas de Edison." Disse: "Só existe uma coisa no mundo que eu estou determinado a ser, que é sócio de Thomas Alva Edison. Vou queimar todas as pontes atrás de mim e apostar todo o meu futuro na minha capacidade de conseguir o que quero."

Ele não se permitiu nenhuma porta de saída. Ele tinha que ganhar ou morrer!

Essa é toda a história de sucesso de Barnes!

Há muitos anos, um grande guerreiro se viu na situação de ter de fazer uma escolha que garantisse sua vitória no campo de batalha. Estava prestes a lançar seu exército contra um inimigo poderoso, cujo número de homens superava os seus. Ele posicionou os soldados nos barcos, navegou até o país do inimigo, descarregou tropa e equipamentos e então deu a ordem para queimar os barcos que os trouxeram. Ele disse a seus homens antes da batalha: "Estão vendo os nossos barcos virando fumaça? Isso significa que nós não vamos deixar essa praia vivos a não ser que vençamos! Nós não temos escolha: *ou ganhamos ou morremos!*"

Ganharam.

Toda pessoa disposta a vencer em qualquer empreendimento tem que estar disposta a queimar os barcos e cortar qualquer chance de bater em retirada. É só assim que se pode garantir aquele estado mental conhecido como um desejo ardente de vencer, tão crucial para o sucesso.

Na manhã seguinte ao grande incêndio de Chicago, um grupo de comerciantes estava na State Street, olhando para os restos do que tinham sido suas lojas. Eles se reuniram para decidir se deveriam reconstruir tudo ou ir embora de Chicago e começar de novo numa parte mais promissora do país. Com exceção de um homem, todos decidiram partir.

O comerciante que optou por ficar e reconstruir apontou o dedo para os escombros de sua antiga loja e falou:

— Senhores, neste exato lugar eu vou erguer a maior loja do mundo, não importa quantas vezes ela pegar fogo.

Isso foi há mais de cinquenta anos. A loja foi construída. Ela continua lá até hoje, como um verdadeiro monumento ao poder desse estado mental chamado Desejo Ardente. A coisa mais fácil para Marshal Field seria fazer exatamente o que seus colegas fizeram. Quando a vida endureceu, e o futuro parecia tenebroso, eles levantaram o acampamento e se mudaram para um lugar onde a vida parecia mais fácil.

Anote bem essa diferença entre Marshal Field e os demais comerciantes, porque é a mesma diferença que distingue Edwin C. Barnes dos milhares de outros jovens que trabalharam nas empresas de Edison. É a mesma diferença que distingue quase todos os que têm êxito dos que fracassam.

Todo ser humano que chega à idade em que entende para que serve o dinheiro, quer ficar rico. Mas *querer* não vai enriquecer ninguém. *Desejar* a riqueza com um estado mental que se transforma numa obsessão, e então traçar caminhos bem-definidos e meios para obtê-la, apoiando esses planos numa perseverança *que não reconhece o fracasso* — isso sim levará à riqueza.

O método pelo qual o desejo pela riqueza pode ser transformado em seu equivalente financeiro consiste em seis passos práticos e bem-definidos. São eles:

Primeiro. Estabeleça em sua mente a *exata* quantia em dinheiro que você deseja. Não basta dizer apenas "Eu quero ter muito dinheiro". Trace uma quantidade específica. (Há um motivo psicológico para essa definição, que será descrito no próximo capítulo.)

Segundo. Determine exatamente o que você pretende dar em troca pelo dinheiro que deseja. (Não existe esse negócio de "ganhar dinheiro a troco de nada".)

Terceiro. Estabeleça uma data definitiva em que pretende *estar na posse* de todo o dinheiro que deseja.

Quarto. Crie um plano bem-definido para levar a cabo esse desejo e comece *agora mesmo*, esteja você pronto ou não, a colocar esse plano *em prática*.

Quinto. Escreva uma declaração rápida e precisa de quanto dinheiro você pretende obter, especifique o limite de tempo para obtê-lo, declare o que pretende dar em troca desse dinheiro e descreva claramente o plano por meio do qual pretende acumular essa riqueza.

Sexto. Leia essa declaração em voz alta, duas vezes ao dia, uma logo antes de dormir e a outra assim que acordar. Enquanto estiver lendo, veja, sinta e acredite que já está de posse desse dinheiro.

É importante que você siga as instruções descritas nesses seis passos. É especialmente importante que observe e siga as instruções do sexto. Você pode reclamar que é impossível "se ver na posse de tanto dinheiro" antes de efetivamente tê-lo. É aqui que um *desejo ardente* virá em seu auxílio. Se você realmente *desejar* ter dinheiro com tanta convicção que o seu desejo chega a ser uma obsessão, você não terá dificuldade em se convencer de que irá obtê-lo. O objetivo é desejar ganhar dinheiro e se tornar tão determinado a ponto de se *convencer* que já o tem.

Só aqueles que têm uma "consciência voltada para o dinheiro" realmente chegam a acumular grandes fortunas. Ter uma "consciência voltada para o dinheiro" significa que a mente ficou tão saturada com o desejo de dinheiro que a pessoa já pode se ver na posse dele.

Para os não iniciados, aqueles que ainda não são letrados em como a mente humana funciona, essas instruções podem parecer pouco práticas. A todos aqueles que não reconhecem o quanto esses seis passos são importantes, pode ajudar saber que essa informação foi recebida de Andrew Carnegie. Ele começou a vida como um simples operário numa siderúrgica, mas conseguiu, apesar de sua origem muito humilde, fazer com que esses princípios lhe valessem uma fortuna de muito mais de 100 milhões de dólares.

Talvez também ajude saber que os seis passos aqui recomendados foram cuidadosamente analisados pelo falecido Thomas Edison, que concedeu seu selo de aprovação considerando-os não só fundamentais para a acumulação de dinheiro, como também para se atingir *qualquer objetivo definido*.

Veja que esses passos não exigem "trabalho duro". Não exigem sacrifícios. Não exigem que alguém se torne um crente ou se exponha ao ridículo. Colocá-los em prática não exige grande educação. Mas a aplicação efetiva desses seis passos exige *imaginação* suficiente para permitir que alguém veja, e compreenda, que a acumulação de dinheiro não pode ser deixada a sabor da sorte. É preciso perceber que todos aqueles que acumularam grandes fortunas primeiro sonharam um bocado, desejando, esperando, ansiando e planejando, *antes* de ganhar o dinheiro.

É bom também já ir sabendo, logo de cara, que você nunca acumulará vastas quantidades de dinheiro a não ser que efetivamente fique fervendo de vontade de ganhar dinheiro e tenha a firme certeza de que irá possuí-lo.

Também vale a pena saber que todo grande líder, dos primórdios da civilização até hoje, sempre foi um sonhador. O cristianismo é o maior poder potencial no nosso mundo porque seu fundador era um sonhador intenso, dotado da visão e da imaginação para ver realidades mentais e espirituais antes que se manifestassem no mundo físico.

Se você nunca conseguir imaginar ter uma grande fortuna, nunca poderá vê-la em sua conta bancária.

Nunca, em toda a história dos Estados Unidos, houve oportunidades tão grandes para os sonhadores práticos como as que existem hoje. O colapso econômico de seis anos reduziu a maioria das pessoas basicamente ao mesmo nível. Portanto, uma nova corrida está prestes a começar. Isso significa que há um potencial para grandes fortunas serem acumuladas nos próximos dez anos. As regras da corrida podem ter mudado porque hoje nós vivemos num mundo que favorece a massa, as pessoas que tiveram pouca ou nenhuma chance de viver nas condições que havia na época da Depressão, quando o medo paralisou o crescimento e o desenvolvimento.

Aqueles que estão na corrida para a riqueza devem se sentir motivados a saber que o novo mundo em que vivemos está pedindo novas ideias, novas maneiras de se fazer as coisas, novos líderes, novas invenções, novos métodos de ensino, novos métodos de marketing, novos livros, nova literatura, novos programas de rádio, novas ideias de filmes... Por trás de toda a demanda de coisas novas e melhores há uma qualidade que uma pessoa tem que ter para ganhar, que é um *objetivo definido*, o conhecimento do que se quer e um *desejo ardente* de conquistar.

A depressão econômica marcou o fim de uma era e o surgimento de outra. O novo mundo pede sonhadores práticos que podem pôr seus sonhos em ação, e *de fato os põem*. Os sonhadores práticos foram, e sempre serão, os que lançam os padrões da civilização.

Nós, que desejamos acumular riquezas, devemos nos lembrar que os verdadeiros líderes do mundo sempre foram pessoas que utilizaram, e puseram em prática, as forças intangíveis e invisíveis das oportunidades que ainda não nasceram e que converteram essas forças (ou impulsos de pensamento) em arranha-céus, cidades, indústrias, aviões, automóveis e todo tipo de conveniências que tornam a vida mais agradável.

A tolerância e uma mente aberta são as necessidades práticas dos sonhadores dos dias atuais. Aqueles que têm medo de novas ideias estão condenados ao fracasso antes mesmo de começar.

Nunca houve um momento tão promissor para os pioneiros do que o atual. É verdade que o Velho Oeste não está mais aí para ser conquistado, como no tempo das caravanas; mas há todo um mundo industrial, financeiro e comercial para ser remodelado e redirecionado em novas e melhores linhas.

Quando planejar adquirir sua parte dessa riqueza, não permita que ninguém lhe influencie a fazer chacota dos sonhadores. Para ganhar o pote de ouro nesse novo mundo é preciso se encher do mesmo espírito dos pioneiros do passado, cujos sonhos deram à civilização tudo de mais valioso, o espírito que serve como o verdadeiro sangue do nosso país — nossa oportunidade de desenvolver nossos talentos e colocá-los no mercado.

Não vamos nos esquecer de que Cristóvão Colombo sonhou com um mundo desconhecido, apostou a própria vida nesse mundo e o descobriu!

Copérnico, o grande astrônomo, sonhou com mundos múltiplos e os revelou! Ninguém disse que ele era "pouco prático" *depois* que ele triunfou. Muito pelo contrário, o mundo o colocou num pedestal, provando, mais uma vez, que "o sucesso não precisa de desculpas e o fracasso não permite álibis".

Se o que você quiser fazer for correto, e *você realmente acreditar no seu projeto*, vá em frente e faça! Ponha o seu sonho em ação e não se importe com o que "os outros" irão dizer se você se deparar com derrotas temporárias, porque, provavelmente, "os outros" não sabem que todo fracasso traz em si a semente de um sucesso correspondente.

Henry Ford, que era pobre e possuía pouca educação, sonhou com uma carruagem sem cavalos e partiu para trabalhar com as ferramentas de que dispunha, sem esperar que uma oportunidade viesse bater em sua porta, e agora a prova de seu sonho é visível no mundo inteiro.

Thomas Edison sonhou com uma lâmpada elétrica, começou de onde estava para colocar seu sonho em prática e, apesar de mais de *10 mil fracassos*, perseguiu seu sonho até torná-lo realidade. Os sonhadores práticos não desistem!

Whelan sonhava em montar uma rede de charutarias, pôs o seu sonho em ação e hoje a United Cigar Stores ocupa as melhores esquinas dos Estados Unidos.

Lincoln sonhava com a liberdade para os escravos, colocou seu sonho em ação e por pouco não viveu para ver o Norte e o Sul unidos para traduzir seu sonho em realidade.

Os irmãos Wright sonhavam com uma máquina que conseguisse voar. Agora se pode ver, pelos exemplos no mundo inteiro, que seus sonhos valeram a pena.

Marconi sonhava com um sistema que explorasse as forças intangíveis do éter. As provas de que ele não sonhou em vão podem ser vistas em qualquer aparelho de rádio no mundo. Além disso, o sonho de Marconi colocou lado a lado a cabana mais humilde com a residência mais esplendorosa. Fez com que os povos de todos os países se tornassem vizinhos. Deu ao presidente dos Estados Unidos um meio pelo qual ele poderia se dirigir a todas as pessoas do país, de uma só vez, sem planejar com muita antecedência. Talvez lhe interesse saber que os "amigos" de Marconi o internaram à força para que o examinassem num hospital psiquiátrico, depois de ele ter anunciado que tinha descoberto o princípio pelo qual poderia mandar mensagens pelo ar sem a ajuda de cabos, ou de outro meio direto de comunicação. Os sonhadores de hoje não precisam passar por isso.

O mundo se acostumou com novas descobertas. Aliás, tem até se mostrado disposto a recompensar o sonhador que apresenta uma ideia nova.

"Mesmo a maior de todas as realizações não passou, no começo e por algum tempo, de um sonho."

"O carvalho dorme na semente. O passarinho espera no ovo e, na maior visão da alma, um anjo que desperta se mexe. Os sonhos são as sementes da realidade."

Levantem-se, despertem e vejam tudo o que vocês têm a oferecer, sonhadores do mundo. Sua estrela está em ascensão. A Depressão mundial trouxe a oportunidade que vocês tanto esperavam. Ensinou as pessoas a serem humildes, tolerantes e a ter a mente aberta.

O mundo está repleto de oportunidades que os sonhadores do passado nunca tiveram.

Um desejo ardente de ser alguém e de fazer alguma coisa é o ponto de partida de onde o sonhador tem que decolar. Os sonhos não nascem da indiferença, da preguiça ou da falta de ambição.

O mundo não ridiculariza mais os sonhadores, nem diz que eles não são pragmáticos. Se você não acredita, vá até o Tennessee e testemunhe o que um presidente sonhador fez para explorar e utilizar o grande poder hidrelétrico dos Estados Unidos. Alguns anos atrás, um sonho desses pareceria loucura.

Você que ficou decepcionado e se sentiu derrotado durante a Depressão, que sentiu o grande coração que existe dentro de você se apertar até sangrar... coragem, pois essas experiências temperaram o metal espiritual de que você é feito — são ativos de um valor incomparável.

Lembre-se, também, de que todo mundo que teve sucesso na vida começou mal e teve que passar por muitas batalhas angustiantes até chegar ao topo. O momento de virada dos que tiveram sucesso geralmente ocorreu numa crise, em que eles foram apresentados ao seu "outro lado".

John Bunyan escreveu *O peregrino*, um dos maiores romances da literatura inglesa, depois de ser confinado numa prisão e punido violentamente por conta de suas ideias sobre religião.

O. Henry descobriu o gênio adormecido em seu cérebro depois de passar por uma enorme infelicidade e ser preso em Columbus,

Desejo: o ponto de partida para todas as realizações

Ohio. Sendo obrigado, por causa de uma dificuldade, a conhecer seu "outro lado" e a usar sua *imaginação*, ele descobriu que era um grande escritor, em vez de um pequeno criminoso e um pária da comunidade. Os caminhos da vida são estranhos e variados, e mais estranhos ainda são os caminhos da Inteligência Infinita, pelos quais as pessoas, às vezes, têm que passar, por todo tipo de punição, antes de descobrir sua capacidade de ter ideias úteis por meio da imaginação.

Edison, o maior inventor e cientista do mundo, era um telegrafista "vagabundo" e fracassou inúmeras vezes antes de ser finalmente levado a descobrir o gênio que dormia em seu cérebro.

Charles Dickens começou a vida colando rótulos em vasos pretos. A tragédia de seu primeiro amor penetrou tanto nas profundezas de sua alma que o converteu em um dos grandes escritores do mundo. A tragédia produziu, primeiro, *David Copperfield*, depois uma série de outras obras que fez do mundo um lugar melhor e mais rico para todos os seus leitores. As desilusões amorosas geralmente têm o efeito de fazer os homens beberem e as mulheres se arruinarem. Isso porque a maioria das pessoas nunca aprende a arte de transformar suas emoções mais fortes em sonhos construtivos.

Helen Keller ficou surda, muda e cega logo depois de ter nascido. Apesar desse enorme infortúnio, conseguiu escrever seu nome indelevelmente nas páginas da história como uma das grandes mulheres do mundo. Toda a sua vida foi uma prova de que *ninguém jamais é derrotado até que a derrota seja aceita como uma realidade*.

Robert Burns era um garoto analfabeto do interior, amaldiçoado pela pobreza, e acabou virando um ébrio. Mas o mundo se transformou num lugar melhor porque ele sobreviveu, pois conseguiu transformar belos pensamentos em poesia e, assim, colheu um espinho e plantou uma rosa em seu lugar.

Booker T. Washington nasceu escravo e desprivilegiado por sua raça e cor da pele. Como era tolerante e sempre teve a mente aberta, em todos os campos, e também sonhava, deixou uma impressão positiva em toda uma raça.

Beethoven era surdo, Milton era cego, mas seus nomes ficaram eternizados porque sonharam e traduziram seus sonhos em pensamentos organizados.

Antes de passar para o próximo capítulo, atice de novo em sua mente os fogos da esperança, da fé, da coragem e da tolerância. Se tiver esses estados mentais e souber trabalhar com os princípios aqui descritos, tudo mais o que precisa virá até você, quando estiver pronto para receber. Deixemos que Emerson traduza em palavras esse pensamento: "Todo provérbio, todo livro, toda palavra que lhe pertencer para sua ajuda e conforto certamente virá a ti por caminhos abertos ou sinuosos. Todo amigo que não uma vontade fantástica, mas que sua doce e nobre alma desejar te colherá em seu abraço."

Há uma diferença entre *desejar* uma coisa e estar *pronto* para recebê-la. Ninguém está *pronto* para uma coisa até que *acredite* que possa se apossar dela. O estado mental tem que ser o de uma *crença*, e não o de uma vontade ou capricho. A mente aberta é fundamental para se crer. As mentes fechadas não inspiram fé, coragem, nem crença.

Lembre-se de que não é preciso mais esforço para mirar alto na vida, pedir abundância e prosperidade do que o esforço necessário para aceitar a tristeza e a pobreza. Um grande poeta traduziu corretamente essa verdade universal nos seguintes versos:

> Eu barganhava com a Vida cada centavo,
> E a Vida não dava mais do que eu pedia,
> Por mais que eu lhe implorasse de noite
> Quando contava meus recursos parcos.
> Pois a Vida é uma patroa justa
> Que dá o que pedires

Desejo: o ponto de partida para todas as realizações

> Mas quando disseres seu salário
> Terás que aguentar esse fardo.
> Eu trabalhei por um salário miserável,
> Só para descobrir, numa tristeza inenarrável,
> Que qualquer provento que eu pedisse da Vida,
> Ela teria pago de bom grado.

O DESEJO SUPERA ATÉ MESMO A MÃE NATUREZA

Como clímax apropriado para este capítulo, gostaria de apresentar uma das pessoas mais incomuns que já conheci. A primeira vez que o vi foi há 24 anos, minutos depois de ele ter nascido. Veio ao mundo sem qualquer sinal físico de que tivesse orelhas, e quando pressionei o médico ele confessou que a criança poderia ser surda e muda pelo resto da vida.

Desafiei a opinião do médico. Eu tinha esse direito, porque era o pai do bebê. Eu também cheguei a uma conclusão e formulei uma opinião, porém silenciosamente, no segredo do meu coração. Decidi que meu filho falaria e ouviria. A Natureza podia ter me mandado uma criança sem orelhas, mas a Natureza *não poderia me obrigar a aceitar* a realidade daquela deficiência.

Na minha cabeça, eu sabia que meu filho ouviria e falaria. Como? Eu sabia que haveria um jeito e sabia que eu haveria de encontrá-lo. Pensei nas palavras do imortal Emerson: "Todo o curso das coisas nos ensina a ter fé. Nós só temos que obedecer. Há um guia para cada um de nós e, se ouvirmos atentamente, haveremos de escutar *a palavra certa*."

A palavra certa? Desejo! Mais do que qualquer outra coisa, eu desejava que meu filho não se tornasse um surdo-mudo. Desse desejo eu nunca recuei, nem por um segundo.

Muitos anos antes, eu havia escrito que "Nossas únicas limitações são aquelas que estabelecemos na mente". Pela primeira vez, eu me perguntei se a frase seria verdadeira. Deitado na cama à minha frente estava uma criança recém-nascida que não dispunha do equipamento natural para ouvir. Mesmo que viesse a ouvir e a falar, obviamente, estaria desfigurada por toda a vida. Evidentemente, aquela era uma limitação que a criança não tinha implantado na própria mente.

O que eu poderia fazer? De alguma maneira, eu daria um jeito de transplantar na mente daquela criança o meu próprio desejo ardente para encontrar um caminho e uma maneira de mandar os sons para o seu cérebro, sem a ajuda das orelhas.

Assim que a criança já estava suficientemente crescida para colaborar, eu encheria sua mente com um desejo tão ardente para ouvir que a Natureza iria, por seus próprios métodos, traduzi-lo em realidade física.

Todos esses pensamentos correram pela minha mente, mas não comentei com ninguém. Todo dia eu repetia o juramento que fiz a mim mesmo de não aceitar que meu filho seria surdo-mudo.

Quando ele cresceu e começou a observar as coisas à sua volta, percebemos que ele podia ouvir um pouquinho. Quando chegou à idade em que as crianças normalmente começam a falar, ele não tentou, mas dava para ver que conseguia ouvir baixinho alguns sons. Era tudo o que eu precisava saber! Estava convicto de que, se ele podia ouvir, mesmo que só um pouquinho, poderia desenvolver ainda mais sua capacidade auditiva. Aí aconteceu uma coisa que me deu esperança. E partiu de uma fonte totalmente inesperada.

Compramos uma vitrola. Quando meu filho ouviu a música pela primeira vez, ficou em estado de êxtase e logo se apropriou do aparelho. Ele logo mostrou sua predileção por certos discos, entre eles, "It's a Long Way to Tipperary". Um dia, ele ficou tocando a música sem parar, por quase duas horas, na frente da vitrola, *com os dentes colados na beira da caixa*. O quanto esse novo e autônomo hábito foi significativo só ficaria claro anos depois, porque, até então, nós nunca tínhamos ouvido falar da "condução óssea" do som.

Pouco depois de ter se apossado da vitrola, descobri que ele podia me ouvir bastante bem se eu falasse com os lábios tocando no osso mastoide dele, ou na base do cérebro. Essas descobertas me deram os meios necessários para que eu pudesse começar a transformar em realidade o *Desejo Ardente* que eu tinha de ajudar meu filho a desenvolver a fala e a audição. Naquele tempo, ele fazia suas primeiras tentativas incertas de falar determinadas palavras. As perspectivas eram pouquíssimo encorajadoras, mas *o desejo amparado na fé* não conhece a palavra impossível.

Depois de determinar que ele conseguia ouvir claramente o som de minha voz, comecei, imediatamente, a transferir para sua mente o desejo de falar e de ouvir. Logo percebi que o menino gostava de histórias infantis, por isso me pus a trabalhar, criando histórias que ajudassem a desenvolver sua autoconfiança, a imaginação e *um desejo fervoroso de ouvir e ser uma pessoal normal*.

Havia uma história em particular que eu enfatizei, dando um colorido novo e dramático cada vez que eu lhe contava. Fora desenhada para introduzir em sua mente que sua deficiência não era uma desvantagem, mas um ativo de grande valor. Apesar do fato de toda a filosofia que eu tinha estudado indicar que toda adversidade traz em si a semente de uma vantagem correspondente, tenho que confessar que eu não fazia a menor ideia de *como* essa deficiência poderia, em algum momento, se transformar num ativo. No entanto, continuei a prática de encaixar essa filosofia nas histórias de dormir, esperando que um dia ele encontrasse um plano pelo qual essa deficiência pudesse servir a algum propósito útil.

A razão me dizia claramente que não havia uma compensação adequada à falta das orelhas e ao equipamento natural de audição. Mas o desejo amparado na fé afastou a razão para o lado e me inspirou a ir em frente.

Quando, hoje, olhando para trás, eu analiso essa experiência, posso perceber que *a fé que o meu filho tinha em mim* teve muito a ver com esse impressionante resultado. Ele não questionou nada do que eu lhe disse. Eu havia lhe vendido a ideia de que ele tinha uma *vantagem* definitiva sobre o irmão mais velho e que essa vantagem apareceria de muitas maneiras. Por exemplo, os professores da escola veriam que ele não tinha orelhas e, por causa disso, lhe dariam uma atenção especial e lhe tratariam com uma gentileza extraordinária. E isso sempre aconteceu. A mãe dele providenciou isso, se reunindo com os professores e cuidando para que o menino recebesse a atenção extra necessária. Eu também lhe vendi a ideia de que, quando ele tivesse idade suficiente para vender jornais (o irmão mais velho já tinha começado a vender), ele teria uma grande vantagem sobre o irmão, pois as pessoas lhe dariam um dinheirinho extra pela mercadoria, porque veriam que ele era um menino brilhante, mesmo não tendo as orelhas.

Dava para perceber que, gradativamente, a audição do garoto ia melhorando. Além do mais, ele não demonstrava a menor tendência de querer uma atenção especial por causa da deficiência. Quando tinha uns 7 anos, deu o primeiro sinal de que nosso método de trabalho estava funcionando. Por muitos meses, ele implorou para vender jornais, mas a mãe nunca permitia. Tinha medo de que, por ele ser surdo, fosse perigoso andar na rua desacompanhado.

No fim das contas, ele assumiu as rédeas da situação. Uma tarde, quando estava em casa sozinho com os empregados, pulou a janela da cozinha, aterrissou no chão e ganhou as ruas. Ele pediu seis centavos emprestados como capital inicial ao sapateiro local, investiu tudo em jornais, vendeu, reinvestiu e continuou nesse ritmo, até o fim da tarde. Depois de fazer os cálculos e devolver os seis centavos que tomara de seu "banqueiro", seu lucro líquido havia sido de 42 centavos. Quando voltamos para casa à noite, encontramos o menino dormindo, com o dinheiro apertado na mão.

Desejo: o ponto de partida para todas as realizações

A mãe abriu a mão dele, tirou as moedas e começou a chorar. Como assim? Chorar pela primeira vitória do filho parecia ser tão inadequado! Minha reação foi exatamente a oposta. Dei uma sonora gargalhada, pois sabia que meu esforço de tentar plantar na mente do meu filho uma atitude de fé em si mesmo tinha obtido êxito.

A mãe viu, no primeiro empreendimento do filho, um menino surdo que saíra de casa e arriscara a vida nas ruas para ganhar dinheiro. Eu vi um pequeno empresário ambicioso, corajoso e autoconfiante cuja fé em si mesmo havia aumentado em 100%, porque tinha entrado no mundo dos negócios por iniciativa própria e saído vencedor. Gostei da experiência porque tinha visto que ele dera uma demonstração de desenvoltura que o acompanharia a vida inteira. Os acontecimentos futuros mostraram que isso era verdade. Quando o irmão mais velho queria alguma coisa, ele se deitava no chão, balançava as pernas no ar e chorava. Acabava conseguindo. Quando o "menininho surdo" queria uma coisa, ele planejava uma maneira de ganhar o dinheiro e, então, comprava pessoalmente — e assim segue até hoje!

A verdade é que o meu filho me ensinou que as deficiências podem ser transformadas em degraus que permitem subir em direção a um objetivo notável, a não ser que sejam aceitas como obstáculos e usadas como álibis.

O menino surdo passou pelo ensino fundamental, pelo ensino médio e pela faculdade sem conseguir ouvir os professores, exceto quando eles falavam muito alto e de perto. Ele não foi matriculado numa escola especial para surdos. Não permitimos que aprendesse a linguagem dos sinais. Estávamos determinados a fazer com que tivesse uma vida normal e se associasse a crianças normais, e nos agarramos a essa decisão, mesmo que isso tenha nos custado discussões bastante acaloradas com os administradores da escola.

Enquanto ele estava no ensino médio, testou um aparelho auditivo elétrico, mas de nada adiantou — acreditamos que por causa de uma condição de que soubemos quando ele tinha 6 anos e o Dr. J. Gordon Wilson, de Chicago, operou um lado da cabeça dele e descobriu que não havia sinal do sistema auditivo natural.

Em sua última semana de faculdade (18 anos depois da operação), uma coisa aconteceu que marcou a reviravolta mais importante de sua vida. Num ato que parecia ser pura sorte, ele se viu na posse de outro equipamento auditivo, que lhe mandaram para teste. Ele demorou para testar, devido à decepção que tivera com o anterior. Finalmente, pegou o aparelho e, meio que descuidadamente, colocou na cabeça, ligou a bateria e, *tchan-ran!*, como num passe de mágica, o desejo que ele sempre teve de ouvir normalmente se tornou realidade! Pela primeira vez na vida, estava ouvindo quase tão bem quanto qualquer pessoa com audição normal. "Deus escreve certo por linhas tortas, na hora de fazer Suas maravilhas."

Extasiado com o Novo Mundo que lhe havia sido proporcionado com o equipamento auditivo, ele correu para o telefone e ligou para a mãe. Ouviu sua voz perfeitamente. No dia seguinte, ouviu normalmente a voz dos professores na aula, pela primeira vez na vida! Antes, só conseguia ouvir quando eles gritavam, e de perto. Ele ouviu rádio. *Ouviu* os filmes falados. Pela primeira vez na vida, podia conversar normalmente com as pessoas, sem necessidade de elas falarem alto. Ele realmente havia se apoderado de um Novo Mundo. Nós havíamos nos recusado a aceitar o erro da Natureza e, através de um desejo persistente, havíamos obrigado a Natureza a corrigir o tal erro, pelo único meio prático disponível.

O Desejo tinha começado a pagar dividendos, mas a vitória ainda não estava completa. O garoto ainda tinha que encontrar uma maneira prática de transformar sua deficiência num *ativo equivalente.*

Mal percebendo a importância do que já tinha sido alcançado, mas inebriado de alegria pelo mundo novo cheio de sons que havia descoberto, ele escreveu uma carta ao fabricante do equipamento auditivo e descreveu entusiasticamente sua experiência. Alguma coisa na carta — talvez alguma coisa que não estivesse nas palavras, mas por trás delas — fez com que a empresa o convidasse a ir a Nova York. Quando chegou, fizeram um tour pela fábrica com ele e, enquanto conversava com o engenheiro-chefe e lhe contava como o mundo havia mudado para ele, um instinto, uma ideia, uma inspiração — chame como quiser — veio à sua mente. Foi *esse impulso de pensamento* que transformou sua deficiência num ativo, fadado a pagar dividendos em dinheiro e felicidade para milhares de pessoas, pelo resto da vida.

O resumo básico daquele impulso de pensamento foi o seguinte: ocorreu-lhe que ele poderia ser útil para milhões de pessoas surdas que passam a vida sem o benefício de um equipamento auditivo se conseguisse encontrar uma maneira de lhes contar a história de como seu mundo mudou. Ali mesmo, ele tomou a decisão de dedicar o resto da vida a prestar esse utilíssimo serviço aos que tivessem deficiência auditiva.

Por um mês inteiro, ele se dedicou a uma pesquisa intensiva, na qual analisou todo o sistema de marketing do fabricante do equipamento auditivo e criou maneiras de se comunicar com os deficientes auditivos do mundo inteiro, com o objetivo de compartilhar esse novo Mundo Modificado. Quando acabou, colocou no papel um plano de dois anos, baseado em suas descobertas. Quando apresentou o projeto à empresa, ganhou imediatamente um emprego para colocar o plano em prática.

Mal sonhava ele, quando foi trabalhar, que estava destinado a trazer esperança e alívio concreto para milhares de surdos que, sem sua ajuda, estariam condenados a passar a vida inteira surdos-mudos.

Pouco depois de ter se associado ao fabricante de equipamento auditivo, ele me convidou para participar de um curso dado pela empresa, com o objetivo de ensinar os surdos-mudos a ouvir e a falar. Eu nunca soube de um curso como esse, por isso fui um tanto cético à sala de aula, mas com a esperança de que o meu tempo não fosse totalmente desperdiçado. Lá, eu recebi uma demonstração que me deu uma visão bem ampliada do meu esforço para manter vivo na mente do meu filho o desejo de ouvir normalmente. Vi surdos-mudos receberem aulas reais para ouvir e falar, pela aplicação do mesmo e exato princípio que eu havia usado, mais de vinte anos antes, para evitar que meu filho se tornasse surdo-mudo.

E assim, por uma estranha volta da Roda da Fortuna, meu filho Blair e eu fomos destinados a ajudar na correção da surdez e da mudez, porque somos os únicos seres humanos, tanto quanto eu saiba, que provamos definitivamente o fato de que a surdez e a mudez podem ser corrigidas, a ponto de dar uma vida normal a quem sofre da deficiência. Ajudou uma pessoa. E ajudará muitas outras.

Pessoalmente não tenho dúvidas de que Blair teria sido surdo-mudo a vida inteira se a mãe e eu não tivéssemos moldado a mente dele do jeito que nós moldamos. O médico que cuidou do parto nos disse, reservadamente, que o menino talvez nunca viesse a ouvir ou a falar. Algumas semanas atrás, o Dr. Irving Voorhees, um renomado especialista nesse tipo de caso, examinou Blair em detalhes. Ele ficou impressionado quando viu como o meu filho ouvia e falava bem e disse que, pelos exames, "teoricamente, o menino não deveria ser capaz de escutar nada". Mas o menino *ouve*, apesar das chapas de raios X mostrarem que não há qualquer abertura no crânio conectando as orelhas com o cérebro.

Quando, com aquele impulso, fiquei inculcando nele o desejo de que iria ouvir, falar e viver como uma pessoa normal, alguma influência estranha fez com que a Natureza construísse uma ponte e derrubasse o oceano de silêncio entre o cérebro dele e o mundo exterior, por algum meio que nem os maiores especialistas foram capazes de interpretar. Seria um sacrilégio eu sequer tentar imaginar como a Natureza operou esse milagre. Seria imperdoável se eu deixasse de contar ao mundo o máximo que eu pudesse do humilde papel que desempenhei nessa experiência estranha. É meu dever, e meu privilégio, dizer que acredito (não sem razão) que *nada* é impossível para a pessoa que ampara o *desejo* com uma *fé* persistente.

O fato é que um desejo ardente tem maneiras engenhosas de se transformar no seu correspondente físico. O Blair desejava ter uma audição normal — e tem! Ele nasceu com uma deficiência que poderia tranquilamente ter feito alguém com um objetivo menos definido ir para a rua com alguns lápis na mão e uma xícara para pedir esmolas. Mas hoje essa deficiência promete servir como o meio pelo qual podemos prestar um serviço útil para muitos milhões de pessoas que ouvem com dificuldade e também dar a Blair um emprego útil e uma remuneração adequada para o resto da vida.

As "mentirinhas brancas" que eu depositei em sua mente quando ele era criança, levando-o a *acreditar* que aquela deficiência um dia viraria um grande ativo que ele poderia capitalizar, acabaram se justificando. O fato é que não há nada, certo ou errado, que uma crença, com um desejo intenso, não possa materializar. Essas qualidades são acessíveis a qualquer um.

Em toda a minha experiência lidando com homens e mulheres que tinham problemas pessoais, eu nunca cuidei de um único caso que demonstrasse de maneira mais categórica o poder do desejo. Os escritores às vezes cometem o erro de escrever sobre assuntos dos quais eles só têm um conhecimento superficial ou muito elementar. Foi uma grande sorte eu ter tido o privilégio de testar o quanto o poder do desejo é real por meio da deficiência do meu próprio filho. Talvez tenha sido até providencial que a experiência tenha sido como foi, pois certamente ninguém é mais preparado do que ele para servir de exemplo do que acontece quando o desejo é testado. *Se a Mãe Natureza se curva ao arbítrio do desejo, será lógico que meros seres humanos sejam capazes de derrotar um desejo tão ardente?*

Imponderável e estranho é o poder da mente humana! Não conseguimos entender o método pelo qual ela usa cada circunstância, cada indivíduo, cada coisa física a seu alcance, como uma maneira de transformar um desejo em seu correspondente físico. Talvez algum dia a ciência descubra esse segredo.

Plantei na mente do meu filho o desejo de ouvir e falar como qualquer pessoa normal. Esse desejo se transformou numa realidade. Plantei na mente do meu filho o desejo de converter sua maior deficiência em seu maior ativo. Esse desejo também foi realizado. O *modus operandi* pelo qual esses resultados impressionantes foram alcançados não é difícil de descrever. Ele se compõe de três fatos muito definidos: primeiro, misturei a fé com o desejo de que ele teria uma audição normal, que passei para o meu filho. Segundo, comuniquei meu desejo para ele de todas as maneiras possíveis e imagináveis, por meio de um esforço contínuo e insistente, por muitos anos. E, terceiro, ele acreditou em mim!

Quando eu concluía este capítulo, recebi a notícia da morte da Sra. Schuman-Heink. Um pequeno parágrafo nos jornais dá uma pista do sucesso impressionante que essa mulher incomum teve como cantora.

No início da carreira, a Sra. Schuman-Heink visitou o diretor da Ópera de Viena para que ele testasse a voz dela. Mas ele não testou. Depois de dar uma olhada na garota atrapalhada e malvestida, ele exclamou, sem a menor delicadeza: "Com uma cara dessas e sem a menor personalidade, como é que você acha que pode vencer na ópera? Desiste, minha filha. Compra uma máquina de costura e vai trabalhar. Você nunca vai ser cantora."

Desejo: o ponto de partida para todas as realizações

Nunca é muito tempo! O diretor da Ópera de Viena podia entender muito de técnica vocal, mas sabia muito pouco do poder do desejo quando ele assume o nível de uma obsessão. Se conhecesse mais desse poder, jamais teria cometido o erro de desprezar uma gênia, sem ter lhe dado ao menos uma oportunidade.

Há alguns anos, um dos meus sócios ficou doente. Com o passar do tempo, foi ficando pior e, finalmente, foi internado para ser operado. Pouco antes de entrar na sala de cirurgia, olhei para ele e me perguntei como alguém tão magro e tão esquálido poderia passar por uma cirurgia grande e sair vivo. O médico me avisou que havia pouca chance de eu voltar a vê-lo com vida. Mas essa era só a opinião do médico — não a do paciente. Pouco antes de ser levado, ele murmurou debilmente: "Não se preocupe, chefe. Eu vou sair daqui a alguns dias."

A enfermeira que cuidava dele olhou para mim com pena. Mas o paciente realmente conseguiu sair vivo da mesa de cirurgia. Quando tudo acabou, o médico disse: "A única coisa que o salvou foi o desejo de viver. Ele nunca teria sobrevivido se não tivesse se recusado a aceitar a possibilidade da morte."

Eu acredito no poder do desejo apoiado na fé, porque vi esse poder erguer homens que começaram lá de baixo a posições de grande riqueza e poder. Vi-o tirar muita gente do buraco. Vi-o servir de meio para homens conseguiram dar a volta por cima depois de serem derrotados centenas de vezes. Vi-o proporcionar ao meu próprio filho uma vida normal, feliz e bem-sucedida, mesmo com a natureza o tendo mandado ao mundo sem as orelhas.

Como é possível explorar e utilizar o poder do desejo? É o que este e os demais capítulos deste livro vão responder. Esta mensagem está sendo enviada ao mundo no fim da maior e talvez da mais devastadora depressão já vista nos Estados Unidos. É razoável acreditar que a mensagem chame a atenção de muitos que foram atingidos e feridos pela Depressão: os que perderam fortunas, os que perderam empregos e os inúmeros que precisam reorganizar seus planos e dar a volta por cima. A todos esses quero dizer que todas as realizações, independentemente de qual sejam o propósito e a natureza, precisam começar com um desejo intenso e ardente por alguma coisa definida.

Por algum princípio estranho e poderoso de "química mental" que ela nunca divulgou, a Natureza embrulha no impulso do desejo ardente aquele "algo mais" que não reconhece a palavra impossível e não aceita o fracasso como uma realidade.

CAPÍTULO 13

FÉ:
VISUALIZAR E ACREDITAR QUE VAI ALCANÇAR O QUE DESEJA

O segundo passo para a riqueza

A FÉ É O químico-chefe da mente. Quando a fé se mistura com a vibração do pensamento, a mente subconsciente capta essa vibração, traduz para o seu correspondente espiritual e a transmite para a Inteligência Infinita, como uma oração.

As emoções da fé, do amor e do sexo são as mais poderosas de todas as emoções positivas. Quando as três se misturam, têm o efeito de "colorir" a vibração do pensamento de tal forma que ele imediatamente alcança a mente subconsciente, onde ela se transforma em seu correspondente espiritual, que é a única forma que induz uma resposta da Inteligência Infinita.

O amor e a fé são mediúnicos, ligados ao lado espiritual das pessoas. O sexo é puramente biológico, relacionado apenas ao físico. A mistura, ou mescla, dessas três emoções tem o efeito de abrir uma linha direta de comunicação entre a mente pensante e finita do homem e a Inteligência Infinita.

COMO DESENVOLVER A FÉ

Agora vamos ver uma afirmação que propiciará uma melhor compreensão da importância que o princípio da autossugestão assume na transformação do desejo em seu equivalente físico ou monetário: a fé é um estado mental que pode ser induzido, ou criado, pela afirmação ou por instruções repetidas para a mente subconsciente, através do princípio da autossugestão.

Para ilustrar isso, pense no propósito pelo qual você está, presumivelmente, lendo este livro. O objetivo é, obviamente, adquirir a capacidade de transformar o impulso intangível do pensamento do desejo em sua contrapartida física: o dinheiro. Seguindo as instruções descritas no capítulo sobre autossugestão e sobre a mente subconsciente, que é o próximo, você poderá *convencer* a mente subconsciente a *acreditar* que irá receber o seu pedido e a agir de acordo com essa crença. Então, a sua mente subconsciente lhe devolverá o seu desejo na forma de "fé", junto de planos bem-definidos para realizá-lo.

O método pelo qual se desenvolve a fé, onde ela ainda não existe, é extremamente difícil de se descrever — quase tão difícil, aliás, quanto seria descrever a cor vermelha para um cego que nunca viu as cores, e não há nada com o que comparar a sua descrição. A fé é um estado mental que você pode desenvolver à vontade depois de ter aprendido a dominar os 13 princípios, porque é um estado mental que se desenvolve voluntariamente pela aplicação e utilização desses princípios.

A repetição de palavras de ordem para a mente subconsciente é o único método conhecido de desenvolvimento voluntário dessa emoção que é a fé.

Talvez o significado fique mais claro por meio da seguinte explicação sobre a maneira pela qual, às vezes, as pessoas viram criminosas. Nas palavras de um famoso criminologista, "Quando uma pessoa entra em contato com o crime pela primeira vez, ela o abomina;

se continuar em contato com o crime por mais algum tempo, ela começa a se acostumar e a tolerá-lo. E se continuar em contato por tempo suficiente, acaba se unindo a ele e sendo influenciada por ele".

Isso equivale a dizer que qualquer impulso de pensamento que for repetidamente passado à mente subconsciente é finalmente aceito e incorporado pela mente, que começa a traduzir o tal impulso em seu equivalente físico, da maneira mais prática disponível.

Em conexão com isso, pense de novo na afirmação: *Todos os pensamentos que receberam uma carga de emoção* (que receberam sentimento) *e foram misturados com a fé* começam imediatamente a se traduzir em seu equivalente ou contrapartida física.

As emoções, ou a porção dos pensamentos composta pelos "sentimentos", são os fatores que dão vitalidade e ação aos pensamentos. As emoções da fé, do amor e do sexo, quando misturadas a qualquer impulso da mente, lhes dão maior ação do que qualquer uma delas tomadas sozinhas.

Não só os impulsos do pensamento que foram misturados com a fé, mas também aqueles mesclados a qualquer emoção positiva — ou negativa — podem atingir e influenciar a mente subconsciente.

A partir dessa afirmação, você poderá compreender que a mente subconsciente irá traduzir, em seu equivalente físico, um pensamento de natureza negativa ou destrutiva com a mesma facilidade que vai agir com aquele de natureza positiva ou construtiva. E isso explica o estranho fenômeno que milhões e milhões de pessoas vivenciam e que chamam de "má sorte" ou "azar".

Há milhões de pessoas que acreditam terem sido "condenadas" à pobreza e ao fracasso, por causa de alguma força estranha sobre a qual elas acreditam não ter controle algum. São elas que criam as próprias "faltas de sorte", por causa dessas crenças negativas, que são captadas pela mente subconsciente e traduzidas num correspondente físico.

Esse é o lugar adequado para sugerir, mais uma vez, que você pode se beneficiar de qualquer desejo que queira ver transformado num equivalente físico ou monetário, ao passá-lo para a mente subconsciente num estado de crença e de esperança de que essa transformação irá realmente se efetivar. A sua crença, ou fé, é o elemento que determina a ação da mente subconsciente. Não tem nada que lhe impeça de "tapear" a mente subconsciente na hora de lhe passar as instruções pela autossugestão, da mesma maneira como eu tapeei a mente subconsciente do meu filho.

Para tornar essa "trapaça" mais realista, comporte-se exatamente como se já estivesse na posse da coisa concreta desejada na hora de acionar a mente subconsciente.

A mente subconsciente vai transformar num correspondente físico, pelos meios mais práticos e diretos que estiverem disponíveis, qualquer ordem que receber num estado de fé de que o pedido realmente será cumprido.

Evidentemente, já foi dito o suficiente para propiciar um ponto de partida do qual se possa, pela prática e através de experiências, desenvolver a capacidade de misturar a fé com qualquer ordem passada à mente subconsciente. A prática faz a perfeição. Ela *jamais* poderá vir se alguém apenas *ler* as instruções.

Se é verdade que alguém se torna criminoso se associando com o crime (e esse é um fato comprovado), é igualmente verdade que a fé pode ser desenvolvida se sugerirmos voluntariamente à mente subconsciente que nós temos fé. Afinal, a mente acaba adquirindo a natureza das influências que a dominam. Compreenda essa verdade e vai entender porque é fundamental estimular as *emoções positivas* como a força dominante da sua mente e desencorajar — e *eliminar* — as negativas.

Uma mente dominada pelas emoções positivas fornece um repositório favorável para aquele estado mental a que chamamos de fé. Uma mente assim dominada pode, a seu bel-prazer, dar instruções à mente subconsciente, que as aceitará, colocando-as em prática imediatamente.

A FÉ COMO ESTADO MENTAL QUE PODE SER INDUZIDO PELA AUTOSSUGESTÃO

Desde o início dos tempos, os religiosos instigaram os seres humanos que lutavam pela vida a "ter fé" nesse ou naquele credo ou dogma, mas não se esforçaram em dizer às pessoas *como* ter fé. Não declararam que "a fé é um estado mental, que pode ser induzido pela autossugestão".

Numa linguagem que qualquer ser humano normal pode entender, vamos descrever tudo o que se sabe sobre o princípio pelo qual a fé pode ser desenvolvida onde ela ainda não existe.

Tenha Fé em si mesmo e Fé no Infinito.

Antes de começar, você deve se lembrar, mais uma vez, de que:

A Fé é o "elixir eterno" que dá vida, poder e ação ao impulso do pensamento!

Esta frase deve ser lida duas, três, quatro vezes. Deve ser lida em voz alta!

A Fé é o ponto de partida para toda a acumulação de riqueza!

A Fé é a base de todos os "milagres" e de todos os mistérios que não podem ser analisados pelas leis da ciência!

A Fé é o único antídoto conhecido para o fracasso!

A Fé é o elemento "químico" que, quando misturado às orações, dá a alguém a comunicação direta com a Inteligência Infinita.

A Fé é o elemento que transforma a vibração ordinária do pensamento, criada pela mente finita do homem, no equivalente espiritual.

A Fé é a única agência pela qual a força cósmica da Inteligência Infinita pode ser explorada e utilizada pelo homem.

Todas estas frases podem ser provadas!

A prova é simples e facilmente demonstrável. Ela vem envolta no princípio da autossugestão. Portanto, concentremos nossa atenção no tema da autossugestão. Vamos descobrir o que ela é e o que é capaz de fazer.

É fato bem conhecido que, no fim das contas, acabamos por acreditar naquilo que ficamos repetindo para nós mesmos, *independentemente da afirmação ser verdadeira ou falsa*. Se uma pessoa fica repetindo uma mentira inúmeras vezes, ela vai acabar por aceitá-la como verdade. Mais do que isso: vai acreditar que a mentira é verdade. Toda pessoa é o que é por causa dos pensamentos dominantes que ela permite que ocupem sua mente. Pensamentos que a pessoa por vontade própria embute na mente e incentiva até mesmo com simpatia, e com os quais ela mistura uma ou mais emoções, constituem as forças motivadoras que controlam diretamente todos os seus atos, movimentos e ações!

E aqui vai uma verdade muito significativa:

Pensamentos que são misturados com qualquer emoção constituem uma força "magnética" que atrai, pela vibração no éter, outros pensamentos semelhantes ou relacionados. Um pensamento que é assim "magnetizado" pela emoção pode ser comparado a uma semente que, quando plantada em solo fértil, germina, cresce e se multiplica repetidamente, até que o que antes era apenas uma sementinha se torna então milhões de sementes do mesmo gênero!

O éter é uma grande massa cósmica de forças vibratórias eternas. Ele se constitui tanto de vibrações destrutivas quanto de construtivas. O tempo todo ele transporta as vibrações do medo, da pobreza, da doença, do fracasso e da tristeza; e também as vibrações da prosperidade, da saúde, do sucesso e da felicidade, com a mesma certeza que carrega o som de centenas de arranjos

Fé: visualizar e acreditar que vai alcançar o que deseja

musicais e centenas de vozes humanas, todas mantendo a própria individualidade e identidade, pelas ondas do rádio.

Desse grande armazém que é o éter, a mente humana está constantemente atraindo vibrações que se harmonizam com o que a domina. Qualquer pensamento, ideia, plano e objetivo que alguém *mantém* na cabeça atrai, pelas vibrações do éter, uma série de outros, semelhantes, somando esses "pensamentos afins" à sua própria força e crescendo até se tornarem os *mestres motivadores* e dominantes da pessoa que os guardou na mente.

Agora, voltemos ao ponto de partida e nos informemos como a semente original de uma ideia, plano ou objetivo pode ser implantada na mente. Essa é uma informação bem simples: qualquer ideia, plano ou objetivo pode ser implantado na cabeça *através da repetição dos pensamentos*. É por isso que eu pedi que você declarasse por escrito seu maior objetivo, ou Alvo Principal Definido, armazenando-o na memória e repetindo suas palavras, em alto e bom som, todos os dias, até as vibrações sonoras chegarem à mente subconsciente.

Nós somos o que somos por causa das vibrações do pensamento que captamos e registramos pelos estímulos do nosso ambiente diário.

Prometa se livrar de todas as influências de qualquer ambiente desagradável e construir sua vida como bem entender. Se fizer uma lista das coisas boas e ruins que você guarda na mente, vai descobrir que sua maior fraqueza é a falta de autoconfiança. Essa deficiência pode ser vencida, e a timidez traduzida em coragem, com a ajuda do princípio da autossugestão. A aplicação desse princípio pode ser feita por um simples arranjo de impulsos de pensamentos positivos redigidos num papel, decorados e repetidos, até se tornarem parte do material de trabalho da faculdade subconsciente de sua mente.

FÓRMULA DA AUTOCONFIANÇA

Primeiro. Eu sei que disponho da capacidade de atingir aquele que é o objetivo definido da minha vida, por isso exijo de mim mesmo uma ação continuada e perseverante para atingi-lo, e aqui eu me comprometo a empreender essas ações.

Segundo. Estou ciente de que os pensamentos dominantes de minha mente vão acabar se reproduzindo em ações físicas no mundo exterior e gradualmente vão se transformar em realidade física, por isso, durante 30 minutos por dia, vou concentrar meus pensamentos em imaginar a pessoa que quero ser, criando assim na minha mente um quadro mental bastante nítido.

Terceiro. Eu sei que, pelo princípio da autossugestão, qualquer desejo que eu mantenha persistentemente na mente vai acabar encontrando uma maneira de se expressar e de obter, por algum meio prático, o objetivo que o apoia, por isso vou dedicar dez minutos diários do meu tempo para exigir de mim mesmo que eu desenvolva a autoconfiança.

Quarto. Eu tenho uma descrição muito clara, e escrita, do meu objetivo principal definido e nunca vou parar de tentar, até ter desenvolvido autoconfiança suficiente para alcançá-lo.

Quinto. Reconheço plenamente que nenhuma riqueza ou posição social é duradoura, a não ser que tenha sido construída em cima da verdade e da justiça, por isso não vou me meter em nenhum negócio que não beneficie a todos que ele irá afetar. Vou conseguir atrair as forças que desejo utilizar e a cooperação dos outros. Vou induzir os outros a me servirem, por causa da minha própria vontade de servir os outros. Vou eliminar o ódio, o ciúme, a inveja, o egoísmo e o cinismo de minha vida, desenvolvendo o amor por toda a humanidade, porque sei que uma atitude negativa em relação aos outros nunca haverá de me trazer sucesso. Vou

Fé: visualizar e acreditar que vai alcançar o que deseja

fazer com que os outros acreditem em mim, porque eu também vou acreditar neles, e em mim mesmo.

Vou assinar essa fórmula com o meu nome, decorá-la e repeti-la em voz alta uma vez por dia, acreditando plenamente que ela irá influenciar gradativamente meus pensamentos e ações, de modo que eu me torne uma pessoa autoconfiante e bem-sucedida.

Por trás dessa fórmula está uma lei da Natureza, que homem algum até agora foi capaz de explicar. Uma lei que desafia os cientistas através dos tempos. Os psicólogos chamam essa lei de "autossugestão" e deixam por isso mesmo.

O nome que se dá a essa lei não tem importância. O importante é que ela funciona pela glória e pelo sucesso da humanidade, se utilizada construtivamente. Por outro lado, se o uso for destrutivo, ela trará ruína com a mesma facilidade. Nessa afirmação podemos encontrar uma verdade muito significativa: aqueles que se afundam nas derrotas e terminam a vida pobres, tristes e se lamentando obtêm esse resultado por causa da aplicação negativa do princípio da autossugestão. A causa pode ser encontrada no fato de que todos os impulsos de pensamento têm a tendência de se vestir com o equivalente físico.

A mente subconsciente (o laboratório químico onde todos os impulsos de pensamento são combinados e preparados para se traduzirem em realidade física) não faz distinção entre os impulsos de pensamento construtivos e destrutivos. Ela trabalha com o material que lhe damos por meio dos impulsos de pensamento. A mente subconsciente vai transformar em realidade um pensamento originado no medo com a mesma facilidade com que vai transformar em realidade um pensamento originado na fé e na coragem.

As páginas da clínica médica são cheias de ilustrações de casos de "suicidas autossugestivos". Uma pessoa pode cometer suicídio por meio de autossugestões negativas tanto quanto de qualquer outra maneira. Numa cidade do Meio-Oeste americano, um alto funcionário de banco chamado Joseph Grant "pegou emprestado" uma vasta quantia do dinheiro da instituição, sem autorização da diretoria, e perdeu tudo no jogo. Certa tarde, o auditor do banco chegou para apurar as contas. Grant saiu do banco, alugou um quarto de hotel na cidade e, quando o encontraram, três dias depois, ele estava deitado na cama, chorando e gemendo, repetindo inúmeras vezes as palavras: "Meu Deus, isso vai acabar me matando! Eu não consigo aguentar essa vergonha!"

Pouco depois, estava morto. Os médicos disseram que foi um caso de "suicídio mental".

Assim como a eletricidade faz girar as rodas da indústria e presta um serviço útil, se utilizada de maneira construtiva — ou pode destruir a vida, se usada de maneira destrutiva —, assim também a lei da autossugestão pode lhe levar à paz e à prosperidade, ou pode lhe fazer afundar num vale de tristeza, fracassos e até na morte, dependendo do quanto você a compreende e põe em prática.

Se encher sua cabeça de medo, dúvidas e não acreditar na sua capacidade de conectar e utilizar as forças da Inteligência Infinita, a lei da autossugestão vai pegar esse espírito de desesperança e utilizá-lo como o padrão pelo qual sua mente subconsciente vai traduzi-lo no equivalente físico.

Essa afirmação é tão verdadeira quanto dois mais dois é igual a quatro!

Como o vento que leva um barco para o Ocidente e outro para o Oriente, a lei da autossugestão irá erguê-lo às alturas ou derrubá-lo, depende de como você encher as velas do seu pensamento.

A lei da autossugestão, pela qual qualquer pessoa pode atingir realizações de tal tamanho que chegam a desafiar a imaginação, é descrita nos seguintes versos:

Se você *pensa* que será derrotado, então já está derrotado,
Se *pensa* que é melhor não fazer, não fará,
Se gosta de ganhar, mas *acha* que não dá,
É quase certo que não irá ganhar.
Se *pensa* que vai perder, já está perdido,
Porque no mundo nós descobrimos
Que o sucesso começa pela vontade de uma pessoa
É tudo um *estado mental*.
Se *pensa* que está por baixo, já está
É preciso *pensar* grande para se erguer
É preciso *confiar em si mesmo*
Antes de ganhar qualquer prêmio.
As batalhas da vida nem sempre são ganhas
Pelo mais forte ou pelo mais rápido.
Mais cedo ou mais tarde, aquele que vence
É aquele que *pensa: eu vou conseguir!*

Observe as palavras em itálico e verá o significado profundo que o poeta tinha em mente.

Em algum lugar da sua constituição (talvez nas células do cérebro) está *adormecida* a semente da realização, que, se for despertada e posta em ação, lhe alçará a alturas que você jamais pensou em atingir.

Assim como um músico de primeira linha consegue extrair os mais belos acordes de um violino, você também pode despertar o gênio que jaz adormecido em seu cérebro e fazer com que ele lhe guie na direção de qualquer meta que deseje atingir.

Abraham Lincoln sempre fracassou em tudo o que tentou até bem depois dos 40 anos. Era um João-ninguém de Lugar Nenhum quando uma grande experiência aconteceu em sua vida e despertou o gênio que estava adormecido — no coração e no cérebro —, dando ao mundo um de seus grandes homens. Essa "experiência" veio misturada às emoções da tristeza e do amor. Chegou pelas mãos de Anne Rutledge, a única mulher que ele realmente amou.

É fato conhecido que a emoção do amor anda muito junto do estado mental chamado de fé, pela simples razão de que o amor sempre está muito perto de transformar os impulsos de pensamento em seu equivalente espiritual. Durante o meu trabalho de pesquisa, descobri, a partir da análise da vida, do trabalho e das realizações de centenas de homens extraordinários, que havia a influência de uma mulher por trás de quase todos eles. A emoção do amor, no coração e no cérebro dos homens, cria um campo favorável de atração magnética, que causa um fluxo de vibrações mais altas e mais finas, que flutuam no éter.

Se quiser uma prova do poder da fé, estude as realizações das pessoas que a empregaram. No alto da lista vem o Nazareno. O cristianismo é a maior força que influencia a mente das pessoas. A base do cristianismo é a fé, independente do quanto as pessoas o tenham pervertido ou interpretado mal o significado dessa grande força, independente de quantos credos e dogmas tenham sido criados em seu nome sem refletir seus ensinamentos.

O ponto principal dos ensinamentos e das realizações de Cristo, que costumam ser interpretados como "milagres", não é nada mais, nada menos, do que a fé. Se algum fenômeno puder ser chamado de "milagre", é produzido apenas pelo estado mental chamado de fé! Alguns professores de religião, e muitos dos que se chamam cristãos, não compreendem nem praticam a fé.

Pensemos no poder da fé do jeito que agora tem sido demonstrado por um homem conhecido em toda a civilização, Mahatma Gandhi, da Índia. Nesse homem, o mundo tem um dos exemplos mais extraordinários das possibilidades da fé. Gandhi tem mais poder potencial do que qualquer outra pessoa no mundo, e isso

Fé: visualizar e acreditar que vai alcançar o que deseja

sem contar com nenhuma das ferramentas ortodoxas de poder, como dinheiro, navios de guerra, soldados e material bélico. Gandhi não tem dinheiro, não tem casa, não tem sequer um terno, mas tem poder. De onde ele extrai esse poder?

Ele o cria a partir da compreensão do princípio da fé, e pela sua capacidade de transplantar essa fé para a mente de 200 milhões de pessoas.

Gandhi conseguiu, por meio da influência da fé, aquilo que o maior poder militar da Terra não conseguiu e jamais vai conseguir com soldados e equipamento militar. Ele conseguiu o feito inacreditável de influenciar 200 milhões de pessoas a se unirem e marcharem em uníssono, como uma única mente.

Que outra força na Terra, que não a fé, poderia conseguir isso?

Ainda vai chegar o dia em que patrões e empregados vão descobrir as possibilidades da fé. Esse dia já está chegando. O mundo inteiro teve amplas oportunidades, durante a recente depressão econômica, de testemunhar o que a falta de fé consegue fazer com os negócios.

É claro que a civilização já produziu um número suficiente de pessoas inteligentes para fazer uso da grande lição que a Depressão trouxe. Durante a Depressão, o mundo teve provas cabais de que o medo generalizado paralisa as máquinas das fábricas e os negócios em geral. Dessa experiência vão surgir líderes na indústria e no comércio que vão lucrar dando o mesmo exemplo que Gandhi deu ao mundo e vão aplicar aos negócios as mesmas táticas que ele usou para gerar o maior número de seguidores de que se tem notícia. Esses líderes vão surgir de homens desconhecidos, que agora trabalham nas siderúrgicas, nas minas de carvão, na indústria automobilística e nas pequenas cidades dos Estados Unidos.

Que ninguém se engane: as empresas vão passar por mudanças. Os métodos do passado, baseados nos vetores econômicos da força bruta e do medo, vão ser substituídos por melhores práticas de fé e cooperação. Aqueles que trabalham bem vão receber mais do que salário — vão receber dividendos das empresas, tanto quanto os que fornecem o capital. Mas primeiro vão ter que dar mais aos empregadores e parar de fazer picuinhas e barganhar pela força, à custa do público. *Eles precisam conquistar o direito de ganhar dividendos!*

Além do mais, e isso é o mais importante de tudo, elas vão ser comandadas por líderes que compreendem e aplicam os princípios empregados por Mahatma Gandhi. É somente dessa maneira que os líderes vão obter dos comandados o espírito de completa cooperação que constitui a forma mais poderosa e duradoura de poder.

A magnífica era das máquinas em que vivemos, e que só está começando, tirou a alma das pessoas. Os líderes passaram a comandar os homens como se fossem peças frias de maquinaria. Foram obrigados a fazer isso por operários que barganharam, à custa de todos os envolvidos, a *receber* e não *dar*. A palavra de ordem no futuro vai ser a felicidade humana, e, quando esse estado mental for atingido, a produção vai cuidar de si mesma, com mais eficiência do que qualquer coisa que tenha sido obtida sem que os homens misturem a fé e o interesse pessoal com o trabalho.

Por causa da necessidade de fé e cooperação para operar uma loja ou uma fábrica, vai ser interessante e lucrativo analisar um evento que fornece excelente compreensão do método pelo qual industriais e comerciantes acumulam vastas fortunas, ao *dar* antes que possam *receber*.

O acontecimento escolhido como ilustração remonta ao ano 1900, quando a United States Steel Corporation estava em formação. Ao ler essa história, lembre-se dos fatos fundamentais e vai entender como é que as ideias se convertem em grandes fortunas.

Em primeiro lugar, a enorme United States Steel Corporation nasceu na mente de Charles M. Schwab, na forma de uma ideia que ele gerou na imaginação! Em segundo lugar, ele botou fé nessa ideia. Em terceiro, ele formulou um plano para transformar a ideia numa realidade física e financeira. Em quarto, colocou o plano em prática, fazendo um famoso discurso no University Club. Quinto, ele aplicou e deu seguimento ao plano com persistência e o apoiou numa decisão firme de vê-lo se transformar em realidade. Sexto, ele preparou o caminho para o sucesso, mediante um desejo ardente de ser bem-sucedido.

Se você é uma daquelas pessoas que sempre se perguntam como é que as grandes fortunas são acumuladas, a história da criação da United States Steel Corporation vai ser muito esclarecedora. Se duvida que as pessoas podem pensar e enriquecer, essa história vai dissipar suas dúvidas, porque você vai poder ver claramente na história da U.S. Steel a aplicação da maioria dos 13 princípios que este livro descreve.

A impressionante descrição do poder de uma ideia foi narrada dramaticamente por John Lowell, no *New York World-Telegram*, que reproduzimos aqui com sua permissão.

UM BELO DISCURSO PARA ANGARIAR 1 BILHÃO DE DÓLARES

Quando, na noite de 12 de dezembro de 1900, cerca de oitenta pessoas da elite financeira dos Estados Unidos se reuniram no salão de banquetes do University Club, na Quinta Avenida, para homenagear um jovem do Oeste, nem meia dúzia dos convidados imaginava que iria testemunhar o episódio mais importante da história industrial americana.

J. Edward Simmons e Charles Stewart Smith, com os corações repletos de gratidão pela esplêndida hospitalidade com que foram recebidos por Charles M. Schwab numa recente visita a Pittsburgh, tinham organizado o jantar para apresentar aquele empresário do aço, de 38 anos, para a sociedade financeira do Leste. Mas não esperavam que ele tomasse conta da convenção. Aliás, tinham até lhe alertado que os ilustres corpos dentro das camisas empoladas de Nova York não responderiam bem ao discurso e que, se não quisesse aborrecer os Stillmans, os Harrimans e os Vanderbilts, era melhor que se limitasse a uns 15 ou 20 minutos de palavras educadas e vazias e que ficasse só nisso.

Até John Pierpont Morgan, sentado à direita de Schwab, como uma espécie de majestade imperial, só pretendia dar o ar da graça rapidamente. E, no que dizia respeito à imprensa e ao público em geral, a ocasião era tão sem importância que sequer foi mencionada nos jornais do dia seguinte.

E, assim, os dois anfitriões e os ilustres convidados terminaram a habitual refeição de sete ou oito pratos. Havia pouca conversa e o pouco que havia era contida. Poucos banqueiros e corretores conheciam Schwab, cuja carreira florescera às margens do Monongahela. Mas antes que a noite acabasse, todos eles — inclusive o Mestre do Dinheiro Morgan — tinham sido tomados de roldão, e um bebê de 1 bilhão de dólares, a United States Steel Corporation, havia sido concebido.

Talvez seja uma pena, para a história, que não haja registro do discurso que Charlie Schwab fez naquele jantar. Ele repetiu alguns trechos, dias depois, num encontro semelhante com banqueiros de Chicago. E posteriormente, quando o governo abriu um processo para dissolver o Truste do Aço, ele deu sua própria versão, do púlpito da testemunha, dos comentários que levaram Morgan a se lançar num frenesi de atividade financeira.

Porém, é provável que tenha sido um discurso "caseiro", com certa quantidade de erros de gramática (as sutilezas da língua nunca incomodaram Schwab), cheio de frases de efeito e pitadas de inteligência. Mas, fora isso, ele exerceu uma força poderosa sobre o capital estimado em 5 bilhões de dólares ali representado pelos comensais. Depois que terminou — e com os presentes ainda enfeitiçados pelo discurso, embora Schwab tenha falado por noventa minutos —, Morgan levou o orador a uma janela mais afastada, onde, balançando as pernas de cima de poltronas altas e desconfortáveis, eles conversaram por mais uma hora.

A magia da personalidade de Schwab tinha sido ligada com força total, mas o mais importante e duradouro foi o plano completo e detalhado que ele propôs para o crescimento da U.S. Steel. Muitas outras pessoas já haviam tentado despertar o interesse de Morgan para formar um truste de aço, nos mesmos moldes dos trustes de biscoitos, aros e arames, açúcar, borracha, petróleo ou chicletes. John W. Gates, o jogador, já tinha lançado a isca, mas Morgan não confiava nele. Bill e Jim Moore, rapazes de Chicago e agiotas que tinham montado um truste de fósforos e uma empresa de biscoitos, tinham tentado e fracassado. Elbert H. Gary, um advogado hipócrita, quis fazer o mesmo, mas não tinha envergadura suficiente para impressionar. A oratória de Schwab alçou J.P. Morgan às alturas de onde ele poderia vislumbrar os resultados sólidos do mais ousado empreendimento financeiro que já havia concebido, mas antes o projeto sempre fora visto como um sonho delirante, típico de pessoas que querem ganhar dinheiro rápido.

O magnetismo financeiro que na geração passada começara a atrair milhares de empresas pequenas, e às vezes mal-administradas, de modo a formar conglomerados que diminuíssem a concorrência, tinha se tornado viável no mundo do aço graças aos artifícios de um jovial pirata dos negócios chamado John W. Gates. Ele já tinha formado a American Steel and Wire Company a partir de uma série de empresas menores e, juntamente com Morgan, criara a Federal Steel Company. A National Tube e a American Bridge eram mais duas empresas de Morgan, e os irmãos Moore tinham saído dos negócios dos fósforos e dos biscoitos para formar o grupo "American" — Tin Plate, Steel Hoop, Sheet Steel — e a National Steel Company.

Mas ao lado do gigantesco truste vertical de Andrew Carnegie, que pertencia e era administrado por 53 sócios, esses arranjos menores não passavam de picuinha. Podiam se juntar o quanto quisessem, mas todos eles juntos não podiam tirar um naco das empresas de Carnegie — e Morgan sabia disso.

O velho e excêntrico escocês também sabia. Da gloriosa grandeza do Skibo Castle ele via, às vezes divertindo-se, às vezes ressentido, as tentativas das empresas menores de Morgan de conquistar uma parte dos negócios dele. Quando essas iniciativas ficaram ousadas demais, a calma de Carnegie acabou se transformando em raiva e retaliação. Ele decidiu copiar cada indústria que seus rivais possuíam. Até aqui, ele nunca se interessara por arames, canos, aros ou chapas de metal. Muito pelo contrário, ficava feliz em vender o aço bruto para essas empresas e deixar que elas o forjassem do jeito que bem entendessem. Agora, com Schwab como seu primeiro e competente braço direito, ele planejava encurralar seus inimigos contra a parede.

Pois foi assim que, no discurso de Charles M. Schwab, Morgan viu a resposta para o problema dos conglomerados. Um truste sem Carnegie — o maior de todos os gigantes — não seria um truste de verdade, e sim um pudim de ameixa, como disse um escritor, sem as ameixas.

O discurso de Schwab, na noite de 12 de dezembro de 1900, sem dúvida fez a conclusão, embora não a promessa, de que o grande império de Carnegie poderia ser levado para baixo da tenda de Morgan. Ele falou do futuro que o aço teria no mundo; da reorganização que traria mais eficiência; da especialização; do desaparecimento das fábricas mal-administradas e da concentração dos esforços naquelas que eram bem-gerenciadas; da economia no transporte de minério de ferro; da economia de despesas gerais e administrativas; da captura dos mercados estrangeiros.

Mais do que isso, ele disse aos aventureiros ali entre eles onde é que estavam os erros da pirataria à qual haviam se acostumado. O objetivo deles, sentenciou, era o de querer criar monopólios, aumentar os preços e se remunerarem com gordos dividendos por esse privilégio. Schwab condenou esse sistema da maneira mais veemente. Essa era uma política míope, disse aos ouvintes, porque restringia o mercado numa época em que tudo gritava que haveria uma expansão. Ao baratear o custo do aço, argumentou, um mercado cada vez maior seria criado; as empresas imaginariam mais usos para o produto e boa parte do comércio mundial seria capturado. A propósito, embora não soubesse disso, Schwab era um apóstolo da moderna produção de massa.

E com isso o jantar no University Club chegou ao fim. Morgan foi para casa, para pensar nas róseas previsões de

Schwab. E este voltou a Pittsburgh, para administrar a siderúrgica de "Wee Andra Carnegie", enquanto Gary e os outros voltaram aos painéis da Bolsa para apostar um pouco na expectativa dos próximos movimentos.

E não demoraram a acontecer. Morgan só precisou de uma semana para digerir o banquete racional que Schwab tinha colocado à sua frente. Quando se assegurou que não teria nenhuma indigestão financeira, mandou chamar Schwab — e viu que o rapaz estava meio arredio. O Sr. Carnegie, indicou Schwab, não ia ficar muito feliz se soubesse que o confiável presidente de sua empresa estava flertando com o Imperador de Wall Street, uma rua em que Carnegie nunca quisera entrar. Então foi sugerido por John W. Gates, agindo como intermediário, que se Schwab "por acaso" estivesse no hotel Bellevue, em Filadélfia, "era capaz" de J. P. Morgan também estar lá. Quando Schwab chegou, no entanto, Morgan estava convenientemente doente em sua residência nova-iorquina e então, instado por um convite urgente de Morgan, Schwab dirigiu-se a Nova York e se apresentou na porta da biblioteca do financista.

Agora, alguns historiadores econômicos defendem a tese de que, desde o início, o cenário fora preparado por Andrew Carnegie — que o jantar de Schwab, o famoso discurso, a reunião de domingo à noite entre Schwab e o Rei do Dinheiro, tudo isso fora arranjado pelo astuto Escocês. Mas na verdade aconteceu justamente o contrário. Quando Schwab foi chamado para sacramentar o negócio, ele sequer sabia se o "chefinho", como chamavam Andrew, ouviria uma proposta de venda, especialmente para um grupo de homens que Andrew considerava dotados de algo menos que sagrado. Mas Schwab levou à sala de reunião seis páginas de números finamente grafados na letra dele, que representavam, na sua cabeça, o valor físico e a capacidade de geração de lucro de cada siderúrgica que ele via como uma estrela fundamental no novo firmamento do aço.

Quatro homens passaram a noite debruçados sobre os números. O chefe, evidentemente, era Morgan, que sempre acreditara firmemente em seu Direito Divino ao Dinheiro. Com ele estava seu aristocrático sócio Robert Bacon, professor e cavalheiro. O terceiro era John W. Gates, a quem Morgan desprezava e considerava um jogador, mas que ele usava quando era útil. E o quarto era Schwab, que sabia mais do processo de produzir e vender aço do que qualquer grupo de pessoas vivas. Por toda a reunião, os números do homem de Pittsburgh jamais foram questionados. Se ele dizia que tal empresa valia tanto, então valia aquilo mesmo. Também insistiu que só deveriam entrar no conglomerado as fábricas que ele indicara. Havia concebido um conglomerado onde não haveria duas unidades iguais, nem mesmo para satisfazer a ganância de certos amigos que queriam descarregar suas empresas sobre os ombros de Morgan. Por isso, ele deixou de fora, porque quis, uma série de grandes empresas nas quais as Focas e os Carpinteiros de Wall Street haviam deitado os olhos famintos.

Quando o dia amanheceu, Morgan se levantou e alongou as costas. Restava apenas uma pergunta:

— Você acha que pode convencer o Carnegie a me vender?

— Posso tentar — respondeu Schwab.

— Se você conseguir convencê-lo, eu pego daí.

Até ali, tudo bem. Mas será que Carnegie venderia? E quanto é que ele iria pedir? (Schwab imaginava algo em torno de 320 milhões de dólares.) E como seria o pagamento? Ações ordinárias ou preferenciais? Títulos? Dinheiro? Ninguém conseguiria levantar um terço de 1 bilhão de dólares em dinheiro.

Houve uma partida de golfe em janeiro, no campo congelado de St. Andrews, em Westchester, com Andrew todo enrolado em agasalhos para se proteger do frio e Charlie falando aos borbotões, como sempre, para levantar seu moral. Mas não se falou em negócios até que os dois se sentaram no calor aconchegante do sítio que Carnegie tinha ali perto. E então, com o mesmo poder de persuasão com que havia hipnotizado oitenta milionários no University Club, Schwab despejou as promessas brilhantes de uma aposentadoria confortável, de inúmeros milhões para satisfazer a todos os caprichos sociais do velho homem. Carnegie se rendeu, escreveu um número num pedaço de papel e disse:

— Tudo bem. Esse é o valor pelo que eu estou disposto a vender.

O número era cerca de 400 milhões de dólares e chegou-se a ele pegando os 320 milhões de dólares que Schwab tinha levado como proposta inicial e acrescentando 80 milhões, para representar o valor que o capital havia crescido nos dois anos anteriores.

Posteriormente, no deque de um transatlântico, o escocês choramingou para Morgan:

— Como eu queria ter pedido mais 100 milhões de dólares...

— Se tivesse pedido, teria levado — riu Morgan, animado.

* * *

Houve toda uma agitação, é claro. Um correspondente britânico telegrafou dizendo que o mundo do aço estrangeiro estava "horrorizado" com o gigantesco conglomerado. O presidente Hadley, da Universidade de Yale, declarara que, a não ser que os trustes fossem regulamentados, o país poderia esperar ter "um imperador em Washington nos próximos 25 anos". Mas o arguto manipulador de ações Keene trabalhou com tanto afinco para vender as novas ações no mercado que toda a mais-valia — que se estimava em torno de 600 milhões de dólares — foi absorvida rapidamente. E assim Carnegie recebeu seus milhões e o sindicato Morgan tinha ganhado 62 milhões de dólares por seu "trabalho", e os "meninos", de Gates a Gary, também ganharam seus milhões.

* * *

E Schwab, aos 38 anos, recebia a recompensa. Virou o presidente da nova empresa e continuou no comando até 1930.

A história dramática do "Grande Negócio" que você acabou de acompanhar foi incluída neste livro, porque é uma ilustração perfeita do método pelo qual o *desejo pode ser transformado num equivalente físico*!

Imagino que alguns leitores vão questionar essa afirmação de que um simples desejo intangível possa se converter num equivalente físico. Sem dúvida, alguns vão dizer: "Não se pode converter um *nada* em *alguma coisa*!"

A resposta é a história da United States Steel.

Essa organização gigantesca foi criada na mente de um único homem. O plano pelo qual a organização conseguiu as siderúrgicas que lhe dariam estabilidade financeira foi concebido na mente do mesmo homem. Sua fé, seu desejo, sua imaginação e perseverança foram os verdadeiros ingredientes por trás da United States Steel. As usinas e o equipamento adquiridos pela corporação, depois que ela passou a ter existência jurídica, foram meramente incidentais, mas uma análise criteriosa revelará o fato de que o valor estimado das propriedades adquiridas pelo conglomerado se valorizou em cerca de 600 milhões de dólares, simplesmente quando todos os negócios foram consolidados sob uma mesma administração.

Colocando de outra maneira, a ideia de Charles M. Schwab, com a fé que ele transmitiu às mentes de J.P. Morgan e aos demais, foram vendidas ao mercado com um lucro de cerca de 600 milhões de dólares — nada insignificante para uma simples ideia!

O que aconteceu a alguns dos homens que ganharam os seus milhões não vem ao caso aqui. O importante nesse fantástico empreendimento é que ele serve como prova inquestionável do quanto a filosofia descrita neste livro funciona, porque essa é a filosofia que regeu toda a transação. Além do mais, o quanto essa filosofia é prática foi confirmada pelo fato de que a United States Steel prosperou e se tornou uma das empresas mais poderosas dos Estados Unidos, empregando milhares de pessoas, desenvolvendo novos usos para o aço e abrindo novos mercados — provando assim que os 600 milhões de dólares em lucros produzidos pela ideia de Schwab foram muito bem ganhos.

Toda *riqueza* começa na forma de um *pensamento*!

A quantia só é limitada pela cabeça da pessoa que põe esse pensamento em ação. A fé remove as limitações! Lembre-se disso quando estiver pronto para negociar com a vida o que você vier a pedir, como o preço de passar por ela.

Lembre-se, também, de que o homem que criou a United States Steel Corporation era praticamente um desconhecido na época. Não passava de um empregado devotado de Andrew Carnegie, até dar à luz sua famosa ideia. Depois disso, ele logo se elevou a uma posição de poder, fama e riqueza.

> A MENTE NÃO TEM LIMITES, EXCETO OS QUE NÓS *ESTABELECEMOS*.
>
> ∽
>
> TANTO A *POBREZA* QUANTO A *RIQUEZA* SÃO RESULTADOS DOS PENSAMENTOS.

CAPÍTULO 14

AUTOSSUGESTÃO:
O MEIO PARA INFLUENCIAR A MENTE SUBCONSCIENTE

O terceiro passo para a riqueza

A AUTOSSUGESTÃO É UM termo que se aplica a todas as sugestões e estímulos autoadministrados que chegam à nossa mente pelos cinco sentidos. Colocando-se de outra maneira: autossugestão é autoindução. É a comunicação entre aquela parte da mente onde ocorrem os pensamentos conscientes e a que serve como o centro de ação da mente subconsciente.

Por meio dos pensamentos dominantes que *permitimos manter* na mente consciente (se eles são positivos ou negativos não vem ao caso), o princípio da autossugestão acaba por chegar voluntariamente à mente subconsciente, influenciando-a com esses pensamentos.

Nenhum pensamento, positivo ou negativo, pode penetrar na mente subconsciente sem a ajuda do princípio da autossugestão, com exceção daqueles que são diretamente captados do éter. Em outras palavras, todas as impressões sensoriais percebidas pelos cinco sentidos fazem uma parada na mente pensante e consciente e então, a nosso critério, são passadas para a mente subconsciente ou descartadas. A faculdade consciente serve, por isso, como um guarda exterior para o que se aproxima do subconsciente.

A natureza construiu o ser humano de maneira que ele tenha total controle sobre o material que entra em sua mente subconsciente através dos cinco sentidos, embora isso não deva ser entendido como uma afirmação de que as pessoas sempre exercem esse controle. Na grande maioria das vezes, as pessoas não o exercem, o que explica por que tanta gente passa pela vida sem sair do estado de pobreza.

Lembre-se do que eu falei sobre a mente subconsciente ser parecida com um jardim fértil, onde as ervas daninhas vão proliferar se sementes de espécies mais desejáveis não forem devidamente plantadas. A autossugestão é o agente de controle pelo qual uma pessoa pode alimentar a mente subconsciente com pensamentos criativos, ou, por negligência, permitir que pensamentos destrutivos ganhem espaço no rico jardim que é a mente.

Você foi instruído, no último dos seis passos descritos no capítulo sobre desejo, a ler em voz alta, duas vezes ao dia, a declaração escrita do seu desejo de dinheiro e a se ver na posse dele! Ao seguir essas instruções, você comunica seu objeto de desejo diretamente à mente subconsciente, num estado de fé absoluta. Repetindo esse ritual, você deliberadamente cria os hábitos de pensamento favoráveis para os seus esforços de transformar o desejo no equivalente monetário.

Volte aos seis passos expostos no Capítulo 2 e leia-os outra vez, com o maior cuidado, antes de seguir em frente. Depois, quando chegar lá, leia atentamente as quatro instruções para a organização do seu "Mente Mestra", sua Mente Mestra, descrita no capítulo sobre "Planejamento organizado". Comparando-se esses dois grupos de regras com o que dissemos sobre a autossugestão, você vai ver, evidentemente, que as instruções aplicam o princípio da autossugestão.

Portanto, quando ler sua declaração de desejo (pela qual estará tentando criar uma "consciência de dinheiro"), lembre-se de que a mera leitura das palavras não lhe trará benefício algum — a não ser que você deposite emoção ou sentimento nelas. Se você repetir 1 milhão de vezes por dia a famosa fórmula de Emile Coué ("Todo dia, estou sempre melhorando") sem colocar emoção e fé nas palavras, não obterá qualquer resultado desejável. A mente subconsciente só reconhece e atua em cima do que foi bem irrigado com emoção ou sentimento.

Esse é um fato de tal importância que creio repeti-lo em quase todos os capítulos, porque a falta dessa compreensão é o maior motivo pelo qual as pessoas que tentam aplicar o princípio da autossugestão não atingem os resultados desejados.

Palavras faladas a esmo e sem emoção não influenciam a mente subconsciente. Você não terá qualquer resultado digno de nota até aprender a atingir a mente subconsciente com pensamentos ou palavras faladas que tenham sido injetadas com uma boa carga emocional de fé.

Não desanime se não conseguir controlar e dirigir suas emoções logo na primeira vez. Lembre-se de que não há como se conseguir alguma coisa sem dar nada em troca. A capacidade de atingir e influenciar sua mente subconsciente tem um preço, que você vai ter que pagar. Não dá para trapacear, mesmo que você queira. O preço da capacidade de influenciar a mente subconsciente é a eterna persistência de aplicar os princípios aqui descritos. Você não vai conseguir desenvolver essa capacidade pagando um preço mais baixo. Você — e só você — terá que decidir se a recompensa que tanto deseja (a formação da "consciência do dinheiro") vale o preço a pagar com esse esforço.

A sabedoria e a "inteligência", somente, não vão atrair e reter o dinheiro, a não ser em raríssimos casos, quando a lei das médias favorece a atração do dinheiro através dessas fontes. O método de atração de dinheiro aqui descrito não depende da lei das médias. Além do mais, esse método não favorece ninguém em especial. Favorece tanto uma pessoa quanto a outra. Quando alguém fracassa, é a pessoa, *e não o método*, que fracassou. Se tentar e fracassar, tente de novo, depois mais uma vez, até acertar.

Sua capacidade de utilizar o princípio da autossugestão vai depender largamente da sua capacidade de se concentrar num determinado desejo até que ele se transforme numa obsessão ardente.

Quando você começar a seguir essas instruções, juntamente com os seis passos descritos no segundo capítulo, vai ser preciso que utilize o princípio da concentração.

Deixe-me fazer aqui algumas sugestões para o uso efetivo da concentração. Quando começar a seguir o primeiro dos seis passos, que conclama a "fixar na sua mente a quantidade exata de dinheiro que você deseja juntar", mantenha os pensamentos concentrados nesse valor, fixe sua atenção de olhos fechados até poder efetivamente ver a aparência física desse dinheiro. Faça isso pelo menos uma vez por dia. Quando estiver fazendo esses exercícios, siga as instruções passadas no capítulo sobre a fé e veja a si mesmo na posse desse dinheiro!

E aqui vai um fato altamente significativo: a mente subconsciente aceita qualquer ordem dada num espírito de fé absoluta, e age a partir dessas ordens, mesmo que elas tenham de ser passadas *muitas e muitas vezes*, pela repetição, antes de serem interpretadas pela mente subconsciente. Seguindo essa afirmação, pense na possibilidade de "pregar uma peça" absolutamente legítima na sua mente subconsciente, induzindo-a a acreditar, *porque você acredita*, que você tem que ter a quantidade de dinheiro visualizada e que esse dinheiro já existe e só está esperando você ir buscá-lo —

e que a mente subconsciente tem de lhe enviar os planos práticos para adquirir o dinheiro que já é seu.

Repasse o pensamento sugerido no parágrafo anterior à sua imaginação e veja o que ela é capaz de fazer para criar os planos práticos para a acumulação de dinheiro, pela transformação do seu desejo.

Não fique esperando um plano definido por meio do qual você possa trocar um serviço ou uma mercadoria pelo dinheiro que visualizou. Comece a se ver desde logo na posse do dinheiro, exigindo e esperando, nesse meio-tempo, que a sua mente subconsciente vá lhe entregar o plano ou os planos que você precisar. Esteja pronto para receber os planos e, quando eles aparecerem, coloque-os imediatamente em prática. Quando aparecerem, os planos provavelmente vão surgir na sua mente como um "flash" vindo do sexto sentido, na forma de uma "inspiração". Essa inspiração pode ser considerada um "telegrama" ou uma mensagem direta da Inteligência Infinita. Trate-a com respeito e a coloque em prática quando a receber. Senão, isso pode ser fatal para o seu sucesso.

No quarto dos seis passos, você recebeu a seguinte instrução: "Crie um plano definido para atingir seu desejo e comece a colocar o plano em prática imediatamente." Você deve seguir essa ordem do jeito descrito no parágrafo anterior. Não confie na sua "razão" quando estiver bolando o seu plano para acumular riqueza pela transformação do desejo. A razão é falha. Além do mais, seu raciocínio pode estar um tanto enferrujado e, se você for depender dele, poderá ficar muito decepcionado.

Ao visualizar a quantidade de dinheiro que você pretende acumular, de olhos fechados, *veja-se prestando o serviço, ou entregando a mercadoria, que você pretende dar em troca do dinheiro. Isso é muito importante!*

RESUMO DAS INSTRUÇÕES

O fato de você estar lendo este livro já é, por si só, uma indicação de que você sinceramente busca esse conhecimento. Também é uma indicação de que está aprendendo o assunto. Se for só um aprendiz, há uma chance de aprender várias coisas de que não sabia, mas você só vai aprender se adotar uma postura humilde. Se optar em seguir algumas das instruções, mas deixar ou se recusar a seguir as outras, *você vai fracassar*! Para obter um bom resultado, terá de seguir todas as instruções, munido de um espírito de fé.

As instruções ligadas aos seis passos mostrados no segundo capítulo serão resumidas agora e misturadas aos princípios apresentados neste capítulo. São elas:

Primeiro. Recolha-se a um lugar tranquilo (de preferência à noite, na cama), onde ninguém vai perturbar ou interromper você, feche os olhos e diga em voz alta (o suficiente para ouvir as próprias palavras) a declaração escrita da quantia em dinheiro que você pretende acumular, o prazo para juntar esse dinheiro e uma descrição do serviço ou da mercadoria que você pretende dar em troca. Ao fazer isso, veja a si mesmo já na posse do dinheiro.

Por exemplo: Imagine que você pretende acumular 50 mil dólares daqui a cinco anos, no dia 1º de janeiro, e que pretende prestar um serviço de vendedor em troca desse dinheiro. Sua declaração escrita deve ser mais ou menos assim:

"No dia 1º de janeiro de ..., eu estarei na posse de 50 mil dólares, que chegarão a mim em quantidades diversas, de hoje até lá.

"Em troca desse dinheiro, eu prestarei o serviço mais eficiente que eu for capaz, na maior quantidade possível e da melhor qualidade possível como vendedor de ... (descreva o produto ou serviço que pretende vender).

"Eu acredito que vou estar na posse desse dinheiro. Minha fé é tamanha que eu já posso vê-lo diante de mim. Posso tocá-lo com as mãos. No momento, ele está esperando ser transferido para mim à medida que eu entregar o serviço que pretendo prestar para obtê-lo. Estou esperando um plano de como acumular essa quantia e haverei de segui-lo, quando receber."

Segundo. Repita esse ritual de noite e de manhã, até poder ver (na sua imaginação) o dinheiro que pretende acumular.

Terceiro. Ponha uma cópia da declaração escrita num lugar onde possa ver, à noite e de manhã, e leia antes de dormir e ao acordar, até ela ter sido decorada.

Lembre-se, ao seguir as instruções, que você está aplicando o princípio da autossugestão, com o objetivo de mandar ordens à sua mente subconsciente. Lembre-se, também, de que sua mente subconsciente agirá de acordo com as instruções que receberem uma carga de emoção e que lhes forem entregues com "sentimento". A fé é a emoção mais forte e a mais produtiva. Siga as instruções deste capítulo com fé.

No início, essas instruções podem parecer muito abstratas. Não permita que isso o atrapalhe. Siga as instruções, independentemente do quanto elas parecerem abstratas ou pouco práticas. Se você as seguir, logo vai chegar a hora, *tanto em espírito como nas suas ações*, em que verá todo um universo de poder se descortinar diante de você.

Mostrar-se cético diante das novas ideias é uma característica de todo ser humano. Mas se seguir as instruções aqui descritas, seu ceticismo logo vai ser substituído pela crença e, por sua vez, ela logo se cristalizará numa fé absoluta. E aí você vai chegar a um ponto em que sinceramente poderá dizer: "Eu sou o senhor do meu destino, o capitão da minha alma!"

Autossugestão: o meio para influenciar a mente subconsciente

Muitos filósofos já afirmaram que o homem é o mestre do seu destino *na Terra*, mas a maioria não conseguiu dizer *por quê*. O motivo pelo qual ele pode ser o mestre de seu destino na Terra, e especialmente de seu destino financeiro, é plenamente explicado neste capítulo. O homem pode se tornar mestre de si mesmo, e do seu ambiente, porque dispõe do poder de influenciar a própria mente subconsciente e, com isso, obter a cooperação da Inteligência Infinita.

O capítulo que você lê agora é a pedra de toque dessa filosofia. As instruções deste capítulo precisam ser compreendidas e postas em prática insistentemente, se você realmente quiser transformar o seu desejo em dinheiro.

A prática de transformar desejo em dinheiro envolve o uso da autossugestão como um agente pelo qual podemos alcançar (e influenciar) a mente subconsciente. Os outros princípios são apenas ferramentas pelas quais aplicamos a autossugestão. Guarde isso na cabeça e o tempo todo você terá consciência do importante papel que o princípio da autossugestão irá desempenhar no seu esforço de acumulação de riqueza, segundo os métodos descritos neste livro.

Siga essas instruções como se fosse uma criança. Injete no seu esforço um pouco da fé que elas têm. Este autor tomou o maior cuidado para não incluir instruções pouco práticas, porque ele, sinceramente, deseja ajudar.

Depois de ler o livro inteiro, volte a este capítulo e siga, com as suas ações e o seu espírito, a seguinte instrução:

Leia este capítulo em voz alta toda noite, até se convencer plenamente de que o princípio da autossugestão existe e que ele vai trazer até você tudo o que você sugeriu. Quando ler, *sublinhe com um lápis* todas as frases que lhe deixaram uma impressão favorável.

Siga essa instrução ao pé da letra e isso lhe abrirá uma compreensão e um domínio total dos princípios do sucesso.

CAPÍTULO 15

CONHECIMENTO ESPECIALIZADO: EXPERIÊNCIAS OU OBSERVAÇÕES PESSOAIS

O quarto passo para a riqueza

HÁ DOIS TIPOS DE conhecimento: o geral e o especializado. Os conhecimentos gerais, não importa quão amplos ou variados, não têm qualquer utilidade na acumulação de dinheiro. As faculdades das grandes universidades dispõem de praticamente todas as formas de conhecimento geral que a civilização conhece. *Mas a maioria dos professores raramente tem dinheiro.* Eles se especializaram em *ensinar* conhecimentos, mas não na organização ou *na utilização* dos mesmos.

O conhecimento não irá atrair dinheiro, a não ser que ele seja organizado e direcionado com inteligência, por meio de planos práticos para a ação e para o propósito específico da acumulação do dinheiro. A falta de compreensão desse fato tem gerado confusão para milhões de pessoas que falsamente acreditam que "conhecimento é poder". Nada disso! Conhecimento é apenas poder *em potencial*. Ele só se transforma em poder quando — e se — for organizado em planos definidos para a ação e direcionado para um propósito específico.

Esse "elo perdido", presente em todos os sistemas de educação que as civilizações de hoje conhecem, pode ser visto na dificulda-

Conhecimento especializado: experiências ou observações pessoais

de que nossas instituições de ensino têm em ensinar aos alunos como organizar o conhecimento que adquirem.

Muita gente comete o erro de achar que, como Henry Ford teve pouca "formação escolar", ele não é uma pessoa "educada". Quem comete esse erro simplesmente não conhece Henry Ford, nem o real significado da palavra "educar". Ela deriva do latim *educo*, que significa eduzir, extrair, desenvolver a partir de dentro.

Uma pessoa educada não é, necessariamente, uma pessoa que detém grande quantidade de conhecimentos gerais ou especializados. Uma pessoa educada é aquela que desenvolveu as faculdades mentais pelas quais pode conseguir o que quiser, ou algo equivalente, sem atropelar os direitos dos outros. Henry Ford se encaixa muito bem nessa definição.

Durante a Guerra Mundial, um jornal de Chicago publicou editoriais em que afirmava, entre outras coisas, que Henry Ford era "um pacifista ignorante". O Sr. Ford se insurgiu contra as declarações e processou o jornal por difamação. Quando o processo foi julgado no tribunal, os advogados pleitearam a exceção da verdade e intimaram o próprio Ford a depor, para provar ao júri que ele era realmente um ignorante. Os advogados fizeram um monte de perguntas ao Sr. Ford, todas com o intuito de provar, cabalmente, que, embora ele tivesse conhecimentos especializados consideráveis no tocante à fabricação de automóveis, ele era, em geral, um homem ignorante.

O Sr. Ford foi torturado com perguntas do tipo: quem foi Benedict Arnold? Quantos soldados a Inglaterra mandou para os Estados Unidos para sufocar a Rebelião de 1776? Em resposta a esta última, Ford rebateu:

— Eu não sei o número exato de soldados que a Inglaterra mandou. Só sei que foi um número consideravelmente maior do que o que voltou para casa.

Finalmente, o Sr. Ford se cansou desse tipo de interrogatório e, em resposta a uma pergunta particularmente ofensiva, ele se debruçou sobre o púlpito, apontou o dedo para o advogado que o inquiria e falou:

— Se eu realmente tivesse que responder a essa idiotice que o senhor está me perguntando, ou a qualquer outra pergunta que o senhor me fez, permita-me lembrar que eu disponho de alguns botões eletrônicos na minha mesa e que, apertando o botão adequado, eu chamo à minha sala um assessor que pode responder a qualquer pergunta relacionada ao negócio ao qual dedico a maior parte dos meus esforços. Agora, o senhor me diga, por gentileza, por que eu deveria entupir a minha mente de conhecimentos gerais, com o objetivo de responder perguntas, quando tenho à minha volta homens que podem responder a qualquer pergunta que eu desejar?

Certamente havia lógica na resposta. E o advogado ficou totalmente passado.

Todos os presentes no tribunal perceberam que aquela não era a resposta de um ignorante, mas de uma pessoa educada. Qualquer pessoa é educada quando sabe onde obter o conhecimento de que precisa, na hora em que precisa, e como organizar esse conhecimento em planos definidos de ação. Com a ajuda de seu grupo de Mente Mestra, Henry Ford tinha, a um comando seu, todo o conhecimento especializado que lhe permitiu ser um dos homens mais ricos dos Estados Unidos. *Não era imprescindível que ele tivesse o conhecimento armazenado na própria cabeça.* E alguém que não dispõe da inclinação e da inteligência suficiente para ler um livro como este não vai notar a importância dessa ilustração.

Antes de se convencer da sua capacidade de transformar seu desejo num equivalente monetário, você vai precisar ter um conhecimento especializado do serviço, produto ou profissão que

Conhecimento especializado: experiências ou observações pessoais

deseja oferecer em troca da sua fortuna. Talvez você precise ter muito mais conhecimento especializado do que esteja apto ou inclinado a conseguir e, se for assim, poderá suprir essa fraqueza com a ajuda do seu grupo de Mente Mestra, a Mente Mestra.

Andrew Carnegie dizia que, pessoalmente, ele entendia muito pouco da parte técnica da siderurgia; nem tinha muito interesse em aprender. O conhecimento especializado de que ele precisava para a fabricação e o marketing do aço, ele o obteve por meio do seu grupo de Mente Mestra.

A acumulação de grandes fortunas exige poder, e o poder é adquirido pelo conhecimento especializado muito bem organizado e dirigido — mas esse conhecimento não precisa estar, necessariamente, na posse da pessoa que adquire a fortuna.

Esse último parágrafo deve dar esperança e incentivo àquele que ambiciona acumular uma grande fortuna, mas que não dispõe, pessoalmente, da "educação" necessária para ter todo o conhecimento necessário. As pessoas, às vezes, passam pela vida sofrendo de "complexo de inferioridade" porque têm "pouca educação". A pessoa que souber organizar e dirigir uma "Mente Mestra" com os que possuem os conhecimentos necessários para a acumulação de dinheiro é tão educada quanto qualquer um do grupo. Lembre-se sempre disso, caso se sinta inferior por ter uma educação limitada.

Thomas Alva Edison só teve três meses de "educação formal" em toda a vida. Mas não lhe faltava educação e ele não terminou a vida pobre.

Henry Ford não chegou sequer ao sexto ano de sua "educação formal", mas também conseguiu se sair muito bem financeiramente.

O conhecimento especializado é um dos serviços mais baratos e abundantes que você pode encontrar! Se não acredita, consulte a folha de pagamento de qualquer universidade.

VALE A PENA SABER COMO CONSEGUIR CONHECIMENTO ESPECIALIZADO

Em primeiro lugar, decida que tipo de conhecimento especializado você precisa e com qual objetivo. Em boa parte, seu maior propósito na vida, a meta que você persegue, vai ajudá-lo a determinar que tipo de conhecimento você precisa. Resolvida essa parte, o próximo passo exige que você tenha informações detalhadas sobre as fontes confiáveis desse conhecimento. As mais importantes são:

a) Sua própria formação e experiência
b) Educação e experiência vinda da cooperação dos outros (sua aliança da Mente Mestra)
c) Faculdades e universidades
d) Bibliotecas públicas (onde há livros e periódicos em que se pode encontrar todo o conhecimento acumulado pela civilização)
e) Cursos e treinamentos especiais (especialmente cursos noturnos ou de educação a distância)

À medida que o conhecimento é adquirido, ele tem de ser organizado e utilizado, para um propósito específico, por meio de planos práticos. O conhecimento não tem valor algum, a não ser quando é posto para atingir um objetivo. Esse é um dos motivos pelos quais os diplomas universitários não são mais valorizados. Eles não representam mais do que uma gama de conhecimentos diversificados.

Se estiver pensando em aumentar sua educação formal, primeiro determine o objetivo para o qual você quer o conhecimento que procura e depois descubra onde esse tipo de conhecimento pode ser obtido de fontes confiáveis.

As pessoas de sucesso, em todas as profissões, nunca param de adquirir conhecimento especializado em relação ao ofício, ao negócio ou ao maior objetivo que elas têm na vida. As que não têm sucesso cometem o erro de acreditar que o período de aquisição de conhecimento termina quando elas saem da faculdade. A verdade é que as escolas fazem pouco mais do que colocar alguém no caminho do aprendizado de como adquirir conhecimentos práticos.

Neste novo mundo transformado que surgiu com o colapso econômico ocorreu uma mudança espantosa no tocante às exigências educacionais. A ordem do dia é a especialização! Essa verdade foi enfatizada por Robert P. Moore, secretário da Universidade de Colúmbia.

PRECISA-SE URGENTEMENTE DE ESPECIALISTAS

O que as empresas mais querem, especialmente, são candidatos que se especializaram numa determinada área — pós-graduados em administração que tenham formação em contabilidade e estatística, engenheiros de todos os tipos, jornalistas, arquitetos, químicos e também líderes excepcionais e os formandos mais ativos.

A pessoa que teve uma vida ativa no campus, que se dá bem com todo mundo e que se saiu bem nos estudos tem, com certeza, uma vantagem sobre aquele aluno essencialmente acadêmico. Algumas delas, por terem uma formação completa, chegam a receber várias propostas de emprego.

Num conceito bem diferente daquele que pensa que o aluno "que só tira dez" é invariavelmente aquele que recebe maiores opções de emprego, o Sr. Moore disse que a maioria das empresas não só analisa o desempenho acadêmico, mas também o relatório de atividades e a personalidade dos alunos.

Uma das maiores indústrias do país, líder no ramo, escreveu o seguinte ao Sr. Moore, em relação aos formandos:

"Estamos interessados, principalmente, em pessoas que tenham excelente desempenho em atividades de administração. Por esse motivo, enfatizamos as qualidades de caráter, inteligência e personalidade muito mais do que uma formação acadêmica específica."

PROPOSTA DE ESTÁGIO

Ao propor um sistema para os alunos "estagiarem" nos escritórios, nas lojas e na indústria durante as férias de verão, o Sr. Moore avalia que, depois dos primeiros dois ou três anos de faculdade, cada aluno deve escolher "um curso para o futuro, ou dar um tempo se estiver meramente flanando sem objetivo por uma grade acadêmica sem qualquer especialização".

"As faculdades e universidades precisam se dar conta de que todas as profissões e empregos de hoje exigem especialistas", disse ele, propondo que as instituições de ensino assumam uma responsabilidade mais direta pela orientação vocacional.

Uma das fontes mais confiáveis para quem precisa de conhecimento especializado são as escolas noturnas, presentes na maioria das grandes cidades. As escolas por correspondência fornecem treinamento especializado em qualquer lugar onde o correio chegue, e sobre qualquer assunto que possa ser ensinado por correspondência. Uma das vantagens de fazer curso em casa é a flexibilidade do programa, que permite estudar nas horas vagas. Outra vantagem magnífica (se você escolher bem a escola) é que a maioria desses cursos inclui o privilégio de generosas consultas, que podem ser de valor inestimável para os que precisam de conhecimento especializado. Onde quer que você more, pode receber os benefícios.

Conhecimento especializado: experiências ou observações pessoais

Geralmente tudo aquilo que se conquista sem esforço, e de graça, costuma ser desvalorizado. Talvez por isso as pessoas valorizem tão pouco nossas maravilhosas escolas públicas. A autodisciplina que se obtém com um programa definido de estudo especializado compensa, até certo ponto, a oportunidade que se desperdiçou quando o conhecimento era de graça. As escolas de ensino a distância são empresas altamente organizadas. O preço que elas cobram é tão baixo que são obrigadas a exigir pagamento imediato. Como são pagas independentemente de se tirar boas notas ou não, o aluno acaba se vendo na obrigação de dar sequência a um curso que, de outra maneira, ele abandonaria. As escolas de ensino a distância não fazem muita questão de enfatizar isso, mas a verdade é que seus departamentos de contas a receber dão o melhor treinamento em matéria de tomada de decisão, ação imediata e realização do programa iniciado.

Aprendi isso por experiência própria, há mais de 25 anos, quando me inscrevi para fazer um curso de propaganda. Depois de completar oito ou dez lições, parei de estudar, mas a escola não parou de me mandar as contas. Além do mais, insistia que eu tinha que pagar, apesar de eu ter abandonado os estudos. Decidi que, como teria mesmo que pagar pelo curso (um compromisso legal que havia assumido), eu devia seguir com as lições até o fim para dar valor ao meu dinheiro. Na época, eu achava que o departamento de contas da escola era rigoroso demais para o meu gosto, porém mais tarde descobri que essa foi uma parte valiosa da minha educação, sem custo adicional. Como era obrigado a pagar, fui em frente, e terminei o curso. Mais tarde, reconheci que o eficiente sistema de contas a receber daquele curso valeu cada centavo por causa do treinamento em propaganda que concluí com tamanha relutância.

Aqui nos Estados Unidos, nós temos aquela que é considerada a melhor escola pública do mundo. Investimos somas fabulosas em belos edifícios, proporcionamos um transporte conveniente para as crianças que moram nas áreas rurais para que elas possam frequentar as melhores escolas, mas há um ponto fraco impressionante nesse sistema tão maravilhoso. Ele é de graça! Uma das coisas estranhas nos seres humanos é que eles só valorizam aquilo que tem preço. As escolas públicas dos Estados Unidos, e as bibliotecas públicas, não impressionam as pessoas *porque são de graça*. Esse é o maior motivo pelo qual as pessoas pensam que é necessário obter treinamento suplementar depois que saem da escola e arranjam um emprego. É também um dos principais motivos pelos quais os empregadores têm na mais alta conta os funcionários que fazem cursos a distância. Eles aprenderam, por experiência própria, que qualquer pessoa que tenha ambição para separar parte de seu tempo livre para estudar em casa dispõe de uma qualidade digna de um líder. Esse reconhecimento não é um ato de filantropia, mas tino empresarial por parte do empregador.

Só existe uma fraqueza nas pessoas para a qual não há remédio. É a falta de ambição! As pessoas, especialmente as assalariadas, que dedicam parte do tempo livre para estudar por conta própria raramente ficam muito tempo nos escalões inferiores. Essa iniciativa abre espaço para a ascensão, tira muitos obstáculos do caminho e conquista o interesse e a amizade dos que têm o poder de colocá-los no caminho das oportunidades.

Os cursos por correspondência são especialmente úteis para os assalariados que descobrem, depois de sair da escola, que precisam adquirir novos conhecimentos especializados, mas não têm tempo de voltar a estudar.

As novas condições econômicas que surgiram com a Depressão fizeram com que milhares de pessoas encontrassem fontes adicionais de renda. Para a maioria delas, a solução para o problema só pode ser encontrada obtendo-se algum tipo de conhecimento es-

Conhecimento especializado: experiências ou observações pessoais

pecífico. Algumas vão se ver obrigadas a mudar totalmente de profissão. Quando um comerciante descobre que uma determinada linha de produtos não está vendendo, ele normalmente a substitui por outra, de maior demanda. Quem precisa vender serviços pessoais também tem que ser um comerciante eficiente. Se os serviços não trazem o retorno adequado numa profissão, ele precisa arranjar outra, em que haja melhores oportunidades.

Stuart Austin Wier se formou em engenharia civil e ficou nesse ramo até a Depressão limitar tanto o mercado que não lhe proporcionava mais a remuneração desejada. Ele fez um balanço geral da situação, decidiu virar advogado, voltou à faculdade e fez cursos especiais para se especializar em direito empresarial. Apesar da Depressão não ter acabado, ele concluiu a faculdade, passou no Exame da Ordem e logo abriu um escritório muito lucrativo em Dallas, no Texas. No momento, ele tem até dispensado clientes.

Só para deixar bem claro e já antecipando aquelas desculpas que algumas pessoas vão dar, como "Eu jamais poderia voltar à faculdade, tenho uma família para sustentar", ou "Eu já sou velho demais", devo acrescentar que o Sr. Wier era casado e tinha mais de 40 anos quando voltou à faculdade. Além disso, ao escolher com o maior carinho as especializações que fez e as melhores escolas para aprendê-las, o Sr. Wier completou em apenas dois anos aquilo que a maioria dos estudantes de direito só conseguem concluir em quatro anos. Vale a pena saber como adquirir conhecimento.

Consideremos um exemplo específico.

Durante a Depressão, um vendedor de loja perdeu o emprego. Como já tivera alguma experiência como contador, ele fez um curso de contabilidade, familiarizou-se com os mais novos equipamentos de escritório e contabilidade e abriu o próprio negócio. Começando pelo armazém onde trabalhava, conseguiu contratos com mais de cem pequenos comerciantes para cuidar da contabilidade deles por honorários mensais reduzidos. Sua ideia foi tão útil que ele logo viu que era necessário montar um escritório portátil num pequeno caminhão de entregas, que ele equipou com o mais moderno material de contabilidade. Hoje ele tem uma frota desses escritórios de contabilidade "sobre rodas" e emprega muitos assistentes, fornecendo aos pequenos comerciantes o melhor serviço de contabilidade a um custo bem baixo.

O conhecimento especializado, juntamente com a imaginação, foram os ingredientes necessários para esse negócio tão singular e bem-sucedido. Ano passado, o dono dessa empresa pagou de imposto de renda cerca de dez vezes mais do que o comerciante para quem ele trabalhava. A Depressão lhe forneceu uma adversidade temporária que acabou se revelando uma bênção disfarçada.

E o início desse negócio tão bem-sucedido foi uma ideia!

Como fui eu que tive o privilégio de dar a ideia ao vendedor desempregado, sinto-me agora no direito de dar mais uma ideia que pode aumentar sua renda ainda mais. E também prestar um serviço útil a milhares de pessoas que precisam urgentemente desse serviço.

A ideia foi inspirada pelo vendedor desempregado que passou a prestar serviços de contabilidade aos borbotões. Quando sugeri esse plano, ele exclamou: "Gostei da ideia, mas não sei como é que eu posso transformar isso em dinheiro."

Ou seja, ele reclamou que não saberia comercializar o serviço de contabilidade, *depois de ter adquirido o conhecimento*.

Isso trouxe ao assunto mais um problema que precisava ser resolvido. Com a ajuda de uma jovem datilógrafa, que também tinha uma bela caligrafia, preparamos um livro bem bonito, que descrevia as vantagens do novo sistema de contabilidade. As páginas foram lindamente datilografadas e coladas em um cader-

Conhecimento especializado: experiências ou observações pessoais

no comum, que acabaria sendo usado como propaganda, tão eficaz que logo o vendedor tinha mais contas do que podia administrar.

Nos Estados Unidos, há milhares de pessoas que precisam dos serviços de um especialista em vendas, capaz de preparar um briefing atraente para vender serviços profissionais. A renda anual de um serviço desse tipo superaria tranquilamente de uma grande agência de empregos, e os benefícios de um serviço desses seriam muito maiores para o empregador do que qualquer um obtido de uma agência de empregos.

Essa ideia nasceu de uma necessidade, para resolver uma emergência específica, mas ela não se limitou a ajudar apenas uma pessoa. A mulher que criou o briefing tem realmente muita imaginação. Ela viu ali o nascimento de uma profissão, destinada a prestar um serviço valioso a milhares de pessoas que precisam de um auxílio real na hora de vender os serviços profissionais.

Com o sucesso imediato do seu primeiro "plano para a venda de serviços profissionais", essa ativa mulher se voltou para resolver um problema semelhante do filho, que tinha acabado de sair da faculdade, mas não conseguia, de maneira alguma, encontrar um mercado para seus serviços. O plano que ela criou foi o mais belo exemplo que eu já vi de como vender serviços profissionais

O plano continha cerca de 50 páginas de informações lindamente datilografadas e bem-organizadas. Trazia um histórico das habilidades naturais do filho e também a formação escolar, experiências pessoais e um sem-número de outras informações, muito extensas para detalhar aqui. O plano continha uma descrição completa do cargo que o filho queria, incluindo um resumo do plano de ação que ele adotaria ao ocupar o cargo.

A preparação desse livro tomou várias semanas, durante a qual a mãe mandava o filho quase que diariamente à biblioteca pública pesquisar os dados necessários para ele vender seu serviço da melhor maneira possível. Ela também mandou que ele visitasse todos os concorrentes do potencial empregador, e deles colheu informações cruciais sobre métodos de trabalho, que foram valiosas na formatação do plano que ele pretendia adotar. Quando o plano foi concluído, continha mais de meia dúzia de excelentes sugestões para uso e benefício do potencial empregador. (As sugestões foram realmente adotadas pela empresa.)

Alguém poderia perguntar: "Por que se dar tanto trabalho só para conseguir um emprego?" A resposta vai direto ao ponto e é dramática, pois trata de um assunto que é uma verdadeira tragédia para milhões de pessoas cuja única fonte de renda é a venda de serviços profissionais.

A resposta é: fazer uma coisa bem-feita nunca é problema! O plano preparado por essa mãe ajudou o filho a conseguir o emprego desejado na primeira entrevista, e por um salário que ele mesmo determinou.

Além do mais — e isso também é importante —, o emprego não exigia que o rapaz começasse de baixo. Ele começou como executivo júnior, e com salário de executivo.

E você ainda pergunta "por que ter todo esse trabalho"?

Bem, em primeiro lugar, a apresentação bem-planejada desse rapaz economizou nada mais nada menos que uns dez anos que ele precisaria para chegar até onde queria, se tivesse "começado de baixo".

A ideia de começar de baixo e ir subindo numa empresa pode até parecer boa, mas a grande objeção a ela é a seguinte: em geral, aqueles que começam de baixo nunca conseguem erguer a cabeça a ponto de serem percebidos quando surgem as oportunidades, por isso eles continuam lá embaixo. Devemos também nos lembrar que o panorama visto de baixo não é muito brilhan-

Conhecimento especializado: experiências ou observações pessoais

te nem estimulante. Tem a tendência de matar a ambição. A isso se chama de "cair numa vala", o que significa que aceitamos nosso destino porque acabamos criando uma rotina diária, um hábito que acaba ficando tão forte que nós acabamos desistindo de tentar abandoná-lo. É por isso que vale a pena começar um ou dois degraus acima do mais baixo. Assim criamos o hábito de olhar à nossa volta, de observar como os outros sobem na vida, de perceber as oportunidades que surgem e de abraçá-las sem hesitar.

Dan Halpin é um magnífico exemplo disso. Na faculdade, ele foi gerente do famoso time de futebol de Notre Dame, no Campeonato Nacional de 1930, na época dirigido pelo falecido Knute Rockne.

Talvez ele tenha sido inspirado a sonhar alto pelo grande técnico e não confundir uma derrota temporária com um fracasso total, assim como o grande industrial Andrew Carnegie inspirava seus assistentes a traçar metas ambiciosas para si mesmos. De todo modo, o jovem Halpin terminou a faculdade numa época altamente desfavorável, quando a Depressão diminuía a oferta de empregos, e assim, depois de flertar com o cinema e com um banco de investimentos, ele agarrou a primeira oferta com um futuro promissor que encontrou: vender aparelhos auditivos elétricos por comissão. Qualquer um poderia começar num emprego desses, e Halpin sabia disso, mas para ele foi o suficiente para abrir as portas da oportunidade.

Por quase dez anos, ele continuou num emprego de que não gostava e nunca teria ido além, se não tivesse feito algo em relação à insatisfação. Primeiro, ele almejou o cargo de gerente-adjunto de vendas da empresa, e o conseguiu. Esse passo a mais o colocou suficientemente acima dos outros para permitir que vislumbrasse uma oportunidade maior ainda, e também o colocou numa posição de visibilidade.

Ele tinha um histórico tão bom como vendedor de aparelhos auditivos que A. M. Andrews, presidente do Conselho Diretor da Dictograph Products Company, que era concorrente da firma para a qual Halpin trabalhava, quis saber mais sobre o tal de Dan Halpin, que estava roubando clientes da Dictograph, uma empresa estabelecida há muitos anos. Mandou chamá-lo. Quando a entrevista acabou, Halpin era o novo gerente de vendas, encarregado da Divisão Acústica. Aí, para testar a fibra de Halpin, Andrews o despachou para a Flórida por três meses, de um jeito que ele teria que matar ou morrer no novo cargo. E ele não morreu! O espírito de Knute Rockne de que "Todo mundo adora um vencedor e não tem tempo para perdedores" o inspirou a se esforçar tanto no novo emprego que ele acabaria vice-presidente da empresa e gerente-geral da Divisão de Rádio Acústico e Silencioso, um cargo que a maioria das pessoas se orgulharia em ocupar depois de dez anos de leais serviços prestados. Halpin o conseguiu em pouco mais de seis meses.

É difícil dizer quem merece mais elogios, se Andrews ou Halpin, porque ambos deram provas concretas de terem uma qualidade muito rara, a imaginação. O Sr. Andrews merece crédito por ter visto no jovem Halpin um sujeito de primeira linha, daqueles que "fazem e acontecem". E Halpin merece o crédito de se recusar a sacrificar a vida aceitando um trabalho de que não gostava. E esse é um dos pontos mais importantes que eu estou tentando acentuar nessa filosofia — que alcançamos grandes posições ou ficamos lá embaixo por causa de condições que nós podemos controlar se nos dispusermos a controlá-las.

O que quero aqui é enfatizar que o sucesso e o fracasso são, em larga escala, uma decorrência do hábito! Não tenho a menor dúvida de que a proximidade de Halpin com o maior técnico de futebol que os Estados Unidos já viram plantou na mente dele o

Conhecimento especializado: experiências ou observações pessoais

mesmo desejo de se destacar que tornou o time do Notre Dame famoso no mundo inteiro. É verdade que ajuda muito ter um herói a quem admirar, desde que se admire um vencedor. Halpin me contou que Rockne foi um dos maiores líderes da história.

Minha crença de que as alianças nos negócios são fatores vitais, no sucesso e no fracasso, foi comprovada recentemente, quando meu filho Blair negociou um emprego com Halpin. Este lhe ofereceu um salário inicial que era cerca de metade do que ele conseguiria ganhar numa empresa concorrente. Eu exerci certa "pressão de pai" para que ele aceitasse o cargo oferecido por Halpin, porque acredito que estar bem próximo de alguém que não aceita as circunstâncias desfavoráveis da própria vida é um ativo incomensurável em matéria financeira.

O andar de baixo é um lugar monótono, tenebroso e onde ninguém consegue lucrar. Foi por isso que tive tanto trabalho para mostrar como um começo humilde demais pode ser ultrapassado com um planejamento adequado. Foi por isso também que dei tanto espaço à descrição dessa nova profissão, criada por uma mulher dedicada a fazer um belo planejamento porque queria que o filho tivesse um início "promissor".

Com as novas condições trazidas pelo colapso econômico, também veio a necessidade de vender os serviços profissionais de uma maneira melhor e mais moderna. É difícil saber por que nunca ninguém atinou para essa magnífica necessidade, se analisarmos o fato de que mais dinheiro troca de mãos em pagamento de serviços profissionais do que por qualquer outro motivo. As quantias pagas mensalmente por conta de honorários e salários são tão grandes que chegam a centenas de milhões de dólares, e num ano atingem a casa dos bilhões.

Talvez algumas pessoas encontrem aqui, numa rápida descrição, o cerne da riqueza que elas tanto almejam! Ideias bem menos dignas lançaram as sementes de onde grandes fortunas desabrocharam. A ideia das lojas de 5 e 10 centavos da Woolworth, por exemplo, tinha muito menos mérito, mas gerou uma fortuna para o criador.

Os que virem uma oportunidade escondida nessa sugestão vão encontrar valiosa ajuda no capítulo "Planejamento organizado". A propósito, um vendedor eficaz de serviços profissionais vai encontrar uma demanda crescente onde quer que haja pessoas procurando um mercado melhor para os próprios serviços. Com o princípio da Mente Mestra, algumas pessoas com os talentos adequados poderiam formar uma aliança e ter um negócio rentável rapidinho. Uma, teria que escrever bem; outra, teria que ter talento para anunciar e vender; outra, teria que saber datilografar e ter uma bela caligrafia; e a outra deveria ser fenomenal em conseguir novos negócios, o que divulgaria o serviço para o mundo. Se alguém reunisse todas essas habilidades, poderia trabalhar sozinha, até ter mais trabalho do que pudesse suportar.

A mulher que preparou o "Plano de Vendas de Serviços Profissionais" para o filho hoje recebe pedidos do país inteiro para ajudar na preparação de planos para outras pessoas que desejam vender os serviços por uma remuneração melhor. Ela conta com uma equipe de datilógrafas, designers e escritores que têm a habilidade de dramatizar o caso com tão bons resultados que o serviço do profissional pode ser vendido por muito mais dinheiro do que os salários que recebiam prestando serviços semelhantes. Ela confia tanto na própria capacidade que aceita, como boa parte dos honorários, uma porcentagem do *aumento* de salário que ela ajuda os clientes a conseguir.

Mas que ninguém pense que o trabalho dela é somente ser uma vendedora esperta e ajudar profissionas a pedir e receber mais por seus serviços. Ela também pensa no interesse de quem vai comprar o serviço, assim como de quem o vende, e prepara o plano de tal maneira que o empregador efetivamente receba o valor do dinheiro extra que está desembolsando. O método pelo qual ela consegue isso é um segredo profissional que ela não conta para ninguém, a não ser aos próprios clientes.

Se você tiver imaginação e procurar um ramo mais lucrativo para o serviço que oferece, essa sugestão pode ser o estímulo que você procura. A ideia é capaz de lhe proporcionar uma renda muito maior do que a do médico, advogado ou engenheiro "médio", que precisou de anos de faculdade para se formar. Essa ideia é viável para qualquer pessoa que estiver procurando um novo emprego, em quase todos os cargos que exijam habilidades executivas ou de administração, e também para aqueles que desejem um reajuste do salário atual.

As boas ideias não têm preço!

Por trás de todas as ideias está um conhecimento especializado. Infelizmente, para aqueles que não têm muito dinheiro, o conhecimento especializado é mais comum e mais fácil de ser adquirido do que as ideias. Por causa dessa grande verdade, há uma demanda universal e oportunidades cada vez maiores para as pessoas capazes de ajudar os outros a vender serviços com eficiência. Capacidade significa imaginação, que é a qualidade necessária para combinar o conhecimento especializado com as ideias, na forma de planos organizados com o objetivo de gerar riqueza.

Se você tiver imaginação, este capítulo pode lhe dar uma ideia suficientemente importante para o início da riqueza que você almeja. Lembre-se de que a ideia é o principal. O conhecimento especializado se consegue em qualquer esquina!

CAPÍTULO 6

IMAGINAÇÃO: A OFICINA DA MENTE

O quinto passo para a riqueza

A IMAGINAÇÃO É A oficina onde são formatados todos os planos que as pessoas criam. O impulso e o desejo ganham forma e ação com a ajuda da faculdade imaginativa da mente.

Já foi dito que as pessoas podem criar qualquer coisa que elas consigam imaginar.

De toda a história da civilização, este é o momento mais favorável para o desenvolvimento da imaginação, porque é um momento em que as coisas mudam com muita rapidez. Por todos os lados, é possível receber estímulos que desenvolvem a imaginação.

Com o auxílio dessa faculdade, as pessoas descobriram e desenvolveram mais usos das forças da Natureza nos últimos cinquenta anos do que em toda a história da humanidade. O ser humano conquistou o ar de maneira tão completa que os pássaros não voam melhor do que ele. Ele capturou a força do éter e fez com que isso servisse como meio de comunicação instantâneo para o mundo. Ele analisou e pesou o sol a milhões de quilômetros de distância e estabeleceu, com a ajuda da imaginação, de que elementos ele se constitui. Descobriu que o próprio cérebro é uma estação de transmissão e recepção da vibração do pensamento e agora está começando a aprender como usufruir dessa descoberta. Ele aumentou a velocidade de locomoção e hoje é capaz de viajar a mais de 500 quilômetros por hora. Já vai chegar o dia em que alguém vai poder tomar café da manhã em Nova York e almoçar em São Francisco.

A única limitação do homem, dentro daquilo que é razoável, está no desenvolvimento e no uso da imaginação. Ele ainda não chegou no auge desse desenvolvimento. Apenas sabe que tem imaginação e ainda a usa de uma maneira muito básica.

AS DUAS FORMAS DE IMAGINAÇÃO

A imaginação funciona de duas formas. Uma se chama "imaginação sintética" e a outra, "imaginação criativa".

Imaginação Sintética. Por meio dessa faculdade, uma pessoa rearranja antigos conceitos, ideias ou planos numa nova combinação. Essa faculdade *não cria* nada. Só trabalha com o material da experiência, da educação e da observação que a alimenta. É a faculdade mais usada pelos inventores, com exceção dos "gênios", que extraem ideias da imaginação criativa, quando não conseguem resolver um problema pela imaginação sintética.

Imaginação Criativa. Através dessa faculdade, a mente finita do homem entra em contato direto com a Inteligência Infinita. É a faculdade através da qual se recebem os "palpites" e as "inspirações". É por essa faculdade que todas as ideias novas e básicas são transmitidas às pessoas. É por meio dela que as vibrações de pensamento da mente das outras pessoas são recebidas. É por ela que uma pessoa pode "sintonizar" e se comunicar com o subconsciente das outras.

A imaginação criativa funciona automaticamente, do modo como será descrito nas páginas seguintes. Essa faculdade só funciona quando a mente consciente está vibrando em uma velocidade muito rápida, como, por exemplo, quando a mente consciente é estimulada pela emoção de um *desejo ardente*.

A faculdade criativa passa a ficar mais alerta e mais receptiva às vibrações dessas fontes, na proporção direta à que é utilizada. Esta frase é muito importante! Pense um pouco a respeito antes de continuar.

Tenha sempre em mente, quando seguir os princípios, que toda forma de converter desejo em dinheiro pode ser resumida numa só frase. Mas a história só vai estar completa quando se tiver dominado, assimilado e começado a usar todos os princípios.

Os grandes líderes do comércio, da indústria e das finanças, assim como os grandes artistas, músicos, poetas e escritores se tornaram gigantes porque desenvolveram a faculdade da imaginação criativa.

Tanto a imaginação sintética quanto a criativa se tornam mais ativas com o uso, assim como qualquer músculo ou órgão do corpo se desenvolve pelo uso.

O desejo é apenas um pensamento, um impulso. É nebuloso e efêmero. É abstrato e sem valor até ser transformado em seu equivalente físico. Ainda que a imaginação sintética seja usada com maior frequência, é preciso ter em mente, ao transformar o impulso do desejo em dinheiro, que podem ocorrer situações que exijam o uso da imaginação criativa também.

Sua imaginação pode estar meio enferrujada por falta de ação. Contudo, pode ser reanimada e reativada pelo uso. Essa faculdade não morre, embora possa ter ficado dormente por falta de uso.

Por enquanto, concentre sua atenção no desenvolvimento da imaginação sintética, porque essa é a faculdade que será mais usada no processo de conversão de desejo em dinheiro.

A transformação de um impulso intangível, um desejo, numa realidade tangível chamada dinheiro requer o uso de planos. Es-

Imaginação: a oficina da mente

ses planos precisam ser formulados com o uso da imaginação e, principalmente, da imaginação sintética.

Leia este livro inteiro, depois volte a este capítulo e comece a colocar sua imaginação para trabalhar na elaboração de um plano, ou planos, para transformar seu desejo em dinheiro. Instruções detalhadas para a construção de planos são passadas em quase todos os capítulos. Use aquelas que melhor se adequarem às suas necessidades e então ponha tudo no papel, se já não tiver feito isso. No momento em que terminar, você, com certeza, terá dado uma forma concreta ao seu desejo intangível. Leia esta frase de novo. Leia em voz alta, com calma, e quando estiver lendo, lembre-se de que na hora em que você colocar a afirmação do seu desejo (e o plano para a realização) no papel, terá dado o primeiro de uma série de passos que irão ajudá-lo a converter seu pensamento no equivalente físico.

Nesta Terra em que vivemos, você e todas as outras coisas materiais que existem são o resultado de evolução, por meio da qual partículas microscópicas de matéria foram organizadas e dispostas de uma maneira ordenada.

Além disso — e a afirmação a seguir é de enorme importância —, nesta Terra, todos os bilhões de células que habitam o seu corpo e todo átomo de matéria *começaram como uma forma intangível de energia*.

O desejo é um impulso do pensamento! Impulsos de pensamento são formas de energia. Quando se parte de um impulso de pensamento (ou desejo) de acumular dinheiro, você está recrutando a mesma "coisa" que a Natureza usou para criar a Terra e todas as formas materiais que existem no universo, inclusive o corpo e o cérebro onde os impulsos de pensamento atuam.

Tanto quanto a ciência foi capaz de determinar, todo o universo consiste em apenas dois elementos: matéria e energia.

Pela combinação de matéria e energia foi criado tudo aquilo que as pessoas são capazes de perceber, da maior estrela no céu até o próprio ser humano.

E agora você se vê diante da tarefa de tentar lucrar pelo mesmo método da Natureza. Você está (espero que sincera e honestamente) tentando se adaptar às leis da Natureza ao tentar converter seu desejo num equivalente físico ou financeiro. E você pode conseguir isso — porque já foi feito antes!

Você pode construir uma fortuna com a ajuda das leis imutáveis. Mas, primeiro, você tem que conhecer essas leis e aprender a utilizá-las. Pela repetição, e utilizando a descrição dos princípios de todos os ângulos possíveis e imagináveis, este autor espera revelar a você o segredo por meio do qual todas as grandes fortunas foram acumuladas. Por mais estranho e paradoxal que isso possa parecer, o "segredo" não é um segredo. A própria Natureza o revela nesta Terra em que vivemos, nas estrelas e nos planetas que vemos, nos elementos que estão à nossa volta, em cada folha de relva e em cada forma de vida no nosso campo de visão.

A Natureza anuncia esse "segredo" pela biologia, na conversão de uma minúscula célula — tão pequena que é capaz de se perder na cabeça de um alfinete — no ser humano que agora está lendo este livro. A conversão do desejo em seu equivalente físico certamente não é menos milagroso!

Não desanime se não conseguir entender a enormidade do que acabou de ler. A não ser que você já estude a mente humana há muito tempo, não se deve esperar que vá conseguir assimilar todo o conteúdo deste capítulo logo na primeira leitura.

Mas, com o tempo, você vai progredir.

Os princípios a seguir vão abrir caminho para o seu entendimento sobre a imaginação. Assimile o que entender, quando estiver lendo esta filosofia pela primeira vez, e então a releia e estude. Você vai descobrir que algo aconteceu para trazer mais clareza e melhor compreensão do todo. Mas, principalmente, não pare nem hesite na hora de estudar esses princípios, até ter lido este livro pelo menos umas três vezes — porque, aí, você não vai querer parar mais.

COMO FAZER UM USO PRÁTICO DA IMAGINAÇÃO

As ideias são o pontapé inicial para todas as fortunas e são produto da imaginação. Examinemos algumas ideias bem conhecidas que renderam grandes fortunas — a expectativa é que essas ilustrações passem informações pertinentes sobre como a imaginação pode ser utilizada para se acumular grandes fortunas.

A CHALEIRA ENCANTADA

Há cinquenta anos, um velho médico do campo chegou à cidade, amarrou o cavalo e discretamente entrou numa farmácia pela porta dos fundos e começou a negociar com o jovem vendedor.

Sua missão estava destinada a enriquecer muita gente. Estava destinada a levar ao Sul dos Estados Unidos o maior benefício de longo prazo desde o final da Guerra Civil.

Por mais de uma hora, atrás do balcão de prescrições, o velho médico e o farmacêutico conversaram em voz baixa. Depois o médico saiu. Ele foi até a charrete e voltou com uma chaleira grande e velha, uma colher de pau (usada para mexer o conteúdo da chaleira) e colocou tudo nos fundos da farmácia.

O jovem deu uma olhada na chaleira, pôs a mão no bolso, tirou um maço de notas e entregou ao médico. O maço continha exatamente 500 dólares, todas as economias do rapaz da farmácia.

O médico lhe deu então um pedaço de papel no qual estava escrita uma fórmula secreta. As palavras naquele pedaço de papel valiam o peso em ouro de um rei! *Mas não para o médico!* Essas palavras mágicas eram necessárias para fazer a chaleira ferver, mas nem o médico nem o jovem imaginavam que fortunas fabulosas sairiam daquela chaleira.

O velho médico estava feliz por vender seu produto por 500 dólares. Com o dinheiro, ele pagaria suas dívidas e teria paz de espírito. O jovem farmacêutico estava arriscando muito, jogando ali todo o dinheiro que juntou na vida em um pedaço de papel e uma chaleira velha! Ele jamais sonhou que o investimento faria aquela chaleira transbordar de ouro, melhor do que a lâmpada de Aladim.

O que o jovem da farmácia *realmente comprou* foi uma ideia!

A chaleira velha, a colher de pau e a mensagem secreta no pedaço de papel foram meros detalhes. O estranho desempenho do produto da chaleira começou a virar realidade depois que o novo dono misturou à fórmula secreta um ingrediente sobre o qual o velho médico nada sabia.

Leia essa história atentamente e teste sua imaginação! Veja se consegue descobrir o que foi que o jovem adicionou à fórmula secreta que fez a chaleira transbordar de ouro. Lembre-se que essa não é uma história das *Mil e uma noites*. O que está sendo narrado aqui são fatos, que podem ser mais estranhos que a ficção, mas são fatos que começaram com uma ideia.

Vejamos quais foram as enormes fortunas que essa ideia produziu. Ela já pagou, e continua pagando, verdadeiras fortunas a homens e mulheres no mundo inteiro que distribuem o conteúdo da chaleira a milhões de pessoas.

A Velha Chaleira é hoje uma das maiores consumidoras mundiais de açúcar, propiciando desse modo empregos fixos a milhares de pessoas que se dedicam ao cultivo da cana e ao refino e ao marketing do açúcar.

A Velha Chaleira emprega um exército de gerentes, estenógrafos, redatores e publicitários em todos os Estados Unidos. Ela deu fama e fortuna a inúmeros designers que criaram ilustrações magníficas para vender o produto.

A Velha Chaleira transformou uma pequena cidade do Sul dos Estados Unidos na capital empresarial da região, onde ela agora ajuda, direta ou indiretamente, todas as empresas e quase todos os residentes da cidade.

A influência dessa ideia hoje beneficia todos os países civilizados do mundo, despejando um fluxo contínuo de ouro em todos os que nela tocam.

O ouro procedente dessa chaleira construiu e ainda mantém uma das faculdades mais importantes da região Sul, onde milhares de pessoas recebem um treinamento fundamental para o sucesso.

A Velha Chaleira também propiciou várias outras coisas maravilhosas.

Durante toda a Depressão, enquanto fábricas, bancos e armazéns faliam e fechavam as portas, o dono dessa Chaleira Encantada seguiu em frente, *dando emprego permanente* a um verdadeiro exército de homens e mulheres no mundo inteiro e pagando porções extras de ouro aos que, há muito tempo, *botaram fé na ideia*.

Se o conteúdo daquela chaleira velha falasse, contaria histórias emocionantes em todas as línguas. Histórias de amor, histórias de negócios e histórias de profissionais que são estimulados por ela todos os dias.

Este autor conhece pelo menos uma das histórias, pois ele foi parte dela. E tudo começou num lugar não muito distante de onde o jovem da farmácia comprou a chaleira. Foi ali que conheci minha esposa e foi ela quem me falou pela primeira vez da Chaleira Encantada. Foi o produto daquela Chaleira que bebemos quando lhe pedi para se unir a mim "na felicidade e na tristeza".

Agora que você já sabe que o conteúdo da Chaleira Encantada é uma bebida conhecida no mundo inteiro, é justo declarar que a cidade natal da bebida me deu uma mulher e que a bebida *estimula o pensamento sem fazer uso de substâncias entorpecentes*, e, assim, serve como o refresco mental que este autor precisa consumir para trabalhar bem.

Quem quer que você seja, onde quer que você viva, ou seja lá qual for a sua profissão, cada vez que você vir as palavras "Coca-Cola", lembre-se de que esse imenso império de dinheiro e poder nasceu de uma única ideia e que o misterioso ingrediente que o jovem da farmácia (Asa Candler) misturou à fórmula secreta foi... a imaginação!

Pare um pouco e pense nisso.

Lembre-se, também, de que os 13 passos para a riqueza descritos neste livro foram os meios pelos quais a influência da Coca-Cola foi estendida a todas as cidades, aldeias e encruzilhadas do mundo, e que qualquer ideia que você crie, que seja *boa e meritória* como a Coca-Cola, tem a possibilidade de repetir a trajetória magnífica dessa bebida.

Portanto, é perfeitamente verdadeiro dizer que pensamentos são coisas e que seu campo de atuação é o mundo inteiro.

O QUE EU FARIA SE TIVESSE 1 MILHÃO DE DÓLARES

Essa história comprova a verdade daquele velho ditado: "Onde houver vontade, haverá um caminho." Quem me contou foi meu querido educador e clérigo, o falecido Frank W. Gunsaulus, que começou suas pregações nos cortiços da zona sul de Chicago.

Enquanto o Dr. Gunsaulus fazia a faculdade, percebeu muitas falhas no nosso sistema educacional, que ele achava ser capaz de corrigir se fosse reitor de uma faculdade. O *desejo mais profundo* dele era se tornar o diretor de uma instituição de ensino onde os jovens "aprendessem fazendo".

Ele preparou a mente para organizar uma nova faculdade, onde poderia pôr as ideias em prática sem que os métodos mais ortodoxos de ensino fossem um obstáculo.

Mas para dar vida ao projeto ele precisava de 1 milhão de dólares! Como é que ele poderia pôr as mãos nessa quantia formidável de dinheiro? Esta era a pergunta que ocupava a maior parte dos pensamentos desse jovem e ambicioso pregador.

Mas, aparentemente, ele não conseguia fazer progresso.

Toda noite, ele levava esse pensamento para a cama. Acordava com ele de manhã. Carregava-o consigo onde quer que fosse. Ficava revirando-o na cabeça até que se tornasse uma *obsessão* que o consumia. Um milhão de dólares é muito dinheiro. Ele sabia disso, e também sabia que *a única limitação que nós temos é a que criamos na cabeça.*

Como era filósofo além de pároco, o Dr. Gunsaulus sabia, como todos os que são bem-sucedidos na vida, que um *objetivo bem-definido* é o ponto de partida de onde todos têm que começar. Ele sabia, também, que um propósito bem-definido ganha vida, ânimo e poder quando é apoiado num desejo ardente para traduzir esse objetivo no equivalente material.

Ele conhecia todas essas grandes verdades, mas não sabia como pôr as mãos em 1 milhão de dólares. "Ah, sim, essa ideia é muito boa, mas não vou poder fazer nada com ela, porque eu nunca vou conseguir o dinheiro que tanto preciso." É exatamente assim que a maioria das pessoas pensa, mas não foi isso o que o Dr. Gunsaulus falou. O que ele falou, e o que ele fez, é tão importante que agora eu passo a palavra a ele.

"Um sábado à tarde, eu estava na minha sala pensando nos meios ao meu alcance para levantar o dinheiro para pôr os meus planos em ação. Durante dois anos, eu andei pensando, mas *não tinha feito nada além de pensar*!

"Tinha chegado a hora de entrar em ação!

"Naquele momento, decidi que iria obter o tal 1 milhão de dólares em uma semana. Como? Não me preocupei com isso. O mais importante foi a *decisão* de conseguir o dinheiro, dentro de um prazo específico, e eu quero dizer que, no momento em que tomei essa decisão definitiva, um sentimento estranho de certeza tomou conta de mim, de um jeito que eu nunca havia experimentado antes. Alguma coisa dentro de mim parecia dizer 'Por que você não tomou essa decisão mais cedo? O dinheiro já estava lhe esperando há muito tempo!'

"E aí as coisas começaram a acontecer depressa. Eu liguei para os jornais e avisei que daria um sermão na manhã seguinte intitulado 'O que eu faria com 1 milhão de dólares'.

"Comecei a trabalhar no sermão imediatamente, mas tenho que dizer, com toda a franqueza, que não foi uma tarefa difícil, porque eu já vinha preparando esse sermão há quase dois anos. Era quase parte de mim!

"Muito antes da meia-noite eu já tinha terminado o texto. Fui para a cama e dormi com uma sensação de confiança, porque *já podia me ver na posse de 1 milhão de dólares.*

"Na manhã seguinte, acordei cedo, fui ao banheiro, li o sermão e então me ajoelhei e pedi que meu sermão chamasse a atenção de alguém que pudesse me fornecer dinheiro.

"Enquanto eu estava rezando, voltei a ter aquela sensação de confiança de que o dinheiro viria. Na minha empolgação, acabei saindo sem levar o sermão e só fui perceber isso quando já estava no púlpito, prestes a começar.

"Não dava mais para voltar em casa, e foi uma verdadeira bênção eu não ter voltado! Em vez disso, minha própria mente subconsciente forneceu todo o material de que eu precisava. Quando me levantei para fazer minha pregação, fechei os olhos e pus meu coração e minha alma nos meus sonhos. Eu não só falei para a plateia, mas acho que também falei com Deus. Falei o que eu faria com 1 milhão de dólares, se aquela quantia chegasse às minhas mãos. Descrevi o plano que tinha para organizar uma grande instituição de ensino, onde os jovens aprenderiam a fazer coisas práticas, ao mesmo tempo em que desenvolveriam a mente.

Imaginação: a oficina da mente

"Quando terminei e me sentei, um homem se levantou devagar do lugar dele, na antepenúltima fila, e veio até o púlpito. Fiquei pensando no que ele iria fazer. Ele chegou ao púlpito e falou: 'Reverendo, gostei do sermão. Acredito que o senhor possa fazer tudo o que disse que faria, se tivesse 1 milhão de dólares. Para provar que acredito no senhor e no seu sermão, se vier ao meu escritório amanhã de manhã, eu lhe darei seu milhão de dólares. Meu nome é Phillip D. Armour.'"*

O jovem Gunsaulus foi ao escritório do Sr. Armour e recebeu 1 milhão de dólares. Com o dinheiro, ele fundou o Armour Institute of Technology.

É mais dinheiro do que a maioria dos párocos vê a vida inteira. No entanto, o impulso de pensamento que o apoiava foi criado em uma fração de minuto na cabeça do jovem pregador. O 1 milhão de dólares necessário surgiu como resultado de uma ideia. Por trás da ideia estava o desejo que o jovem Gunsaulus vinha acalentando na mente havia dois anos.

Observe este importante fato: ele conseguiu o dinheiro 36 horas depois de ter tomado a decisão definitiva na mente de que conseguiria e de ter criado um plano definido para obtê-lo!

Não havia nada de novo ou de único nos pensamentos vagos que o jovem Gunsaulus até então nutria sobre o dinheiro e a vaga expectativa de consegui-lo. Muita gente cultiva o mesmo tipo de pensamento, antes e depois dele. Mas havia algo de muito singular e diferente na decisão que ele tomou naquele memorável sábado, quando deixou os pensamentos vagos para trás e disse, com firmeza: "Eu vou conseguir esse dinheiro em uma semana!"

Deus parece Se pôr ao lado da pessoa que sabe *exatamente* o que quer *e está determinada* a conseguir!

---

* Industrial americano do setor de carnes. (*N. do T.*)

Além disso, o princípio por meio do qual Dr. Gunsaulus conseguiu seu 1 milhão de dólares continua vivo e a seu dispor! Essa lei universal vale tanto hoje como no dia em que o jovem pastor a utilizou com tamanho sucesso. Este livro descreve, passo a passo, os 13 elementos dessa grande lei e sugere como eles podem ser utilizados.

Observe que Asa Candler e o Dr. Frank Gunsaulus tinham uma característica em comum. Os dois conheciam a verdade absoluta de que as ideias podem ser transformadas em realidade através do poder de um objetivo definido, juntamente com planos bem-traçados.

Se você for um daqueles que acreditam que o trabalho duro e honesto, por si só, irá lhe trazer riqueza, enterre esse pensamento, porque ele não é verdadeiro! A riqueza, quando vem em grande quantidade, nunca é resultado de trabalho duro! A riqueza vem — quando vem — em resposta a pedidos bem definidos, baseados na aplicação de princípios específicos, e não por acaso ou sorte.

Falando de maneira geral, uma ideia é um impulso de pensamento que impele à ação, por um apelo feito à imaginação. Todos os grandes vendedores sabem que as ideias podem ser vendidas quando os produtos não conseguem ser. Os vendedores comuns não sabem disso — e por isso são apenas "comuns".

Um editor de livros de cinco centavos descobriu uma coisa que deveria valer muito para os demais editores. Ele descobriu que muita gente compra os títulos, e não o conteúdo em si dos livros. Simplesmente mudando o título de um livro que não estava tendo saída, as vendas daquele livro dispararam para 1 milhão de exemplares. O miolo do livro não sofreu qualquer alteração. Ele apenas tirou a capa com o título que não estava vendendo e trocou por uma nova, que tinha maior "valor de bilheteria".

Por mais simples que possa parecer, isso é uma ideia! Foi fruto da imaginação!

Não há um preço padrão para as ideias. Quem cria é que dá seu próprio preço e, se for esperto, vai conseguir.

A indústria do cinema criou toda uma leva de milionários. A maioria deles não sabia criar uma ideia, *mas* tinha a imaginação para reconhecer as ideias quando as vissem.

A próxima leva de milionários vai sair do rádio, que até agora não se caracteriza por ter homens de grande imaginação. O dinheiro será ganho por aqueles que descobrirem como criar programas de rádio melhores e que tenham imaginação suficiente para reconhecer o mérito, e que deem aos ouvintes uma chance de lucrar com isso.

O patrocinador! Aquela pobre vítima que hoje paga os custos de todo o "entretenimento" dos programas de rádio logo vai começar a notar a importância das ideias e pedir algo mais em troca do dinheiro. Quem atender a esse anseio do patrocinador, e fornecer programas que prestem algum serviço útil, é que vai enriquecer na nova indústria.

Os cantores e os comunicadores de fala macia que agora poluem o ar com ironias e piadinhas bobas vão sair de cena e serão substituídos por artistas de verdade, que interpretem programas cuidadosamente planejados, destinados a atender as mentes humanas, além de fornecer entretenimento.

Aqui está um enorme campo aberto de oportunidades, protestando para não ser mais destroçado pela falta de imaginação, e implorando para ser salvo a qualquer preço. O que o rádio precisa, acima de tudo, é de novas ideias!

Se esse novo campo de oportunidades intrigá-lo, talvez você tire algum lucro da sugestão de que, para fazer sucesso, o criador dos programas de rádio do futuro precisará encontrar maneiras práticas de converter "ouvintes" em "compradores". Além disso, o produtor bem-sucedido dos programas de rádio do futuro precisará afinar suas características para que eles realmente exerçam algum efeito sobre o público.

Os patrocinadores estão cada vez mais ressabiados na hora de comprar conversa fiada, cheia de afirmações vazias. Eles querem, e no futuro vão exigir, provas incontestes de que o programa *Whoosit* não só conta as piadas mais engraçadas, mas que o humorista que conta as piadas sabe vender os produtos!

Outra coisa que as pessoas que pensam em entrar nesse ramo devem entender é que a propaganda no rádio vai ser gerenciada por um grupo totalmente novo de publicitários, bem diferente dos veteranos que cuidam da publicidade em jornais e revistas. Esses veteranos da publicidade *não sabem ler* os modernos textos de rádio, porque foram educados para ver suas ideias. A nova técnica radiofônica requer pessoas que saibam interpretar as ideias de um texto no formato *sonoro*! Este autor precisou trabalhar duro um ano inteiro e gastar milhares de dólares para aprender isso.

Nesse momento, o rádio está naquele ponto em que o cinema estava quando os cachos de Mary Pickford apareceram na tela pela primeira vez. Há muito espaço no rádio para os que forem capazes de *produzir ou reconhecer* boas ideias.

Se este último comentário sobre as oportunidades no rádio não bastou para botar sua fábrica de ideias para funcionar, então é melhor esquecer, porque suas oportunidades estarão em outro campo. Mas se o comentário lhe deixou minimamente intrigado, então investigue um pouco mais e poderá encontrar a ideia que tanto procura para dar vazão à sua carreira.

Nunca se deixe desanimar pelo fato de não ter experiência no ramo. Andrew Carnegie sabia muito pouco sobre a fabricação do aço — ele mesmo disse isso —, mas aplicou dois princípios descritos neste livro e o negócio da siderurgia lhe rendeu uma fortuna.

A história de toda grande fortuna começa no dia em que um criador de ideias e um vendedor de ideias se juntam e passam a trabalhar em harmonia. Carnegie se cercou de homens que sabiam

Imaginação: a oficina da mente

fazer tudo o que ele não sabia. Homens que geravam ideias, homens que colocavam as ideias em operação, e tornou a si mesmo e aos outros muito ricos.

Milhões de pessoas passam a vida esperando por um "golpe de sorte". Talvez um golpe de sorte possa trazer uma oportunidade a alguém, mas o mais seguro é não depender da sorte. Foi um "golpe" favorável que me rendeu a maior oportunidade da vida, *mas* precisei dedicar 25 anos de *esforço persistente* para que essa oportunidade se transformasse num ativo.

Meu "golpe de sorte" foi a chance de conhecer e obter a cooperação de Andrew Carnegie. Na ocasião, Carnegie semeou na minha mente a *ideia* de organizar os princípios dos grandes realizadores numa filosofia do sucesso. Milhares de pessoas lucraram com as descobertas feitas nesses 25 anos de pesquisa e várias fortunas foram acumuladas com a aplicação dessa filosofia. O começo foi simples — uma ideia que qualquer um poderia ter tido.

O golpe de sorte veio por meio de Carnegie, mas o que dizer da *determinação*, do *propósito bem-definido*, do *desejo de alcançar uma meta* e de um *esforço persistente ao longo de 25 anos*? Não foi exatamente um desejo comum que sobreviveu às decepções, à falta de incentivo, às críticas, às derrotas temporárias e à lembrança constante de que eu estava "perdendo o meu tempo". Foi um desejo ardente, uma obsessão!

Quando a ideia foi plantada na minha mente pelo Sr. Carnegie, ela foi treinada, cuidada e atiçada para *se manter viva*. Gradualmente, a ideia se tornou um gigante com poder próprio, e ela é que me treinou, cuidou de mim e me dirigiu. Ideias são assim mesmo. Primeiro, você dá vida, ação e orientação a elas, então elas ganham um poder autônomo e deixam de lado toda a oposição.

Ideias são forças intangíveis, mas têm mais poder do que os cérebros das pessoas que as fazem nascer. Dispõem de todo poder para continuar vivendo, mesmo depois de o cérebro que as criou ter virado pó. Veja, por exemplo, o poder do cristianismo. Tudo começou com uma ideia simples, nascida no cérebro de Cristo. O principal mandamento era: "Trate os outros como gostaria que os outros lhe tratassem." Cristo voltou à fonte de onde saiu, mas a ideia Dele continua em ação. Um dia, ela poderá crescer e ganhar vida própria e aí, sim, terá realizado o desejo mais profundo de Cristo. É uma ideia que vem se desenvolvendo há apenas 2 mil anos. Dê tempo a ela!

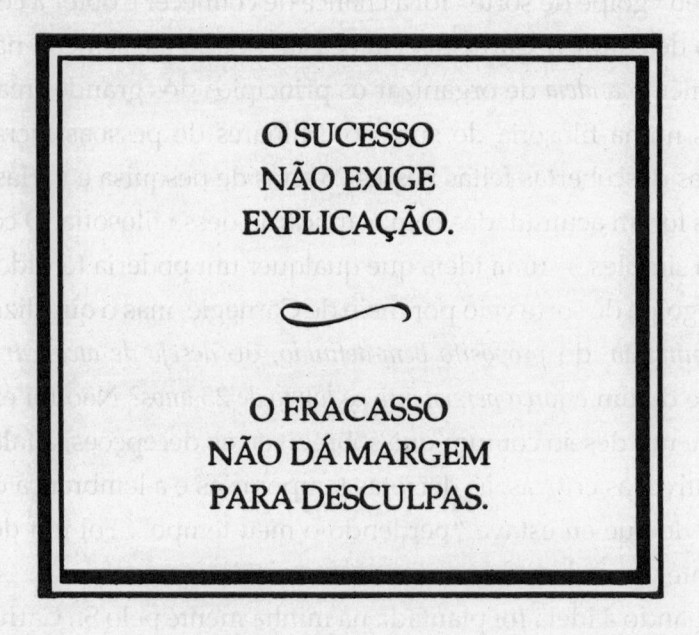

O SUCESSO
NÃO EXIGE
EXPLICAÇÃO.

O FRACASSO
NÃO DÁ MARGEM
PARA DESCULPAS.

CAPÍTULO 17

PLANEJAMENTO ORGANIZADO:
A cristalização do desejo em ação

O sexto passo para a riqueza

VOCÊ JÁ APRENDEU QUE tudo aquilo que a pessoa cria ou adquire começa na forma de um desejo e que, na primeira etapa da viagem do abstrato para o concreto, o desejo é levado à oficina da imaginação, onde os planos para essa transição são gerados e organizados.

No Capítulo 2, você recebeu instruções para dar seis passos práticos e específicos, como sua primeira tarefa para transformar esse desejo num equivalente monetário. Um desses passos é a criação de um plano (ou planos) bem-definido, pelo qual essa transformação possa acontecer.

E agora você receberá instruções sobre como criar planos práticos. São as seguintes:

a) Una-se a um grupo com quantos integrantes forem necessários para você criar e pôr em prática o seu plano (ou planos) para a acumulação de riqueza — utilizando o princípio da Mente Mestra descrito mais adiante. (Seguir essa instrução é *absolutamente fundamental*. Não menospreze isso.)

b) Antes de formar sua aliança de Mente Mestra, decida que vantagens e benefícios *você* poderá oferecer aos membros do grupo em troca da cooperação que eles lhe trarão. Ninguém vai trabalhar indefinidamente sem algum tipo de pagamento. Nenhuma pessoa inteligente pediria ou esperaria que outra trabalhasse para ela sem alguma forma de retribuição, embora ela nem sempre ocorra em termos financeiros.

c) Procure se encontrar com seu grupo de Mente Mestra pelo menos duas vezes por semana — se possível, mais —, até ter aperfeiçoado o plano necessário (ou planos) para sua acumulação de riqueza.

d) Mantenha uma harmonia perfeita com todos os membros do seu grupo de Mente Mestra. Se essa instrução não for seguida ao pé da letra, pode contar com seu fracasso. O princípio da Mente Mestra *não será* alcançado se não houver perfeita harmonia entre vocês.

Tenha em mente, também, os seguintes fatos:

Primeiro. Você está se dedicando a um empreendimento que é da maior importância em sua vida. Para ter certeza absoluta do sucesso, seus planos têm que ser impecáveis.

Segundo. Você precisa contar com a experiência, a educação, os talentos e a imaginação de outras mentes. Isso é coerente com os métodos seguidos por todas as pessoas que acumularam uma grande fortuna.

Nenhum indivíduo isolado dispõe de experiência, educação, talento e conhecimento suficientes para garantir a acumulação de uma grande fortuna sem a cooperação de outras pessoas. Todo plano que você adotar, em suas tentativas de acumular riqueza, precisa ser uma criação coletiva sua e de todos os membros do seu grupo de Mente Mestra. Você pode até criar seus próprios planos, mas certifique-se de que eles sejam conferidos e aprovados pelos demais membros.

Se o primeiro plano que você adotar não funcionar adequadamente, substitua-o por um novo; se esse também não vingar, troque-o por outro, e assim por diante, até encontrar um plano que funcione. É nessa hora que a maioria das pessoas fracassa, porque não tem persistência de criar novos planos para substituir os que não deram certo.

A pessoa mais inteligente da face da Terra não irá conseguir acumular dinheiro — nem fazer qualquer outra coisa — se não tiver planos práticos e viáveis. Guarde isso sempre na memória e, na hora em que um plano falhar, lembre-se de que uma derrota temporária não é um fracasso permanente. Só significa que seu plano não foi bem-elaborado. Comece de novo.

Thomas Alva Edison "fracassou" 10 mil vezes antes de encontrar a combinação perfeita para a lâmpada incandescente. Ou seja, ele se deparou com 10 mil *fracassos temporários* antes de ver seus esforços recompensados.

Uma derrota temporária só deve significar uma coisa: a certeza de que há algo de errado com seu plano. Milhões de pessoas levam uma vida pobre e infeliz porque não contam com um plano com o qual possam acumular uma fortuna.

Henry Ford acumulou uma fortuna não porque tinha um intelecto superior, mas porque elaborou e seguiu um plano que se mostrou correto. Poderíamos apontar para mil pessoas que receberam uma educação melhor que a de Ford, mas que viveram a vida na pobreza, porque não contavam com um plano adequado para a acumulação de dinheiro.

Suas realizações não serão maiores que os seus planos — e eles precisam ser bem feitos. Isso pode parecer um axioma, mas é verdade. Samuel Insull perdeu uma fortuna de mais de 100 milhões de dólares porque seus planos não eram benfeitos. A Depressão obrigou o Sr. Insull a mudar o planejamento; e a mudança ocasionou uma "derrota temporária", porque os planos não foram bem-elaborados. Insull é hoje um senhor de idade e talvez por isso aceite o "fracasso" em vez de uma "derrota temporária", mas se a vida dele se transformar num fracasso é porque lhe faltou o fogo da perseverança para reconstruir os planos.

Ninguém é derrotado até desistir — *na própria cabeça.*

Esse fato será repetido muitas vezes, porque é muito fácil "pedir a conta" ao primeiro sinal de derrota.

James J. Hill se viu diante de uma derrota temporária na primeira vez em que tentou levantar capital suficiente para construir uma ferrovia ligando o Leste ao Oeste, mas ele conseguiu transformar a derrota em vitória *se valendo de novos planos.*

Henry Ford teve uma derrota temporária, não só em seu início na indústria automobilística, mas também depois de já ter progredido bastante. Ele elaborou um novo plano e marchou para a vitória.

Nós vemos a vida de pessoas que acumularam grandes fortunas, mas geralmente só reconhecemos os triunfos sem perceber as derrotas temporárias que elas tiveram que superar antes de "chegar lá".

Nenhum seguidor dessa filosofia pode esperar realisticamente acumular uma fortuna sem passar por algumas "derrotas temporárias". Quando uma derrota ocorrer, aceite como um sinal de que seus planos não eram perfeitos, reescreva-os e parta outra vez em direção ao objetivo tão cobiçado. Se perder, é porque desistiu antes de alcançar a meta. *Quem desiste, nunca vence, e um vencedor nunca desiste.* Sublinhe esta frase, escreva-a num pedaço de papel com letras garrafais e prenda-o num lugar onde você o veja toda noite, antes de dormir, e todo dia, antes de ir trabalhar.

Quando for escolher os integrantes da sua Mente Mestra, tente escolher pessoas que não sucumbam facilmente à derrota.

Há pessoas que acreditam tolamente que só dinheiro é capaz de gerar mais dinheiro. Isso não é verdade! É pelo desejo — transformado em equivalente financeiro por meio dos princípios aqui descritos — que o dinheiro é realmente "feito". O dinheiro propriamente dito não é nada além de matéria inerte. Ele não se mexe, não pensa, não fala, mas é capaz de "escutar" quando uma pessoa o chama!

PLANEJANDO A VENDA DE SERVIÇOS

O restante deste capítulo irá descrever as maneiras de vender serviços profissionais. As informações aqui relatadas vão ser de utilidade prática a qualquer pessoa que tenha algum tipo de serviço para vender, mas será de valor inestimável para os que aspiram à liderança nos respectivos ramos de atividade.

Um planejamento inteligente é fundamental para se obter sucesso em qualquer empreendimento destinado à acumulação de riqueza. Aqui serão encontradas instruções detalhadas para aqueles que precisam começar a acumular riqueza pela venda de algum serviço.

Talvez seja promissor saber que quase todas as grandes fortunas começaram com alguma forma de remuneração por serviços prestados ou com a venda de uma ideia. Afinal, o que mais — além de ideias e serviços profissionais — poderia oferecer uma pessoa desprovida de posses em troca de dinheiro?

Falando de maneira muito geral, há dois tipos de pessoas neste mundo. Umas são líderes e as outras, seguidoras. Decida de início se deseja ser um líder na profissão ou se quer continuar como seguidor. A diferença na remuneração é enorme. Um seguidor não pode, realisticamente, esperar receber o mesmo que um líder, embora muitos seguidores esperem exatamente isso.

Não é nenhuma desgraça ser um seguidor. Por outro lado, não há muito mérito em ser um seguidor por muito tempo. A maioria dos grandes líderes começou seguindo alguém. São pessoas que se tornaram grandes líderes porque foram seguidores inteligentes. Com poucas exceções, a pessoa que não consegue seguir um líder de maneira inteligente não consegue se tornar um líder eficiente. A pessoa que consegue seguir um líder da maneira mais eficaz é geralmente aquela que se torna líder mais rapidamente. Um seguidor inteligente dispõe de muitas vantagens, entre elas a de adquirir os conhecimentos do líder.

OS GRANDES ATRIBUTOS DA LIDERANÇA

Os fatores mais importantes para a liderança são os seguintes:

1. *Coragem inflexível*. Baseada no conhecimento que se tem de si mesmo e da profissão. Nenhum seguidor quer ser dominado por um líder desprovido de coragem ou de autoconfiança. Nenhum seguidor inteligente vai ser dominado por muito tempo por um líder assim.
2. *Autocontrole*. A pessoa que não consegue se controlar também não consegue controlar os outros. O autocontrole é um exemplo incrível para as pessoas, que as mais inteligentes irão copiar.
3. *Um senso de justiça apurado*. Se não tiver um bom senso de justiça, nenhum líder conseguirá comandar e obter o respeito dos seguidores.
4. *Decisões bem-definidas*. A pessoa que hesita na hora da decisão mostra que não está seguro de si mesmo. E não tem êxito na hora de liderar os outros.

Planejamento organizado: a cristalização do desejo em ação

5. *Planos bem-definidos.* O líder bem-sucedido precisa planejar seu trabalho e *se ater ao planejado.* Um líder que se move pelo "achômetro", sem planos práticos e objetivos, pode ser comparado a um barco sem leme. Mais cedo ou mais tarde, vai acabar nas pedras.
6. *O hábito de fazer mais do que aquilo para que é pago.* Uma das punições que os líderes sofrem é a necessidade de fazer mais do que o que exigem dos seguidores.
7. *Uma personalidade agradável.* Uma pessoa relapsa e descuidada não pode ser um líder bem-sucedido. A liderança exige respeito. Os seguidores não vão respeitar um líder que não tenha uma personalidade extremamente agradável.
8. *Simpatia e compreensão.* O líder bem-sucedido precisa simpatizar com os seguidores. Além do mais, tem que ter uma compreensão deles e de seus problemas.
9. *Domínio dos detalhes.* A liderança bem-sucedida exige o domínio dos detalhes da situação.
10. *Disposição de assumir completa responsabilidade.* O líder bem-sucedido precisa estar disposto a assumir a mais completa responsabilidade pelos erros e defeitos dos seguidores. Se tentar se livrar dessa responsabilidade, não vai continuar como líder por muito tempo. Se um dos seguidores cometer um erro e se mostrar incompetente, o líder vai ter que admitir que foi *ele* que falhou.
11. *Cooperação.* O líder bem-sucedido precisa entender *e aplicar* o princípio do esforço cooperativo e ser capaz de induzir seus seguidores a fazer o mesmo. A liderança exige poder, e o poder exige cooperação.

Há dois tipos de liderança. A primeira, e de longe a mais eficaz, é a liderança pelo consenso, que conta com a simpatia dos seguidores. A segunda é a liderança pela força, que não conta com o consentimento ou a simpatia dos seguidores.

A história está repleta de exemplos de que a liderança pela força não consegue durar muito. A queda e o desaparecimento de reis e "ditadores" é emblemática. Mostra que as pessoas não vão seguir uma liderança forçada indefinidamente.

O mundo acabou de entrar numa nova era de relação entre líderes e liderados que claramente exige uma nova espécie de liderança no comércio e na indústria. Os que pertencem à velha escola da liderança pela força precisam conhecer essa nova forma de comandar (pela cooperação) ou serão relegados à fila dos seguidores. Para esses, não há outro caminho.

A relação entre patrões e empregados, ou entre líderes e liderados, no futuro, será de cooperação mútua, baseada numa divisão equitativa dos lucros da empresa. No futuro, as relações entre patrões e empregados vão ser mais parecidas com uma parceria do que foram no passado.

Napoleão Bonaparte, o kaiser Guilherme da Alemanha, o czar da Rússia e o rei da Espanha são exemplos de liderança pela força. O tempo deles já passou. Não é preciso muito trabalho para apontar os protótipos deles nas lideranças comercial, financeira e sindical dos Estados Unidos, recentemente destronadas ou marcadas para partir. A *liderança pelo consentimento* dos liderados é a única que irá se manter!

As pessoas podem se ver obrigadas a seguir temporariamente um líder que as domina pela força, mas não a fazer isso deliberadamente.

A nova onda da liderança vai abraçar os 11 fatores citados neste capítulo, entre outros. A pessoa que fizer deles a base para a liderança vai encontrar inúmeras oportunidades em qualquer ofício ou profissão. A Depressão se prolongou, em larga medida, porque o mundo não dispunha de uma liderança nesse novo estilo. No final da Depressão, a demanda por pessoas que tenham competência para aplicar esse novo tipo de liderança vai exceder em muito à oferta. Alguns dos velhos líderes irão se emendar e se adaptar à nova forma de liderança, mas, de maneira geral, o mundo vai ter que encontrar novas pessoas com essa capacidade.

E essa necessidade pode ser a sua oportunidade!

AS DEZ MAIORES CAUSAS DE FRACASSO NA LIDERANÇA

Agora nós vamos ver os maiores defeitos dos líderes que fracassam, porque é fundamental saber o que *não* fazer, tanto quanto o que fazer.

1. *Inabilidade para organizar os detalhes.* A liderança eficiente exige uma habilidade para organizar e dominar os detalhes. Nenhum líder autêntico é "ocupado demais" para fazer qualquer coisa que se exija da posição de líder. Quando uma pessoa, líder ou liderado, afirma que está "ocupado demais" para mudar de planos, ou dar atenção a uma emergência, está na verdade admitindo a incompetência. O líder bem-sucedido precisa dominar todos os detalhes ligados ao cargo. Isso significa, evidentemente, que ele tem que se habituar a delegar os detalhes aos bons assistentes.
2. *Falta de humildade na hora de prestar o serviço.* Os líderes verdadeiramente grandes estão sempre dispostos, quando necessário, a fazer qualquer tipo de trabalho que pediriam a outra pessoa para fazer. "O maior de vocês deverá ser o servente de todos" é uma verdade que todo líder competente deverá observar e respeitar.
3. *Esperar ser pago pelo que "sabem", em vez daquilo que fazem com o que sabem.* O mundo não paga as pessoas pelo que elas "sabem". Paga pelo que elas fazem, ou levam os outros a fazer.

4. *Medo da concorrência dos seguidores.* O líder que teme que um dos liderados possa vir a tomar seu lugar vai acabar perdendo mesmo o posto, mais cedo ou mais tarde. O líder competente treina substitutos para quem ele possa delegar, ao critério dele, qualquer detalhe do cargo. É só assim que um líder poderá se multiplicar e se preparar para estar em muitos lugares e dar atenção a muitas coisas ao mesmo tempo. É uma verdade eterna que as pessoas recebem mais dinheiro para fazer os outros trabalharem do que elas poderiam ganhar com o próprio esforço. Um líder eficiente pode, pelo conhecimento que tem da profissão e pela personalidade magnética, aumentar imensamente a eficiência dos outros e induzi-los a prestar um serviço melhor do que prestariam sem a ajuda dele.
5. *Falta de imaginação.* Sem imaginação, o líder é incapaz de atender as emergências e criar planos para guiar as pessoas com eficiência.
6. *Egoísmo.* O líder que toma para si a glória pelo trabalho dos seguidores com certeza vai se deparar com o ressentimento deles. O líder realmente grandioso não se vangloria. Fica contente em ver as honras, quando devidas, serem dadas aos liderados, porque sabe que a maioria das pessoas vai trabalhar mais duro por um elogio ou pelo reconhecimento do que somente pelo dinheiro.
7. *Intemperança.* Os seguidores não respeitam um líder destemperado. Além do mais, a intemperança destrói a resistência e a vitalidade dos que nela se afundam.
8. *Falta de lealdade.* Talvez esse defeito devesse estar no princípio da lista. O líder que não é leal aos investidores, ou aos sócios, a quem quer que esteja acima ou abaixo dele, não vai se manter na liderança por muito tempo. A deslealdade

faz com que alguém fique marcado como sendo inferior e atrai um merecido desprezo. A falta de lealdade é uma das maiores causas do fracasso em todas as profissões.
9. *Ênfase na "autoridade" da liderança.* O líder eficiente lidera pelo incentivo sem tentar implantar o medo no coração dos liderados. O líder que tenta pressionar os seguidores através da "autoridade" entra na categoria da liderança pela força. Alguém que é um líder de verdade não vê necessidade de alardear esse fato, a não ser pela própria conduta — simpatia, compreensão, justiça e demonstração de que conhece o próprio trabalho.
10. *Ênfase no título.* O líder competente não precisa de um "título" para ganhar o respeito dos seguidores. A pessoa que alardeia muito o próprio título geralmente tem pouco mais o que enfatizar. As portas da sala do verdadeiro líder estão sempre abertas para quem quiser entrar e o lugar não tem formalidades ou ostentação.

Estas são algumas das causas mais comuns para o fracasso de uma liderança. Qualquer uma destas falhas é indicadora suficiente de um fracasso. Estude esta lista com o maior carinho se desejar ser um líder e certifique-se de não cometer nenhum destes erros.

ALGUNS CAMPOS FÉRTEIS EM QUE A "NOVA LIDERANÇA" SERÁ NECESSÁRIA

Antes de terminar este capítulo, devo chamar sua atenção para alguns dos campos mais férteis onde ocorreu um declínio de liderança e onde esse novo tipo de líder poderá encontrar inúmeras oportunidades.

Primeiro. No campo da política há uma demanda clara e visível por novos líderes — uma demanda que indica nada mais nada menos que uma emergência. A maioria dos políticos, aparentemente, se tornou um bando de vigaristas de primeiríssima linha. Eles aumentaram impostos e destruíram a indústria e o comércio a ponto de as pessoas não aguentarem mais esse fardo.

Segundo. O setor bancário está passando por uma reforma. Os líderes desse ramo perderam quase totalmente a confiança do público. Os banqueiros sentiram a necessidade de uma mudança — e já começaram.

Terceiro. A indústria está pedindo novos líderes. O velho tipo de líder pensava e se movia pensando apenas em dividendos, em vez de pensar e se movimentar pensando em equações humanas! Para durar, o futuro líder industrial precisa se ver quase como um funcionário público, cuja função é administrar a confiança de tal maneira que não cause sofrimento a qualquer indivíduo (ou grupo de indivíduos). A exploração dos trabalhadores pertence ao passado. Que as pessoas que aspirem à liderança na indústria, no comércio e no movimento sindical se lembrem disso.

Quarto. O líder religioso do futuro será obrigado a dar mais atenção às necessidades terrenas dos seguidores e à solução de problemas pessoais e econômicos e dar menos atenção ao passado (que já morreu) e ao futuro (que ainda não nasceu).

Quinto. Nas profissões relacionadas ao direito, à medicina e à pedagogia, uma nova forma de liderança e, até certo ponto, de novos líderes se tornará uma necessidade. Isso é ainda mais verdade no ramo da educação. O líder nesse campo terá que, no futuro, encontrar maneiras de ensinar as pessoas a saber aplicar os conhecimentos que elas adquirem na escola. Vai precisar lidar mais com a prática do que com a teoria.

Sexto. Novos líderes serão exigidos no ramo do jornalismo. Os jornais do futuro, para terem sucesso, precisam se livrar dos "privilégios especiais" e do subsídio da propaganda. Precisam parar de ser órgãos de propaganda para os interesses que os patrocinam. O tipo de jornal que gosta de publicar escândalos e fotos de baixo nível vai acabar escoando pelo mesmo ralo por onde vão todas as forças que apequenam o homem.

Estes são apenas alguns dos campos em que as oportunidades para novos líderes e uma nova forma de liderança já estão disponíveis. O mundo está passando por uma rápida transformação. Isso significa que a mídia pela qual se promove a mudança de hábito dos seres humanos também precisa se adaptar a essas modificações. Os meios aqui descritos são aqueles que, mais do que os outros, determinam as tendências da civilização.

QUANDO E COMO PEDIR UM EMPREGO

As informações aqui passadas são o resultado de muitos anos de experiência, nos quais milhares de pessoas foram auxiliadas a vender serviços de uma maneira eficiente. Portanto, pode confiar que eles são bastante práticos e precisos.

OS MEIOS ONDE DEVEM SER ANUNCIADOS OS SEUS SERVIÇOS

A experiência mostrou que os seguintes meios de comunicação são o modo mais eficiente e direto de aproximar o comprador e o vendedor de um serviço profissional.

1. Agências de emprego. Cuidado para escolher apenas agências confiáveis, que devem mostrar registros de bons resultados atingidos.
2. Anúncios em jornais, newsletters comerciais, revistas e rádio. Geralmente, dá para confiar em anúncios de jornal para obter bons resultados para as pessoas que procuram um trabalho assalariado. Anúncios mais vistosos são recomendados para os que buscam posições executivas, e o texto deve aparecer na seção do jornal onde estará mais apta a chamar a atenção do empregador desejado. Esse texto deve ser preparado por um especialista, que saiba como inserir qualificações suficientes para atrair respostas.
3. Cartas pessoais de apresentação dirigidas a empresas ou pessoas específicas mais propensas a contratar o serviço oferecido. Essas cartas devem ser *imaculadamente datilografadas* e sempre assinadas a mão. Com elas deve ser enviado um currículo completo, com as qualificações do pretendente. Tanto a carta como o currículo devem ser preparados por um especialista. (Confira mais adiante as instruções sobre as informações que devem ser enviadas.)
4. Pedidos através de pessoas conhecidas. Sempre que possível, o pretendente deve tentar se aproximar de um empregador em potencial através de algum conhecido comum. Esse método de aproximação é particularmente vantajoso no caso daqueles que aspiram por uma posição executiva e não querem dar a impressão de estarem "se vendendo".
5. Entrevistas pessoais. Em alguns casos, pode ser melhor se o pretendente oferecer, pessoalmente, os serviços para um empregador em potencial. Nesse caso, deve-se preparar um currículo completo das qualificações para o cargo desejado,

uma vez que os empregadores em potencial normalmente gostam de discutir o histórico do candidato com os sócios.

INFORMAÇÕES A SEREM FORNECIDAS NO CURRÍCULO

O currículo deve ser preparado com o mesmo carinho que um advogado prepara uma causa para ser defendida no tribunal. A não ser que o pretendente tenha experiência na preparação desse tipo de currículo, deve-se contratar um especialista. Os comerciantes bem-sucedidos empregam pessoas que entendem a arte e a psicologia da publicidade para apresentar o mérito dos produtos. E quem vende o serviço deve fazer o mesmo. As seguintes informações devem aparecer no currículo:

1. *Educação*. Descreva rapidamente, mas com precisão, sua formação acadêmica, em que matérias você se especializou na escola e os motivos para isso.
2. *Experiência*. Se já teve alguma experiência em empregos parecidos com o que procura, faça uma descrição completa, dando os nomes e os endereços dos antigos empregadores. Detalhe precisamente qualquer experiência *especial* que você tenha tido e que tenha lhe deixado preparado para o emprego que você deseja.
3. *Referências*. Quase todas as empresas querem saber mais sobre o histórico dos candidatos que desejam exercer algum cargo de responsabilidade. Junte ao seu currículo cópias de cartas dos seus:
    a) Antigos patrões.
    b) Antigos professores.
    c) Pessoas importantes e cujas declarações sejam confiáveis.

4. *Uma foto sua*. Cole no currículo uma foto recente, sem moldura.
5. *Peça um cargo específico*. Evite enviar um currículo sem descrever exatamente que cargo você deseja. Nunca peça "qualquer emprego". Isso indica falta de conhecimento especializado.
6. *Informe suas qualificações* para o cargo específico que procura. Informe especificamente as razões pelas quais você acredita ser qualificado para o cargo que deseja. Essa é a parte mais importante da apresentação. Mais do que qualquer outra coisa, ela vai definir que consideração você vai ter.
7. *Ofereça-se para trabalhar por um período de teste*. Na maioria das vezes, se estiver decidido a ocupar o cargo que estiver se candidatando, será melhor se você se oferecer para trabalhar por uma semana, um mês ou um período suficiente para o empregador avaliar seu trabalho, sem receber salário. Pode parecer uma sugestão radical, mas a experiência mostra que raramente se deixa de conseguir pelo menos um período de teste. Se estiver convicto das suas qualificações, um teste é tudo o que você precisa. A propósito, esse tipo de oferta mostra que você confia na sua capacidade de ocupar o cargo que procura. É uma atitude muito convincente. Se a sua proposta for aceita e você se sair bem, é mais do que provável que acabe sendo pago pelo "período de teste". Mas deixe claro que a sua proposta é baseada:
   a) Na confiança que você tem de que é capaz de ocupar a posição.
   b) Na confiança que você tem que o empregador em potencial irá lhe empregar depois do período de teste.
   c) Na sua determinação de conseguir a posição que aspira.
8. *Conhecimento do negócio do seu futuro patrão*. Antes de pedir um emprego, faça uma pesquisa sobre a empresa e se fami-

liarize inteiramente com o negócio. Indique no currículo os conhecimentos que tem nessa área. Isso vai impressionar, porque mostra que você tem imaginação e um interesse real na posição que está procurando.

Lembre-se de que não é o advogado que conhece mais as leis, mas aquele que melhor prepara o caso, que geralmente ganha. Se a sua "causa" for bem-preparada e apresentada, será mais de meio caminho andado para a vitória.

Não tenha medo de o currículo ficar grande demais. Os empregadores têm tanto interesse em contratar os serviços de pessoas bem-preparadas quanto você tem em conseguir o emprego. Aliás, o sucesso da maioria dos patrões se deve, principalmente, à capacidade que eles têm de selecionar bons auxiliares. E querem ter todas as informações disponíveis.

E lembre-se de mais uma coisa. Um currículo limpo e bem-apresentado vai indicar que você é uma pessoa esforçada. Já ajudei alguns clientes a preparar currículos tão bonitos e extraordinários que o candidato foi contratado sem necessidade de uma entrevista pessoal.

Quando tiver completado seu currículo, providencie para que ele tenha uma bela encadernação, com uma capa escrita por um calígrafo e dizeres semelhantes a estes:

Resumo das Qualificações de
Robert K. Smith
Candidato ao Cargo de
Secretário Particular do
Presidente da
Nome da Companhia S.A.

Não se esqueça de trocar os nomes em cada currículo que mandar.

Esse toque pessoal, com certeza, vai chamar a atenção. Faça com que o currículo seja datilografado ou mimeografado com o maior cuidado, no melhor papel possível, e encadernado com capa dura, podendo mudar a encadernação e o nome da empresa, se for enviado a mais de uma. Sua foto deve ser colada numa página do currículo. Siga essas instruções ao pé da letra, aperfeiçoando-as com o que a sua imaginação sugerir.

Os vendedores bem-sucedidos cuidam da própria apresentação. Eles sabem que a primeira impressão é a que fica. Seu currículo é seu vendedor. Arranje umas roupas alinhadas para ele, de modo a estabelecer um contraste com qualquer coisa que o seu empregador já tenha visto na vida. Se a posição que você quer ocupar vale a pena, então trate de se esmerar. Além do mais, se você se vender a um empregador de um modo que sua persona o impressione, provavelmente já vai começar ganhando mais do que se aparecesse como um candidato comum.

Se procurar uma vaga por uma agência de empregos, ou de publicidade, peça ao agente para mandar cópias do currículo quando for vender seus serviços. Isso vai fazer com que tanto os agentes como os empregadores potenciais lhe deem prioridade.

COMO CONSEGUIR EXATAMENTE O EMPREGO QUE VOCÊ DESEJA

Todo mundo gosta de trabalhar naquilo que faz melhor. Um artista adora pintar, um artesão adora trabalhar com as mãos, um escritor ama escrever. As pessoas que tiverem talentos menos definidos normalmente se inclinam por um determinado tipo de

Planejamento organizado: a cristalização do desejo em ação

comércio ou indústria. Se tem uma coisa que os Estados Unidos têm de vantagem é que eles oferecem uma ampla gama de profissões, desde arar o solo, até manufaturas, marketing e muitas outras profissões para se exercer.

Primeiro. Decida exatamente qual é o emprego que você quer. Se o emprego não existir, talvez você deva inventá-lo.

Segundo. Escolha a empresa, ou a pessoa, para quem você deseja trabalhar.

Terceiro. Estude seu empregador em potencial, analisando estratégias, recursos humanos e chances de progresso.

Quarto. Analisando seus próprios talentos, sua personalidade e habilidades, veja o que pode oferecer e planeje maneiras de conceder vantagens, serviços, avanços e ideias que *você realmente acredita* que pode entregar ao empregador.

Quinto. Não se preocupe com "um emprego". Não se preocupe se tem uma vaga aberta ou não. Não se preocupe com o roteiro habitual de "o senhor tem um emprego para mim"? Concentre-se no que *você pode oferecer*.

Sexto. Quando tiver seu plano na cabeça, contrate um redator experiente para colocá-lo no papel, em detalhes.

Sétimo. Envie-o à *pessoa que tem autoridade para contratar* que ela cuida do resto. Toda empresa está sempre procurando gente que possa contribuir com algo de valor, sejam ideias, serviços ou "conexões". Toda empresa tem espaço para alguém com um plano definido de ação que seja útil e vantajoso para o negócio.

Essa linha de ação pode dar alguns dias ou semanas de trabalho extra, mas a diferença no salário, no seu progresso e na possibilidade de conquistar reconhecimento pode poupar anos de trabalho duro e mal remunerado. As vantagens são muitas, a principal é que, provavelmente, vai lhe poupar de um a cinco anos para alcançar a meta desejada.

Toda pessoa que começa ou entra no meio da subida só consegue isso se tiver um planejamento cuidadoso e deliberado (a não ser, é claro, que seja o filho do patrão).

A NOVA MANEIRA DE SE VENDER SERVIÇOS
OS "EMPREGOS" VIRARAM "PARCERIAS"

As pessoas que melhor vão vender os serviços no futuro precisam reconhecer a magnífica mudança que aconteceu no tocante à relação entre patrões e empregados.

No futuro, o fator dominante no marketing de produtos e serviços vai ser a "Regra de Ouro" e não a "Lei do Ouro". A relação vindoura entre patrões e empregados vai ser mais na base de uma parceria formada entre:

a) O patrão
b) O empregado
c) O público a quem eles servem

Essa nova maneira de vender serviços vai surgir por diversos motivos. Primeiro, porque tanto o patrão como o empregado vão ser vistos como parceiros cujo trabalho é servir ao público de uma maneira eficiente. Em outro tempo, patrões e empregados travaram disputas entre si e conquistaram o melhor que podiam, sem pensar que, no fim das contas, eles estavam se digladiando à custa do público que deviam servir.

A Depressão serviu como um sonoro protesto de um público insatisfeito, cujos direitos foram pisoteados de todas as formas por aqueles que clamavam lucros e vantagens individuais. Quan-

Planejamento organizado: a cristalização do desejo em ação

do a poeira da Depressão assentar, e os negócios voltarem ao normal, tanto patrões como empregados vão ter que reconhecer que não têm mais o direito de travar disputas à custa das pessoas que deveriam servir. O patrão do futuro será o público consumidor. Isso deve ser uma prioridade na mente de quem deseja vender serviços de uma maneira eficiente.

Quase todas as ferrovias dos Estados Unidos estão em dificuldades. Quem não se lembra da época em que, quando um cidadão perguntava o horário do trem no guichê, era mandado de maneira automática para o quadro de avisos, em vez de receber uma resposta educada?

As empresas de bonde também passaram por um "choque de realidade". Houve uma época em que os motorneiros se orgulhavam de brigar com os passageiros. Muitos desses bondes já não existem mais e os passageiros agora andam de ônibus, cujos motoristas são "a gentileza em pessoa".

Em todos os Estados Unidos, os bondes estão enferrujando por falta de uso ou foram substituídos. Os tempos agora são outros! Além do mais, essa mudança não se reflete apenas nos guichês das estações ferroviárias ou nos bondes, mas também em outras profissões. Aquela atitude de "o público que se dane" agora pertence ao passado. Foi substituída por uma política de "podemos ajudar, senhor?".

Os banqueiros aprenderam uma ou duas lições durante o período de rápidas mudanças dos últimos anos. Hoje, a falta de educação de um funcionário ou de um diretor de banco são tão raras quanto eram ostensivas uns dez anos atrás. No passado, alguns banqueiros (evidentemente, nem todos) se portavam com um ar de austeridade que fazia com que todo tomador potencial de empréstimo sentisse um arrepio cada vez que se aproximava de um banqueiro para fazer o pedido.

Milhares de falências bancárias durante a Depressão tiveram o efeito de derrubar as portas de mogno atrás das quais os banqueiros se escondiam. Hoje, as portas deles estão abertas e eles podem ser vistos e consultados por qualquer depositante, ou por quem queira falar com eles, e toda a atmosfera dos bancos passou a ser de cortesia e cooperação.

Era comum que os clientes tivessem que esperar em pé na quitanda da esquina até que os funcionários parassem de bater papo com os amigos, ou que o dono fosse depositar o dinheiro no banco, antes de serem atendidos. As redes de lojas, administradas por pessoas gentis, capazes de fazer tudo, com exceção de engraxar os sapatos dos clientes, empurraram esses antigos comerciantes para baixo. O tempo não para!

"Gentileza" e "serviço" são as palavras de ordem no comércio hoje em dia e se aplicam tanto a quem presta serviços quanto a seu patrão, porque, no fim das contas, ambos são empregados pelo público a que servem. Se não servirem bem, acabam pagando com a perda do privilégio de servi-los.

Todos nós nos lembramos da época em que o leitor do gás batia na porta com tanta força que parecia que ia derrubá-la. Quando a porta era aberta, ele entrava sem cerimônia, com uma careta no rosto que dizia claramente "Como ousa me deixar esperando?". Tudo isso também mudou. Agora, o homem da leitura se comporta como um cavalheiro que "está encantado em poder servi-lo, senhor". Antes que as companhias de gás descobrissem que os funcionários debochados estavam causando um prejuízo irrecuperável, os bons vendedores de querosene apareciam e ofereciam um serviço impecável.

Durante a Depressão, passei vários meses na região do carvão antracito da Pensilvânia, analisando as questões que acabaram com aquela indústria. Entre várias descobertas significativas estava o fato de que a ganância dos operadores e dos empregados era

Planejamento organizado: a cristalização do desejo em ação

a maior causa da perda de negócios para os operadores, e perda de empregos para os mineiros.

Devido à pressão de um grupo de líderes sindicais excessivamente zelosos (representando os empregados) e da ganância pelo lucro por parte dos operadores, o negócio do antracito minguou rapidamente. Os operadores de carvão e seus empregados se debatiam em disputas espinhosas, repassando o custo das "disputas" para o preço do carvão, até que, finalmente, eles acabaram descobrindo que criaram um belíssimo negócio para os fabricantes de lâmpadas de querosene e para os produtores de óleo cru.

"O salário do pecado é a morte!" Muita gente já leu esse versículo da Bíblia, mas poucos descobriram o real significado. Agora, e há muitos anos, o mundo inteiro teve que ouvir à força um sermão que poderia muito bem se chamar "aquilo que um homem planta, ele haverá de colher".

Nada tão nefasto como uma depressão pode ser chamado de "mera coincidência". Por trás da Depressão houve um motivo. Nada acontece sem uma causa. De maneira geral, a causa da Depressão pode ser traçada diretamente ao hábito de tentar colher sem primeiro plantar.

Mas não se deve entender isso, de modo a pensar que a Depressão é uma safra que o mundo está sendo obrigado a colher sem tê-la plantado. O problema é que o mundo *lançou as sementes erradas*. Qualquer agricultor sabe que não pode semear espinhos e colher uma safra de grãos. No início da Grande Guerra, os povos do mundo começaram a lançar sementes de serviços que eram inadequados, tanto em matéria de quantidade como de qualidade. Quase todo mundo se ocupava do passatempo de receber antes de dar.

Os exemplos a seguir servem para chamar a atenção daqueles que querem vender serviços que é por causa da nossa própria conduta que estamos no lugar em que estamos e somos o que somos. Se há um princípio de causa e efeito que controla o mundo dos negócios, dos transportes e das finanças, esse mesmo princípio controla os indivíduos e determina a posição econômica.

QUAL É O SEU QUOCIENTE DE QQE?

As causas do sucesso para a venda eficaz e permanente de um serviço foram descritas nitidamente. A não ser que essas causas sejam estudadas, analisadas, compreendidas e postas em prática, ninguém poderá vender serviços de uma maneira eficaz e permanente. Todo mundo tem que ser seu próprio vendedor. A qualidade e a quantidade do serviço prestado, e o espírito com que é prestado, determinam, em larga escala, a remuneração e a duração do emprego. Para vender serviços profissionais eficientemente (o que significa um mercado permanente, a um preço satisfatório, sob condições agradáveis), é preciso adotar a fórmula do QQE, ou seja, Qualidade + Quantidade + o devido Espírito de cooperação = venda perfeita do serviço. Não se esqueça da fórmula do QQE, mas faça mais do que isso: habitue-se a aplicá-la!

Analisemos agora a fórmula para nos certificar de que compreendemos exatamente o que ela quer dizer.

1. *Qualidade* do serviço. Compreende a atenção a cada detalhe e o cumprimento da função da maneira mais eficiente possível, tendo sempre o objetivo de atingir a maior eficácia possível.
2. *Quantidade* de serviço. Diz respeito ao hábito de prestar todo o serviço que você for capaz, o tempo todo, com o objetivo de aumentar a quantidade de serviços prestados, já que quanto mais você praticar e ganhar experiência, mais habilidade terá. Novamente se enfatiza a palavra "hábito".

3. *Espírito* do serviço. Significa o hábito de desenvolver uma conduta harmoniosa e agradável, que levará à cooperação com os sócios e com os demais funcionários.

A adequação da qualidade e da quantidade de um serviço não é o bastante para manter um mercado permanente para ele. A conduta, ou o espírito com que você presta o serviço contratado, será um fator determinante ligado tanto à remuneração que você recebe quanto ao tempo da sua estadia no emprego.

Andrew Carnegie costumava frisar esse ponto mais do que os outros, ao descrever os fatores que levam ao êxito no marketing de serviços profissionais. Ele enfatizava, repetidas vezes, a necessidade de uma conduta harmoniosa. Costumava sublinhar o fato de que não iria manter um profissional, independentemente da quantidade e da qualidade do trabalho, *a não ser* que ele trabalhasse dentro de um espírito de harmonia. Andrew Carnegie exigia que as pessoas fossem agradáveis. Para provar que tinha essa qualidade em alta conta, permitiu muitas pessoas que *se adequassem aos padrões* dele se tornarem extremamente ricas.

Portanto, a importância de uma personalidade agradável foi destacada porque é um fator que permite que os profissionais prestem seu serviço dentro do espírito adequado. Se alguém tiver uma personalidade agradável e trabalhar num espírito de harmonia, essas vantagens geralmente compensam as deficiências tanto na qualidade como na quantidade do serviço. No entanto, nada pode substituir uma conduta agradável.

O VALOR PATRIMONIAL DO SEU SERVIÇO

A pessoa cuja renda advém exclusivamente da venda de serviços profissionais é tão comerciante quanto aquela que vende mercadorias e, deve-se acrescentar, está sujeita às mesmas regras de conduta de um comerciante de mercadorias.

Destacamos isso aqui porque a maioria das pessoas que vive da venda de serviços comete o erro de se considerar livre das regras de conduta e das responsabilidades daqueles que se dedicam a comercializar mercadorias.

A nova maneira de se vender serviços praticamente obriga o patrão e o empregado a formar parcerias que são verdadeiras alianças, através das quais ambos levam em consideração o direito de uma terceira pessoa, que é o público que elas servem.

O tempo das pessoas que "fazem e acontecem" acabou. Agora é a hora das pessoas que "se dedicam e acontecem". Os métodos de alta pressão utilizados pelas empresas acabaram saindo pela culatra. E não vai ser preciso consertar o revólver, porque, no futuro, as empresas vão conduzir os negócios utilizando métodos sem pressão.

O valor patrimonial efetivo do cérebro pode ser determinado pela quantidade de renda que você produz vendendo seus serviços. Uma boa estimativa seria você multiplicar sua renda anual por 16,66, já que é razoável acreditar que a sua renda anual representa 6% do valor patrimonial do seu serviço. O dinheiro é alugado a juros de 6% ao ano. Ele não vale mais que um cérebro. Aliás, geralmente vale bem menos.

"Cérebros" competentes, se forem "vendidos" da forma correta, representam uma forma muito mais desejável de capital do que aquela que se exige para comprar e vender mercadorias, porque um "cérebro" é uma forma de capital que não é depreciada a zero numa depressão, nem pode ser roubado ou gasto. Além do mais, o dinheiro que é tão fundamental para tocar um negócio tem tão pouco valor quanto uma duna de areia, até que ele tenha sido devidamente misturado com "um cérebro".

AS TRINTA MAIORES CAUSAS DOS FRACASSOS
QUANTAS ESTÃO LHE ATRASANDO?

A maior tragédia da vida é ver as pessoas tentarem com toda a vontade... e fracassarem! E essa tragédia ocorre com a grande maioria das pessoas que fracassam, em comparação às poucas que têm êxito na vida.

Tive o privilégio de analisar milhares de homens e mulheres, sendo que 98% deles são considerados "fracassados". Deve haver alguma coisa extremamente errada com uma civilização — e um sistema de ensino — que permite que 98% das pessoas passem pela vida como fracassadas. Mas eu não escrevi este livro para dar lições de moral sobre o que o mundo tem de certo ou de errado. Isso exigiria um livro cem vezes maior que este.

Minhas pesquisas provaram que existem trinta grandes razões para o fracasso e 13 grandes princípios por meio dos quais as pessoas acumulam fortunas. Neste capítulo, faremos uma descrição das trinta maiores razões para o fracasso. Quando você as ler, veja como se sai em cada ponto, para descobrir quantas dessas causas se interpõem entre você e o sucesso.

1. *Má formação congênita.* Há realmente muito pouco o que se pode fazer (se é que se pode) quando uma pessoa nasce com uma deficiência na capacidade cerebral. Essa filosofia só pode oferecer um método para suprir essa deficiência, que é a ajuda de um grupo de Mente Mestra. No entanto, você deve observar, aliviado, que essa é a única das trinta razões para o fracasso que *não pode ser corrigida facilmente*.
2. *Falta de um objetivo definido na vida.* Não existe chance de sucesso para a pessoa que não tem uma meta central ou um *objetivo definido* que sirva como alvo. Dentre as pessoas que

analisei, 98% delas não têm um objetivo assim. Talvez essa seja a principal razão do fracasso.
3. *Falta de ambição para se erguer acima da mediocridade.* Não vemos esperança naqueles que são indiferentes a ponto de não quererem progredir na vida, e que não queiram pagar o preço da subida.
4. *Educação insuficiente.* Essa é uma deficiência relativamente fácil de se suprir. A experiência provou que as pessoas de melhor educação são aquelas comumente chamadas de *self-made* (que se fizeram por si) ou autodidatas. É preciso mais do que um diploma universitário para que uma pessoa possa ser considerada educada. Uma pessoa *educada* é aquela que consegue o que deseja da vida, sem atropelar o direito dos outros. A educação consiste nem tanto de conhecimento, mas de como esse conhecimento é aplicado com eficiência e perseverança. As pessoas não são pagas pelo que sabem, mas pelo que elas fazem com o que sabem.
5. *Falta de autodisciplina.* A disciplina vem do autocontrole. Isso significa que é preciso controlar todas as suas qualidades negativas. Antes de controlar a situação, primeiro você tem que se controlar. O autodomínio é a missão mais difícil que você irá enfrentar. Se você não se dominar, será dominado pelo seu self. Você poderá ver, ao mesmo tempo, seu maior amigo e inimigo simplesmente se postando em frente a um espelho.
6. *Saúde precária.* Nenhuma pessoa será bem-sucedida por muito tempo com uma saúde precária. Muitas das causas de uma saúde precária podem ser dominadas e controladas. Em geral, trata-se de:
    a) Empanturrar-se de alimentos nocivos à saúde.
    b) Habituar-se a ter maus pensamentos, dar vazão ao negativo.

Planejamento organizado: a cristalização do desejo em ação

c) Uso equivocado (ou excessivo) do sexo.
d) Falta de exercícios físicos adequados.
e) Suprimento insuficiente de oxigênio, devido a uma respiração inadequada.

7. *Influências desfavoráveis do ambiente durante a infância.* "A árvore cresce conforme a curva do galho." A maioria das pessoas com inclinações criminosas as adquire como resultado de um ambiente nocivo e companhias impróprias na infância.

8. *Adiar as coisas.* Esse é um dos maiores motivos para o fracasso. "Adiar até estar velho demais" é uma sombra que vive dentro de todos os seres humanos, aguardando a oportunidade de destruir as chances de sucesso de alguém. A maioria de nós passa pela vida como fracassados porque ficamos esperando "a hora certa" para começar a fazer algo que realmente valha a pena. Não espere, porque a hora certa nunca vai chegar. Comece de onde estiver e trabalhe com as ferramentas que tiver. No caminho, encontrará ferramentas melhores.

9. *Falta de perseverança.* A maioria das pessoas é muito boa na hora de começar as coisas, mas não na hora de terminar. Além disso, as pessoas, em geral, são propensas a desistir logo ao primeiro sinal de derrota. Não há nada que substitua a perseverança. A pessoa que está sempre persistindo vai ver que O Tal do Fracasso acaba se cansando e indo embora. O fracasso não é páreo para a perseverança.

10. *Uma personalidade negativa.* Não há chance de sucesso para aquele que repele as pessoas com uma personalidade negativa. O sucesso decorre do uso do poder e o poder é obtido através do esforço coletivo das pessoas. Uma personalidade negativa não gera cooperação.

11. *Descontrole do impulso sexual.* A energia sexual é o estímulo mais poderoso que leva as pessoas à ação. Como essa tam-

bém é a emoção mais poderosa, ela precisa ser controlada, transformada e desviada para outros canais.

12. *Um desejo incontrolável de receber alguma coisa sem dar nada em troca.* O instinto do jogo leva milhões de pessoas ao fracasso. Prova disso pode ser encontrada num estudo sobre o crash da Bolsa de 1929, em que milhões de pessoas tentaram ganhar dinheiro apostando com dinheiro emprestado.

13. *Falta de um poder de decisão bem-definido.* As pessoas bem-sucedidas tomam decisões rapidamente e só mudam (quando mudam) bem devagar. Já os fracassados só tomam uma decisão (quando tomam) muito lentamente e mudam de opinião rapidamente e com frequência. A indecisão é a irmã gêmea dos adiamentos. Onde uma vai, a outra segue atrás. Mate essa dupla antes que ela o prenda à pedra trituradora do fracasso.

14. *Um ou mais dos seis medos básicos.* Esses medos serão analisados num capítulo mais adiante. Eles precisam ser contidos antes que você possa vender bem seus serviços.

15. *Casar-se com a pessoa errada.* Essa é uma causa bem comum para o fracasso. O casamento faz duas pessoas terem um contato muito íntimo. A não ser que a relação seja harmoniosa, é bem provável acontecer um fracasso. Além disso, é o tipo do fracasso que será profundamente marcado pela infelicidade, destruindo qualquer vestígio de ambição.

16. *Prudência excessiva.* Uma pessoa que não arrisca nada geralmente tem que pegar aquilo que sobrou depois que os outros escolheram. O excesso de prudência é tão negativo quanto a *imprudência*. São dois extremos a se evitar. A vida sempre envolve algum grau de risco.

Planejamento organizado: a cristalização do desejo em ação

17. *Escolher os sócios errados.* Essa é uma das maiores causas de fracasso nas empresas. Na hora de vender seus serviços profissionais, a pessoa deve ter muito cuidado para escolher um empregador que seja uma inspiração e que seja pessoalmente inteligente e bem-sucedido. Nós costumamos imitar as pessoas com quem nos associamos. Escolha um patrão que valha a pena imitar.
18. *Preconceito e superstição.* A superstição é um tipo de medo. Também é sinal de ignorância. Quem tem a mente aberta não tem medo de nada.
19. *Escolher a profissão errada.* Ninguém pode ser bem-sucedido numa profissão de que não goste. O passo mais fundamental na hora de vender os serviços é escolher uma profissão na qual você esteja disposto a mergulhar de todo o coração.
20. *Falta de um esforço concentrado.* O sujeito que faz tudo raramente faz alguma coisa benfeita. Concentre todo o esforço em sua meta principal.
21. *O hábito de gastar demais.* O pródigo não pode ser bem-sucedido, principalmente porque está sempre com medo de ficar pobre. Crie o hábito de poupar sistematicamente, separando sempre parte da sua renda. Dinheiro no banco proporciona uma fundação segura na hora em que for vender seus serviços. Sem dinheiro, a pessoa acaba tendo que aceitar qualquer coisa — e ainda ficar feliz por consegui-la.
22. *Falta de entusiasmo.* Sem entusiasmo não dá para convencer ninguém. Além do mais, o entusiasmo é contagioso, e a pessoa entusiasmada, desde que se controle, costuma ser bem-recebida em qualquer grupo social.
23. *Intolerância.* A pessoa que tem a "mente fechada" em relação a qualquer assunto raramente vai em frente. A intolerância significa que a pessoa parou de adquirir novos co-

nhecimentos. As formas mais destrutivas de intolerância são a religiosa, a racial e a que não aceita uma opinião política diferente da sua.

24. *Desequilíbrio.* Os piores desequilíbrios estão ligados à falta de moderação na hora de comer, beber e nas atividades sexuais. O excesso de indulgência nessas áreas é fatal para o sucesso.

25. *Incapacidade de cooperar com as pessoas.* Mais gente perde o emprego e as grandes oportunidades da vida por causa desse defeito do que por todas as outras razões juntas. É uma falha que nenhum líder ou empresário bem-informado tolera.

26. *Poder que não tenha sido adquirido pelo próprio esforço.* (Como é o caso dos filhos de papai rico e demais herdeiros que não trabalharam para ganhar dinheiro.) O poder nas mãos de quem não trabalhou para conquistá-lo aos poucos é geralmente fatal para o sucesso. O enriquecimento rápido é mais perigoso que a pobreza.

27. *Desonestidade proposital.* Nada substitui a honestidade. Uma pessoa pode ser temporariamente desonesta por conta de uma circunstância que não pode controlar, sem que isso gere um prejuízo permanente. Mas não há salvação para quem é deliberadamente desonesto. Mais cedo ou mais tarde, ele vai acabar sendo pego e pagará com a perda da reputação, e talvez até mesmo da liberdade.

28. *Egotismo e vaidade.* Essas qualidades costumam servir como sinais de alerta para afastar as pessoas. São fatais para o sucesso.

29. *Chutar em vez de raciocinar.* A maioria das pessoas é indiferente demais ou simplesmente tem preguiça de reunir os fatos para raciocinar com precisão. Elas preferem agir com base em opiniões, "chutes" ou julgamentos instintivos.

30. *Falta de capital*. Essa é uma causa bastante comum de fracasso para quem parte para o primeiro empreendimento sem dispor de uma reserva de capital adequada para absorver os erros e mantê-los solventes até que tenham construído uma reputação.
31. Neste número escreva qualquer causa específica de fracasso que já lhe aconteceu e que não tenha aparecido na lista.

Nas 30 principais causas para o fracasso, encontramos uma ampla descrição da tragédia da vida, que vale para praticamente todo mundo que tenta e fracassa. Ajudaria muito se você pudesse convencer alguém que lhe conhece bem a passar esta lista com você e fazer a avaliação em relação a cada item. Talvez seja melhor do que fazer sozinho. A maioria das pessoas não consegue se ver como os outros a veem. Você pode ser uma delas.

Há muito tempo já se diz: "Conhece-te a ti mesmo!" Se você quer ter sucesso vendendo um produto, tem que conhecer bem o produto. O mesmo vale na hora de vender serviços profissionais. Você deve conhecer todos os seus defeitos para poder superá-los e, se possível, até eliminá-los. Também deve conhecer seus pontos fortes, para chamar a atenção para eles, quando vender seus serviços. E você só pode se conhecer fazendo uma análise *precisa*.

A ignorância de si mesmo foi demonstrada por um jovem que se candidatou ao cargo de gerente de uma empresa conhecida. Ele vinha causando uma boa impressão até a hora em que o gerente perguntou qual era a sua pretensão salarial. Ele respondeu que não tinha uma quantia fixa em mente (*falta de um objetivo definido*). O gerente disse:

— Então vamos pagar o que você merecer, depois de uma semana de teste.

— Não aceito — respondeu o candidato —, porque ganho mais do que isso onde eu trabalho.

Antes de sequer pensar em pedir um aumento de salário no atual emprego, ou de procurar emprego em outro lugar, certifique-se de que você realmente vale mais do que ganha.

Uma coisa é querer ganhar mais dinheiro — todo mundo quer —, mas outra, completamente diferente, é o seu trabalho valer mais! Muita gente confunde aquilo que quer com aquilo que realmente merece. Seus desejos ou necessidades financeiras não têm nada a ver com aquilo que você vale. Seu valor é totalmente estipulado por sua capacidade de prestar um serviço útil, ou por sua capacidade de convencer os outros a prestar esse serviço.

FAZENDO UM BALANÇO DE SI MESMO
28 PERGUNTAS QUE VOCÊ DEVE RESPONDER

Uma autoavaliação anual é fundamental para o marketing efetivo dos seus serviços profissionais, tanto quanto um balanço anual é imprescindível para o comércio. Além disso, sua análise anual deve mostrar uma queda nos seus defeitos e um aumento nas virtudes. As pessoas ou avançam na vida, ou regridem, ou ficam paradas no mesmo lugar. O objetivo, evidentemente, deve ser sempre avançar. A autoavaliação anual vai mostrar se foi feito progresso e, em caso afirmativo, quanto se avançou. Também vai mostrar qualquer recuo que tenha ocorrido. O marketing eficaz de serviços profissionais exige que se avance, mesmo que o progresso tenha sido lento.

Sua autoavaliação pode ser feita no final de cada ano, de modo que você possa incluir nas suas Decisões de Ano-novo qualquer melhoria que a análise recomendar. Percorra essa lista fazendo a si mesmo as seguintes perguntas e conferindo as respostas com a ajuda de alguém que não vá permitir que você se iluda com falsas respostas.

QUESTIONÁRIO DE AUTOAVALIAÇÃO

1. Eu atingi o objetivo que estabeleci como meta pessoal para este ano? (Você deve sempre trabalhar com um objetivo anual definido a ser alcançado como parte de sua meta principal na vida.)
2. Prestei um serviço com a melhor qualidade que eu era capaz de prestar, ou poderia ter sido melhor em algum ponto do serviço?
3. Eu prestei o serviço na maior quantidade possível?
4. O espírito da minha conduta foi harmonioso e cooperativo o tempo todo?
5. Será que eu permiti que adiamentos habituais diminuíssem minha eficiência e, se a resposta for sim, até que ponto?
6. Eu melhorei minha personalidade e, em caso positivo, de que maneira?
7. Eu persisti nos meus planos até concluí-los?
8. Tomei decisões definitivas e imediatas em todos os momentos?
9. Permiti que um ou mais dos seis erros básicos diminuíssem minha eficiência?
10. Fui excessivamente prudente (ou imprudente)?
11. O meu relacionamento com meus companheiros de trabalho foi agradável ou não? Se não foi, a culpa foi total ou parcialmente minha?
12. Será que eu desperdicei minha energia me esforçando ou me concentrando muito pouco?
13. Fui tolerante e tive a mente aberta em todos os assuntos?
14. De que maneira fui capaz de prestar um serviço melhor?

15. Fui imoderado em algum dos meus hábitos?
16. Será que eu expressei, secreta ou abertamente, algum tipo de egotismo?
17. Será que a minha conduta com meus sócios fez com que eles me respeitassem?
18. Minhas decisões e opiniões foram feitas na base do chute ou foram pensadas e analisadas?
19. Eu tive o hábito de orçar meu tempo, meu faturamento e as minhas despesas? Fui conservador nas estimativas?
20. Quanto tempo me dediquei a esforços que não trouxeram lucro algum, e que poderia ter sido usado de uma maneira mais produtiva?
21. Como é que eu poderia realocar o meu tempo e mudar os meus hábitos para ser mais eficiente no próximo ano?
22. Fui culpado de algum tipo de conduta que a minha consciência não aprovou?
23. De que modo prestei um serviço melhor e maior do que fui pago para prestar?
24. Fui injusto com alguém e, se sim, de que maneira?
25. Se eu mesmo tivesse contratado os meus serviços por um ano, teria ficado satisfeito com a aquisição?
26. Estou na profissão certa? Se a resposta for não, por que não?
27. O contratante dos meus serviços ficou satisfeito com o serviço prestado? Se a resposta for não, por que não?
28. Que nota eu me dou em relação aos princípios fundamentais do sucesso? (Avalie-se de uma maneira franca e justa e peça a confirmação de alguém que seja corajoso e preciso.)

Depois que você ler e assimilar todas as informações contidas neste capítulo, vai estar pronto para criar um plano prático de

Planejamento organizado: a cristalização do desejo em ação

marketing para os seus serviços profissionais. Neste capítulo, você encontrou uma descrição adequada de todos os princípios fundamentais para o planejamento de venda de serviços profissionais, incluindo as maiores características da liderança, os motivos mais comuns para o fracasso de um líder, uma descrição dos campos de oportunidade para a liderança, os principais motivos para o fracasso em qualquer profissão e as perguntas mais importantes que devem ser respondidas numa autoavaliação.

Essa apresentação tão extensa e detalhada foi incluída porque ela se fará necessária na hora em que você precisar dar início à sua acumulação de riqueza, oferecendo serviços profissionais. Os que perderam o dinheiro que tinham e os que estão começando a ganhar dinheiro agora não têm nada a oferecer, a não ser o próprio trabalho profissional em troca de dinheiro, por isso é fundamental que eles tenham à disposição todas as informações práticas necessárias para vender seus serviços da melhor maneira possível.

A informação presente neste capítulo será de grande valor para todos os que aspiram ser líderes nas profissões. E vai ser especialmente útil para quem quiser vender serviços como executivos.

Assimilar e compreender todas as informações aqui passadas vai ajudar muito na hora de vender serviços, e também vai ajudá-lo a analisar e avaliar melhor as pessoas. Essa informação é inestimável para os diretores de recursos humanos, gerentes de contratação e outros executivos incumbidos de selecionar funcionários e manter empresas eficientes. Se estiver duvidando, faça um teste respondendo por escrito as 28 perguntas da autoavaliação. Pode ser muito interessante e proveitoso, mesmo que não duvide da pessoa que preencheu.

ONDE E COMO ENCONTRAR AS OPORTUNIDADES PARA ACUMULAR RIQUEZA

Agora que nós analisamos os princípios da acumulação de riqueza, a pergunta mais natural a fazer é: onde se encontram as oportunidades favoráveis para aplicar esses princípios? Muito bem, façamos um balanço e vejamos o que os Estados Unidos da América têm a oferecer a quem quer ganhar muito ou pouco dinheiro.

Para começar, é bom que *todos nós* nos lembremos que moramos num país onde *todo cidadão que obedece às leis goza de um nível de liberdade de pensamento e de ação sem paralelo em outros países do mundo*. A maioria de nós nunca se deu conta das vantagens que essa liberdade nos traz. Nunca comparamos nossas liberdades ilimitadas com a liberdade restrita dos demais países.

Aqui nós dispomos de liberdade de pensamento, liberdade de escolha e disponibilidade de educação, liberdade religiosa, política, de escolher um comércio ou profissão, liberdade de trabalhar e ser dono (sem ser molestado) *de todas as propriedades que pudermos acumular*, liberdade de escolher onde morar, liberdade de casamento, liberdade de oportunidades iguais para todas as raças, liberdade de viajar entre os estados, liberdade na hora de escolher os alimentos e liberdade *para desejar qualquer posto na vida para o qual estivermos preparados*, inclusive a presidência da República.

Nós também dispomos de outras formas de liberdade, mas essa lista já dá uma noção do que é mais importante, o que por si só é um tremendo avanço. A vantagem das oportunidades é ainda mais visível porque os Estados Unidos são o único país do mundo que garante a todos os cidadãos, natos ou naturalizados, uma gama tão ampla de liberdades.

Agora, vamos enumerar algumas das bênçãos que as nossas amplas liberdades colocaram em nossas mãos. Veja o exemplo de

Planejamento organizado: a cristalização do desejo em ação

uma família comum americana (ou seja, uma família de renda média) e some os benefícios disponíveis para cada membro da família, nesse país de fartura e oportunidades!

   a) COMIDA. Ao lado da liberdade de pensamento e de ação, as três necessidades básicas da vida são alimentos, roupas e abrigo.

   Por causa de nossas liberdades universais, uma família média americana tem à disposição, na porta de casa, a maior seleção de alimentos do mundo inteiro, a um preço dentro das possibilidades financeiras.

   Uma família de duas pessoas, que more em Times Square, no coração de Nova York, bem distante de onde são produzidos os alimentos, fez uma lista detalhada do custo de um simples café da manhã:

Alimento Custo na mesa do café	
Suco de lima (da Flórida)	0,02
Cereais (de uma fazenda no Kansas)	0,02
Chá (da China)	0,02
Bananas (da América do Sul)	0,025
Torradas (de uma fazenda no Kansas)	0,01
Ovos frescos (de Utah)	0,07
Açúcar (de Cuba ou de Utah)	0,025
Manteiga e creme (da Nova Inglaterra)	0,03
Total Final	0,20

Não é difícil conseguir comida em um país onde duas pessoas conseguem tomar um café da manhã com tudo o que quiserem por 10 centavos de dólar cada uma! Observe que esse café bastante simples veio, como que num passe de mágica (?), da China, da América do Sul, de Utah, do Kansas e dos estados da Nova Inglaterra, e foi parar numa mesa de restaurante, pronto para consumo, no coração da maior cidade dos Estados Unidos, a um custo perfeitamente acessível até mesmo ao mais humilde trabalhador. Esse custo também inclui todos os impostos federais, estaduais e municipais! (Esse é um fato que os políticos não citam quando berram para os eleitores votarem contra o governo, que taxam as coisas até a morte.)

b) ABRIGO. Essa família mora num apartamento confortável, com aquecimento, eletricidade e gás de cozinha, tudo isso por 65 dólares ao mês. Numa cidade menor, ou num bairro menos habitado de Nova York, o mesmo apartamento pode sair por 20 dólares mensais.

É de se imaginar que a torrada que eles comeram no café da manhã tenha sido feita numa torradeira elétrica e que a limpeza do apartamento seja feita com um aspirador de pó também elétrico. Eles dispõem, o tempo todo, de água quente e fria, na cozinha e no banheiro. A comida é mantida numa geladeira e a mulher lava e passa a roupa e faz os cachos no cabelo com aparelhos elétricos facilmente manejáveis que ela só precisa ligar na tomada. O marido faz a barba com um barbeador elétrico e eles podem se divertir, se quiserem, 24 horas por dia, de graça, simplesmente ligando o rádio.

Há outros bens de conveniência nesse apartamento, mas a lista acima já dá uma boa ideia da liberdade que nós desfrutamos nos Estados Unidos. (*E isso não é propaganda política ou econômica.*)

c) VESTUÁRIO. Em qualquer parte dos Estados Unidos, uma mulher que esteja dentro da média consegue se vestir e se apresentar bem por menos de 200 dólares por ano e um homem comum também pode gastar isso, ou menos.

Aqui só discorremos sobre as necessidades básicas de alimentos, abrigos e vestuário. O cidadão comum goza de outros privilégios e vantagens para o qual só precisa fazer o esforço razoável de trabalhar não mais do que oito horas por dia. Entre eles está o privilégio de andar de carro, para onde bem entender, a um custo bem pequeno.

O americano comum dispõe de uma segurança quanto aos direitos de propriedade que não é encontrada em qualquer outro país do mundo. Ele pode depositar o dinheiro extra que tiver num banco com a garantia de que o governo irá protegê-lo e cobrir a perda se o banco falir. Se um cidadão americano quiser viajar de um estado para o outro, não vai precisar de passaporte, nem da permissão de ninguém. Pode ir e vir o quanto quiser. Pode ir no próprio carro, ou de trem, ônibus, avião ou navio, tanto quanto o bolso permitir. Na Alemanha, na Rússia, na Itália e na maioria dos países europeus e asiáticos, as pessoas não têm tanta liberdade assim para viajar, a um preço tão baixo.

O "MILAGRE" QUE VIABILIZOU ESSAS BÊNÇÃOS

Muitas vezes, nós ouvimos os políticos falarem das liberdades dos Estados Unidos, na hora de pedir votos, mas eles raramente se dão o trabalho, ou fazem algum esforço, de analisar a fonte dessas "liberdades". Como não estou aqui para falar mal nem me vingar de ninguém, nem possuo qualquer interesse secreto, tenho o privilégio de fazer uma análise franca dessa "coisa" misteriosa, abstrata e muito mal entendida que dá a todos os cidadãos dos Estados Unidos mais bênçãos e oportunidades para acumular riqueza — e mais liberdade em geral — do que se encontra em outros países.

Tenho o direito de analisar a natureza e a fonte desse poder invisível, porque conheço (há mais de 25 anos) muitos dos homens que organizaram esse poder e muitos dos que hoje são responsáveis pela manutenção dele.

O nome desse benfeitor misterioso é o capital!

O capital não consiste apenas de dinheiro, mas especificamente de grupos de homens inteligentes e altamente organizados que planejam maneiras de utilizar o dinheiro eficientemente para o bem do público e para eles mesmos obterem lucro.

São grupos formados por cientistas, educadores, químicos, inventores, analistas de empresas, publicitários, especialistas em transportes, advogados, contadores, médicos e pessoas de conhecimento altamente especializado em todos os ramos do comércio e da indústria. São pioneiros, fazem experiências e abrem trilhas em empreendimentos de todos os ramos. Apoiam faculdades, hospitais, escolas públicas, constroem boas estradas, publicam jornais, pagam a maior parte dos custos do governo e cuidam dos muitos detalhes que são fundamentais para o progresso da raça humana. Resumindo, os capitalistas são os cérebros da civilização, porque fornecem todo o tecido que forma a educação, a iluminação e o progresso humano.

Dinheiro, se não for acompanhado de inteligência, é sempre muito perigoso. Mas se for bem-usado, é de importância crucial para a civilização. O simples café da manhã aqui descrito não poderia ser servido em Nova York a dez centavos por pessoa, *ou a qualquer preço*, se o capital organizado não tivesse fornecido as máquinas, os navios, as estradas de ferro e os exércitos de homens treinados para operá-los.

Pode-se ter uma pequena ideia da importância do capital organizado tentando imaginar como seria a vida se você mesmo tivesse a responsabilidade de arranjar, sem qualquer ajuda do capital,

Planejamento organizado: a cristalização do desejo em ação

o simples café da manhã que descrevemos aqui e servi-lo a essa família de Nova York.

Para pegar o chá, você teria que viajar até a China ou a Índia, ambas muito longe dos Estados Unidos. A não ser que você fosse um nadador muito bom, ficaria um tanto cansado antes da viagem de volta. Depois, é claro, teria que enfrentar outro problema. Que dinheiro você usaria, mesmo se aguentasse atravessar o oceano a nado, na ida e na volta?

Para obter o açúcar você teria que nadar mais um pouco, até Cuba, ou ir a pé até o estado de Utah, que fica ainda mais longe. Mas, mesmo assim, talvez você voltasse de mãos abanando, porque são necessários dinheiro e esforço organizado não só para produzir o açúcar, mas também para refiná-lo, transportá-lo e servi-lo numa mesa de café, em qualquer ponto dos Estados Unidos.

Os ovos você poderia obter em qualquer granja perto de Nova York, mas teria que caminhar muito até a Flórida (e depois voltar) antes de poder servir dois copos de suco de lima.

Depois teria que andar um pouco mais, até o Kansas, ou um dos outros estados agrícolas, quando quisesse suas quatro fatias de pão.

E os cereais você teria que riscar da sua lista, porque esses só são viabilizados pelo trabalho e a organização de muita gente junto da maquinaria adequada, e tudo isso exige capital.

Enquanto estivesse descansando, você poderia nadar mais um pouquinho até a América do Sul e obter um cacho de bananas e, na volta, poderia caminhar até a fazenda mais próxima e comprar manteiga e creme. Só aí sua família em Nova York poderia sentar e tomar o café da manhã e *por todo esse esforço você só ganharia 20 centavos!*

Parece absurdo, não é mesmo? Mas esse calvário seria a única maneira de se servir todos esses alimentos no coração de Nova York, se não fosse pelo sistema capitalista.

A quantidade de dinheiro exigida para se construir e manter as estradas de ferro e os navios necessários para a entrega desse simples café da manhã é tão grande que extrapola a imaginação das pessoas. São centenas de milhões de dólares, isso para não falar nos exércitos de trabalhadores treinados necessários para conduzir os trens e os navios. Mas os transportes são apenas uma parte das exigências da moderna civilização capitalista dos Estados Unidos. Antes que se possa colher alguma coisa, algo tem que ser semeado no solo ou manufaturado e preparado para o mercado. Isso exige milhões e milhões de dólares em máquinas, equipamentos, armazenagem e comercialização e os salários de milhões de trabalhadores.

Navios e ferrovias não surgem do nada, nem são operados automaticamente. Eles vêm em resposta ao chamado da civilização, pelo trabalho, inteligência e capacidade de organização de pessoas que têm imaginação, fé, entusiasmo, persistência e determinação! Essas pessoas são os capitalistas. São motivados pelo desejo de construir, realizar, prestar um serviço útil, ganhar e acumular dinheiro. E como prestam serviços sem os quais não haveria civilização, eles trilham o caminho de quem quer acumular uma fortuna.

Só para não complicar muito as coisas, devo acrescentar que esses capitalistas são os *self-made men* (homens que se fizeram por si), contra os quais a maioria dos oradores vazios se insurgem. São as mesmas pessoas a quem os vigaristas, os radicais, os políticos desonestos e os líderes sindicais parasitas se referem como "interesses predatórios" ou "Wall Street".

Não estou aqui tentando fazer uma apologia de qualquer grupo de pessoas ou sistema econômico. Não estou tentando condenar as reivindicações coletivas quando falo de "líderes sindicais parasitas", nem estou dizendo que todos os capitalistas sejam puros e imaculados.

Planejamento organizado: a cristalização do desejo em ação

O objetivo deste livro — *um objetivo ao qual eu fielmente dediquei mais de um quarto de século* — é apresentar para todos os interessados a filosofia mais confiável através da qual as pessoas podem acumular a quantidade de riqueza que desejarem.

Aqui, eu analisei as vantagens econômicas do sistema capitalista para mostrar duas coisas:

1. todo mundo que busca a riqueza tem que reconhecer e se adaptar ao sistema que comanda as maneiras de se obter uma fortuna, seja ela do tamanho que for; e

2. apresentar um quadro diferente do que é pintado por políticos e demagogos, que deliberadamente confundem as questões que levantam ao se referirem ao capital organizado como se fosse algo venenoso.

Esse é um país capitalista desenvolvido pelo uso do capital, e nós que nos vemos no direito de participar da bênção das liberdades e oportunidades, nós que procuramos acumular uma fortuna aqui, temos que saber que essa riqueza e essas oportunidades não estariam disponíveis se o capital organizado não tivesse proporcionado esses benefícios.

Por mais de vinte anos, falar mal de "Wall Street, dos intermediários do dinheiro e dos grandes conglomerados" tem sido um passatempo popular e crescente para os radicais, políticos egoístas, vigaristas, líderes sindicais mal-intencionados e às vezes também líderes religiosos.

Essa prática ficou tão generalizada que todos nós testemunhamos, durante a Grande Depressão, a visão inacreditável de altas autoridades do governo se alinhando com políticos baratos e líderes sindicais, com o propósito declarado de sufocar o sistema que fez da América Industrial o país mais rico da face da Terra. O alinhamento foi tão geral e bem-organizado que acabou prolongando a pior depressão que os Estados Unidos já passaram. Isso custou o emprego de milhões de pessoas, porque todos esses empregos eram parte inseparável do sistema capitalista-industrial que forma a espinha dorsal dessa nação.

No curso dessa aliança inusitada entre autoridades do governo e indivíduos que só pensavam em si mesmos — e que tentavam lucrar lançando uma "guerra franca" contra a indústria americana —, um certo tipo de líder sindical uniu forças com os políticos e se ofereceu para lhes proporcionar votos, em troca de uma legislação que permitisse às pessoas tirar os lucros da indústria apenas pela força dos números, em vez de melhorar a forma de se remunerar um dia de trabalho justo, em troca de um dia de salário justo.

Milhões de pessoas em todo o país ainda se dedicam a esse passatempo muito popular que é querer ganhar alguma coisa sem dar nada em troca. Algumas se alinham com os sindicatos, onde exigem trabalhar menos horas e ganhar mais! Outras não querem sequer fazer o esforço de trabalhar. Querem um auxílio do governo, e estão conseguindo. A ideia que elas têm de direitos e liberdade foi demonstrada em Nova York, onde um grupo de "beneficiários do auxílio-desemprego" protestou violentamente contra o chefe dos Correios porque os carteiros os acordaram às 7h30 para entregar o cheque do auxílio. Exigiram que, de agora em diante, a hora da entrega fosse marcada para as 10 horas.

Se você é um desses que acha que é possível acumular riqueza simplesmente organizando as pessoas em grupos e exigindo mais dinheiro em troca de menos serviço, se você é um desses que quer ter um auxílio-desemprego e ainda por cima não ser incomodado de manhã cedo, se é um desses que acredita em dar o seu voto a certos políticos em troca de leis que lhe permitam avançar em cima do Tesouro público, pode ficar tranquilo com seus pensamentos. Ninguém vai lhe incomodar porque esse é um país onde cada um pode pensar o que bem entender, onde quase todo mundo pode viver sem se esforçar muito e onde muita gente pode viver relativamente bem sem sequer trabalhar.

No entanto, você tem que conhecer toda a verdade sobre essa liberdade que tanta gente alardeia por aí e tão poucos entendem. Por mais legal que ela seja, por maior que seja seu alcance, por mais privilégios que ela conceda, ela não pode — e não vai — gerar riqueza sem esforço.

Só existe um método confiável de acumular e legalmente ser dono de uma fortuna, que é prestando um serviço útil. Nenhum sistema jamais foi criado só pela força dos números, ou sem, de alguma maneira, dar algo de valor equivalente.

Tem um princípio chamado de lei da economia. É muito mais que uma teoria. É uma lei que ninguém é capaz de desobedecer.

Anote bem o nome desse princípio e lembre-se dele, porque ele é muito mais poderoso que os políticos e suas máquinas. Está acima e além do controle de todos os sindicatos. Ele não pode ser dobrado, influenciado ou corrompido por vigaristas ou líderes autocentrados de qualquer profissão. Além disso, a economia tem olhos que enxergam tudo e um sistema perfeito de contabilidade, onde ela mantém contas exatas das transações de todos os seres humanos que tentam ganhar alguma coisa sem dar nada em troca. Mais cedo ou mais tarde, os auditores acabam aparecendo, conferem os livros das pessoas ricas e pobres e mandam a conta.

"Wall Street, os Grandes Conglomerados, o Predatório Interesse Capitalista", ou qualquer que seja o nome que você queira dar a esses alicerces do sistema que nos deu as liberdades americanas, na verdade representam um grupo de pessoas que compreendem, respeitam e se adaptam a essas poderosas leis da economia! A continuidade desses impérios depende de elas continuarem respeitando essas leis.

A maioria das pessoas que mora nos Estados Unidos gosta do país e do sistema capitalista. Confesso que não conheço país melhor, onde se possa encontrar mais oportunidades de acumular uma fortuna. A julgar pelas ações de certas pessoas, tem gente aqui que não gosta dos Estados Unidos. Evidentemente, esse é um direito delas. E se elas não gostam do país, do sistema capitalista e de suas infinitas oportunidades, *elas têm todo o direito de ir embora*! Sempre haverá outros países, como a Alemanha, a Rússia e a Itália, onde se pode ser livre e acumular riqueza, desde que não chame muita atenção.

Os Estados Unidos oferecem todas as oportunidades para se acumular uma fortuna que uma pessoa honesta possa querer. Quando se vai caçar, é sempre bom procurar um terreno onde a caça seja abundante. Quando se quer enriquecer, a mesma regra deveria ser naturalmente seguida.

Se o que você quer é enriquecer, não desmereça as possibilidades de um país cujos cidadãos são tão ricos que só as mulheres gastam mais de 200 milhões de dólares por ano em batons, rouge e outros cosméticos. Pense duas vezes antes de querer destruir o Sistema Capitalista de um país onde os cidadãos gastam mais de 50 milhões de dólares por ano em cartões de visita, com o qual expressam o apreço que eles têm pela liberdade!

Se estiver atrás de dinheiro, pense cuidadosamente num país que gasta centenas de milhões de dólares anualmente em cigarros, onde a maior parte do faturamento vai para quatro grandes empresas que se dedicam a fornecer esse símbolo nacional do "charme altivo" e da "pessoa controlada".

E, por favor, pense bastante no que significa pertencer a um país onde as pessoas gastam mais de 15 milhões de dólares por ano pelo privilégio de ver filmes e de quebra gastam mais alguns milhões em bebidas, narcóticos e em refrigerantes e águas gasosas mais suaves.

Planejamento organizado: a cristalização do desejo em ação

Não se apresse muito na hora de sair correndo de um país onde as pessoas pagam, de livre e espontânea vontade — chegam a ficar ansiosas para pagar —, para assistir a jogos de futebol, basquete e lutas de boxe.

E, por favor, apoie um país onde seus habitantes gastam mais de 1 milhão de dólares por ano em chicletes e mais 1 milhão em lâminas de barbear individuais.

Lembre-se, também, que essa é só uma pequena mostra das fontes disponíveis para a acumulação de dinheiro. Aqui só mencionamos alguns dos luxos e das despesas não essenciais. Mas lembre-se de que o negócio de produzir, transportar e comercializar esses produtos emprega regularmente muitos milhões de trabalhadores, que todo mês recebem pelos serviços prestados muitos milhões de dólares e os gastam livremente, tanto nos luxos como nas necessidades básicas.

E não deixe de se lembrar, com todo carinho, que no meio de toda essa troca de mercadorias por serviços pessoais podem-se encontrar muitas oportunidades de se ganhar uma fortuna. A liberdade americana ajuda bastante. Não há nada que lhe impeça de fazer um pouco do esforço necessário para tocar em frente qualquer um desses empreendimentos. Se a pessoa tiver talento, formação ou experiência digna de nota, pode acumular uma enorme fortuna. Os que não forem tão bem-aquinhoados podem acumular uma quantidade menor. E todos podem ganhar a vida em troca de uma quantidade razoável de trabalho.

Por isso... você é que sabe!

A oportunidade abriu um balcão à sua frente. Dê um passo à frente, escolha o que você quer, crie o seu plano, ponha-o em ação e persevere. A América "Capitalista" vai cuidar do resto. Você pode acreditar numa coisa: a América Capitalista dá a todo mundo a oportunidade de prestar um serviço útil e ganhar dinheiro na proporção do valor do serviço.

O "Sistema" não nega a ninguém esse direito, mas ele não promete (nem poderia prometer) que alguém vá ganhar algo em troca de nada, porque o próprio sistema é controlado por uma lei irrevogável que é a lei da economia, que não reconhece, nem tolera por muito tempo, alguém que queira receber sem dar nada em troca.

A lei da economia foi promulgada pela Natureza! Não há uma Suprema Corte à qual quem viola essa lei possa recorrer. A lei pune quem a viola e recompensa adequadamente quem a observa, *sem qualquer interferência (ou possibilidade de interferência) da parte dos seres humanos.* A lei não pode ser revogada. É tão fixa quanto as estrelas no firmamento e está sujeita — além de fazer parte — ao mesmo sistema que controla as estrelas.

Uma pessoa pode se recusar a se adaptar à lei da economia?

Claro que sim! Este é um país livre, onde todos são nascidos com direitos iguais, aí incluído o direito de ignorar a lei da economia.

E aí, o que acontece?

Bem, nada acontece até que muitas pessoas unam esforços com o propósito declarado de lhe desobedecer e de conseguir o que quiserem à força. *Aí vem a ditadura, com metralhadoras e esquadrões da morte bem-organizados!*

Nós ainda não chegamos a esse ponto nos Estados Unidos! Mas já ouvimos tudo o que precisávamos saber sobre como esse sistema funciona. Talvez sejamos privilegiados de não termos que conhecer pessoalmente uma realidade tão dolorosa. Sem dúvida, vamos preferir continuar com a nossa liberdade de ação, de expressão e de prestar um serviço útil em troca de dinheiro.

A prática de certas autoridades do governo de dar às pessoas o direito de avançar sobre o Tesouro público em troca de votos pode até resultar numa eleição, mas, à medida que um dia segue o outro, o pagamento final sempre aparece, que é quando todo centavo mal gasto tem que ser pago com juros sobre juros sobre juros. Se aqueles que se apropriaram do Tesouro não forem forçados a pagar, esse peso vai recair em cima de seus filhos e netos, "talvez até a terceira ou quarta geração". Não há como se escapar dessa dívida.

As pessoas podem, e às vezes conseguem, formar associações com o intuito de aumentar os próprios salários e trabalhar menos horas. Mas há um ponto em que não dá mais para avançar. É o ponto onde entra em cena a lei da economia e o xerife vai atrás tanto do patrão quanto do empregado.

Por seis anos, de 1929 a 1935, os habitantes dos Estados Unidos, ricos ou pobres, puderam ver de camarote a lei da economia entregar aos cuidados do xerife todas as empresas, indústrias e bancos do país. E a visão não foi nada agradável! Não aumentou em nada nosso respeito por aquele tipo de psicologia de massa que acha que as pessoas podem mandar a razão às favas e começar a tentar ganhar sem dar nada em troca.

Nós que atravessamos seis anos absolutamente desanimadores, quando o medo tomou conta de todos e jogou a fé lá no chão, não podemos nos esquecer de como a lei da economia foi implacável e cobrou um preço dos ricos e dos pobres, fortes e fracos, jovens e velhos. Não queremos passar por outra experiência assim.

Essas observações não se baseiam num olhar de curto prazo. São resultado de 25 anos de uma análise criteriosa dos métodos das pessoas mais bem-sucedidas e das que fracassaram nos Estados Unidos.

CAPÍTULO 8

DECISÃO: PARA NÃO ADIAR MAIS AS COISAS

O sétimo passo para a riqueza

UMA ANÁLISE PRECISA DE mais de 25 mil homens e mulheres que fracassaram revelou que a indecisão era um dos principais motivos — entre os trinta maiores — para o fracasso. Isso não é teoria. *É fato*.

Adiar as coisas, que é o contrário de se *tomar* uma decisão, é um inimigo comum que quase todas as pessoas têm que dominar.

Você terá a oportunidade de testar sua capacidade de tomar decisões *rápidas* e *definitivas* quando acabar de ler este livro e estiver pronto para colocar em prática os princípios que ele descreve.

Uma análise de centenas de pessoas que acumularam muito mais do que 1 milhão de dólares revelou que *absolutamente todas elas* tinham o hábito de tomar decisões rapidamente e só mudá-las devagar — *se* mudassem. As pessoas que não conseguem acumular dinheiro, *sem exceção*, têm o hábito de só tomar decisões (quando tomam) *muito lentamente* e de *mudar essas decisões rápido e com frequência*.

Uma das características mais marcantes de Henry Ford é o *hábito* de tomar decisões rápidas e definitivas e só mudar de ideia lentamente. É uma qualidade tão marcante que chega a lhe dar a reputação de ser um obstinado. Foi essa característica que fez com que ele continuasse a produzir o famoso Modelo "T" (o carro mais feio do mundo), quando todos os conselheiros dele — e muitos compradores — pediam que ele mudasse.

É possível que o Sr. Ford tenha realmente demorado muito para mudar de ideia, mas o outro lado dessa história mostra que a decisão firme do Sr. Ford permitiu que ele acumulasse enorme fortuna antes que a mudança no modelo realmente se fizesse *necessária*. Não resta dúvida de que o hábito de Henry Ford de tomar decisões definitivas chegava ao limiar da obstinação, mas é preferível ter essa qualidade do que tomar decisões lentas demais e depois rapidamente modificá-las.

A maioria das pessoas que não consegue acumular dinheiro suficiente para as próprias necessidades é geralmente muito fácil de ser influenciada pela "opinião" dos outros. Elas permitem que jornais e vizinhos "palpiteiros" *pensem* por elas. Uma "opinião" é a *commodity* mais barata que existe na face da Terra. Todo mundo tem um monte de opiniões a dar a quem aceite ouvi-las. Se você se deixar influenciar por opiniões e palpites na hora de tomar uma decisão, não vai ter sucesso em qualquer empreendimento, muito menos em transformar seu desejo em dinheiro.

Deixando-se levar pelas opiniões dos outros, você nunca terá vontade própria.

Mantenha-se fiel a si mesmo. Comece a pôr em prática os princípios aqui descritos, *tomando suas próprias decisões* e partindo para a ação. Não confie em ninguém, a não ser no seu grupo da Mente Mestra, e certifique-se, ao escolher as pessoas do grupo, de se cercar somente daquelas que simpatizam e estejam em completa harmonia com o seu objetivo.

Parentes e amigos próximos, mesmo que, às vezes, sem querer, geralmente atrapalham os outros com suas "opiniões" e "piadinhas", que deveriam ser engraçadas, mas só servem para lhe expor ao ridículo. Milhares de pessoas carregam um complexo de inferioridade pela vida inteira porque algum ignorante "bem-intencionado" destruiu a confiança delas com "opiniões" ou piadinhas escarnecedoras.

Você tem seu próprio cérebro e sua própria mente. Ponha-os para funcionar e tome suas próprias decisões. Se precisar de fatos e informações provenientes de outras pessoas, para ajudá-lo nas decisões (e isso deve acontecer com frequência), obtenha essas informações discretamente, sem revelar seu objetivo.

É muito comum que pessoas que tenham um conhecimento meramente superficial de algum assunto queiram dar a impressão de saber muito. Essas pessoas geralmente falam demais e ouvem de menos. Mantenha os olhos e os ouvidos abertos, *e a boca fechada*, se quiser adquirir o hábito de tomar decisões rapidamente. Quem fala demais geralmente faz muito pouco além disso. Se você falar mais do que ouve, não só irá se privar de muitas oportunidades de acumular conhecimentos verdadeiramente úteis, como também vai revelar seus planos a pessoas que terão o maior prazer em derrotá-lo, porque na verdade o invejam.

Lembre-se também de que toda vez que você abre a boca para falar com alguém que realmente entende de um determinado assunto, acaba revelando para ela o quanto — ou o quão pouco — você sabe! A verdadeira sabedoria geralmente se revela claramente através da *modéstia e do silêncio*.

Tenha sempre em mente que todas as pessoas com as quais você se associar também estão procurando oportunidades de ganhar dinheiro — tanto quanto você. Se comentar os seus planos muito abertamente, você pode acabar surpreendido pelo fato de a outra pessoa ter lhe passado à frente por ter se dedicado, antes de você, a pôr em prática os planos que você tão descuidadamente revelou.

Portanto, que uma de suas primeiras decisões seja a de manter a boca fechada e olhos e ouvidos bem abertos.

Como um lembrete para você sempre seguir esse conselho, seria interessante copiar a frase abaixo em letras bem grandes e pendurá-la num lugar onde possa lê-la diariamente.

Diga ao mundo o que pretende fazer — mas, antes disso, mostre.

É o mesmo que dizer "o que realmente conta são as ações, e não as palavras".

LIBERDADE OU MORTE NUMA ÚNICA DECISÃO

O valor de uma decisão depende da coragem necessária para implementá-la. As grandes decisões, que serviram de base para as civilizações, foram tomadas correndo-se grandes riscos, muitas vezes de morte.

A decisão de Abraham Lincoln de assinar a famosa Proclamação da Emancipação, que deu a liberdade aos negros nos Estados Unidos, foi tomada sabendo ele perfeitamente que o ato lançaria milhares de amigos e correligionários políticos contra ele. E também sabia que a proclamação levaria à morte milhares de pessoas no campo de batalha. No final, Lincoln pagou com a própria vida. E isso exigiu coragem.

A decisão de Sócrates de tomar veneno, em vez de renegar aquilo em que realmente acreditava, foi uma decisão corajosa, que fez o mundo avançar em cerca de mil anos e deu a pessoas que ainda nem tinham nascido as liberdades de pensamento e opinião.

A decisão do general Robert E. Lee, de abandonar as forças da União e se juntar às tropas do Sul, foi um ato de coragem, porque ele sabia muito bem que isso poderia lhe custar a vida e, certamente, a vida de outras pessoas.

Mas a maior decisão de todos os tempos, em relação a qualquer cidadão americano, foi tomada na Filadélfia, no dia 4 de julho de 1776, quando 56 homens assinaram um documento que todos eles sabiam que poderia trazer a liberdade aos americanos, ou *que faria todos os 56 serem condenados à forca*!

Você com certeza já ouviu falar desse famoso documento, mas talvez não tenha se tocado da grande lição de realização pessoal que ele ensinou tão brilhantemente.

Todos nós conhecemos a data precisa dessa portentosa decisão, mas poucos de nós percebemos a coragem que ela exigiu. Conhecemos nossa história da maneira como nos é ensinada; nós nos lembramos das datas e das pessoas que lutaram pela independência; de Valley Forge e Yorktown; de George Washington e lorde Cornwallis. Mas conhecemos muito pouco das verdadeiras forças por trás desses nomes, datas e lugares. E menos ainda sobre as forças intangíveis que viabilizaram nossa liberdade *muito antes de o exército de George Washington ter chegado a Yorktown.*

Lemos a história da Revolução Americana e equivocadamente pensamos que George Washington foi o Pai do país, que foi ele que conseguiu nos libertar, quando a verdade mostra que Washington foi um mero acessório depois do fato, porque a vitória de nosso exército foi garantida muito antes de lorde Cornwallis ter se rendido. Não é nossa intenção negar a Washington a glória que ele tanto mereceu. O objetivo aqui é dar maior atenção ao impressionante poder que foi a verdadeira causa da vitória.

É trágico que as pessoas que escrevem a história não façam a menor referência a esse poder irresistível, que fez nascer a liberdade de uma nação que estaria destinada a criar novos parâmetros de independência para todos os povos do mundo. Digo que é trágico porque se trata do mesmo poder que tem que ser utilizado por todas as pessoas que desejem se impor sobre as dificuldades da Vida — e que obriga a Vida a pagar o preço pedido.

Vamos fazer um breve resumo dos fatos que deram à luz esse poder. A história começa com um pequeno incidente ocorrido em Boston, no dia 5 de março de 1770. Os soldados ingleses estavam patrulhando as ruas e a mera presença deles ameaçava os cidadãos. Os colonos se ressentiam dos homens armados que marchavam em meio a eles. Então, começaram a demonstrar abertamente esse ressentimento lançando pedras e xingando os soldados, até que o comandante deu a ordem: "Preparar baionetas... Fogo!"

A batalha começou. O resultado foram muitos mortos e feridos. O incidente acendeu tamanha onda de insatisfação que a Assembleia Provincial (formada por colonos de renome) convocou uma reunião com o propósito de tomar uma atitude definitiva. Dois dos membros dessa Assembleia eram John Hancock e Samuel Adams — que esses nomes vivam para sempre! Eles se insurgiram corajosamente e declararam sonoramente que era preciso tomar a decisão de expulsar todos os soldados britânicos de Boston.

Lembre-se disso: uma decisão, surgida na cabeça de duas pessoas, pode perfeitamente ser considerada o ponto de partida da liberdade que nós desfrutamos hoje nos Estados Unidos. Lembre-se, também, de que a decisão desses dois homens exigiu enorme dose de coragem e fé, porque era perigosa.

Quando a Assembleia terminou, Samuel Adams foi instado a se dirigir ao governador da província, Hutchinson, e exigir a retirada das forças britânicas.

O pedido foi atendido, os soldados foram retirados de Boston, mas o caso não estava encerrado. Ele tinha provocado uma crise destinada a mudar os rumos da civilização. Não é estranho que as grandes mudanças, como a Revolução Americana e a Grande

Guerra, geralmente comecem com incidentes aparentemente sem importância? Também vale a pena observar que essas importantes mudanças geralmente começam com uma decisão definitiva na mente de relativamente poucas pessoas. Poucos de nós conhecemos a história dos Estados Unidos suficientemente bem para saber que John Hancock, Samuel Adams e Richard Henry Lee (da província de Virgínia) foram os verdadeiros Pais do nosso País.

Richard Henry Lee se tornou um fator importante na nossa história pelo fato de ele e Samuel Adams se comunicarem com frequência (por correspondência), compartilhando livremente esperanças e temores em relação ao bem-estar dos habitantes das províncias. A partir dessa correspondência, Adams teve a ideia de criar um intercâmbio de cartas entre as 13 Colônias, que ajudaria a coordenar os esforços necessários para a solução de problemas comuns. Em março de 1772, dois anos depois do choque com os soldados em Boston, Adams apresentou essa ideia à Assembleia, por meio de uma moção para se criar um Comitê de Correspondência entre as Colônias, com correspondentes oficialmente nomeados em cada uma delas, que tinha "o objetivo de criar uma cooperação amistosa para a melhoria das Colônias da América Inglesa".

Note bem esse incidente! Foi o início da organização de um poder que se espalhou e que estava destinado a libertar todos nós. A Mente Mestra já estava organizada. Era formada por Adams, Lee e Hancock. "Digo até mais, que se dois de vós concordarem na Terra em relação a um pedido, ele virá do Meu Pai, que está no Céu."

O Comitê de Correspondência foi organizado. Observe que esse ato abriu caminho para que o poder da Mente Mestra fosse ampliado, incluindo gente de todas as colônias. Observe, também, que esse foi o primeiro ato de planejamento organizado dos colonos insatisfeitos.

A união faz a força! Os cidadãos das colônias vinham praticando atos de guerra isolados e desorganizados contra os soldados britânicos, em incidentes semelhantes à revolta de Boston, mas não obtinham nenhum benefício. A insatisfação dos indivíduos não havia sido consolidada sob o guarda-chuva de uma Mente Mestra. Nenhum grupo colocou corações, mentes, corpos e almas numa decisão tão definitiva como essa, para acertar de vez as dificuldades com os ingleses — até Adams, Hancock e Lee terem se unido.

Enquanto isso, os ingleses não estavam desatentos. Eles também faziam seus planos e criavam sua própria "Mente Mestra", com a vantagem de ter o apoio de muito dinheiro e um exército organizado.

A Coroa nomeou Gage para substituir Hutchinson como governador de Massachusetts. Um dos primeiros atos do novo governador foi mandar um mensageiro chamar Samuel Adams para tentar frear a oposição — por meio do medo.

A melhor maneira de entender o que aconteceu é reproduzindo a conversa entre o coronel Fenton (o mensageiro enviado por Gage) e Samuel Adams.

Coronel Fenton:

— O governador Gage me autorizou a dizer veementemente, Sr. Adams, que ele tem poderes para lhe conceder todos os benefícios que o senhor julgar suficientes [tentativa de subornar e cooptar Adams], desde que o senhor pare definitivamente de fazer oposição às medidas do governo. O governador lhe aconselha, senhor, a não desagradar ainda mais sua Majestade. Sua conduta já é suficiente para enquadrá-lo nas penas de uma Lei de Henrique VIII, pela qual qualquer pessoa pode ser enviada para ser julgada na Inglaterra, por traição ou cumplicidade numa traição, a critério do governador da província. No entanto, se o senhor alterar sua trajetória política, o senhor não só obterá grandes vantagens, como também ficará em paz com o rei.

Samuel Adams, portanto, tinha que optar entre dois caminhos. Podia parar toda a oposição e aceitar o suborno e as vantagens pessoais ou poderia ir em frente e se arriscar a ser enforcado!

Evidentemente, tinha chegado a hora em que Adams se via *obrigado* a tomar, *imediatamente*, uma decisão que poderia lhe custar a vida. A maioria das pessoas acharia difícil tomar uma decisão como essa. A maioria teria dado uma resposta evasiva, mas Adams não fez nada disso! Ele exigiu que o coronel Fenton desse sua palavra de honra de que repetiria ao governador exatamente a resposta que Adams lhe daria. Que foi a seguinte:

— Então o senhor pode dizer ao governador Gage que eu acredito já estar em paz há muito tempo com o Rei dos Reis. Nenhuma remuneração pessoal irá me induzir a abandonar a causa justa do meu país. E diga ao governador Gage que Samuel Adams lhe aconselha a não continuar insultando os sentimentos de um povo que já está exasperado demais.

Parece desnecessário fazer qualquer comentário sobre o caráter desse homem. Deve ser óbvio para todos os que leram essa impressionante mensagem que seu emissor possuía uma lealdade do mais alto grau. *Isso é importante.* (Políticos desonestos e vigaristas prostituíram a honra pela qual pessoas como Adams morreram.)

Quando o governador Gage recebeu a resposta cáustica de Adams, teve um ataque de fúria e expediu o seguinte edito:

"Venho, por meio desta, em nome de sua Majestade, oferecer e prometer o mais gracioso perdão a todas as pessoas que de agora em diante baixarem suas armas e retornarem às suas funções de súditos pacíficos, sendo que este perdão não poderá beneficiar Samuel Adams e John Hancock, cujas ofensas são de natureza tão infame que não merecem qualquer consideração que não seja uma punição condizente."

Como se diz na gíria de hoje, Adams e Hancock estavam "na linha de tiro"! A ameaça do iracundo governador obrigou os dois homens a tomar mais uma decisão, igualmente perigosa. Eles convocaram às pressas uma reunião secreta de seus seguidores mais leais. (Aqui, a Mente Mestra começou a tomar impulso.) Depois que a reunião começou, Adams trancou a porta, colocou a chave no bolso e informou a todos os presentes que era imperioso que fosse organizado um Congresso de Colonos e que ninguém deveria deixar a sala até que eles chegassem a uma decisão sobre isso.

Seguiu-se uma onda de grande emoção. Algumas pessoas tiveram medo das possíveis consequências de um ato de tamanho radicalismo. (O Velho Medo.) Outras expressaram as dúvidas sobre a lucidez de uma *decisão tão definitiva* de desafiar a Coroa. Trancados naquela sala estavam dois homens imunes ao Medo, e cegos à possibilidade de Fracasso. Pela influência de suas mentes, os outros foram induzidos a concordar que deveriam ser feitos arranjos, pelo Comitê de Correspondência, para promover uma assembleia do Primeiro Congresso Continental, na Filadélfia, em 5 de setembro de 1774.

Lembre-se dessa data porque ela é mais importante que o 4 de julho de 1776. Se não tivesse havido a decisão de fazer um Congresso Continental, não haveria a assinatura da Declaração de Independência.

Antes da primeira reunião do novo Congresso, outro líder, em outra parte do país, estava prestes a publicar uma "Visão Sumária dos Direitos na América Britânica". Era Thomas Jefferson, da província de Virgínia, cuja relação com lorde Dunmore (representante da Coroa em Virgínia) era tão tensa quanto a de Hancock e Adams com seu governador.

Pouco depois que o famoso Sumário de Direitos foi publicado, Jefferson foi avisado de que estava sujeito à acusação de alta traição contra o governo de sua Majestade. Inspirado por essa ameaça, um dos colegas de Jefferson, Patrick Henry, falou tudo o que pensava, encerrando com uma frase que desde então virou um clássico: *"Se isso for traição, então vamos aproveitá-la ao máximo."*

Foram homens assim que, mesmo sem poder, sem autoridade, sem poderio militar, e sem dinheiro, se reuniram pensando solenemente no destino das colônias, iniciando com o Primeiro Congresso Continental e prosseguindo por mais dois anos (com algumas interrupções), até que no dia 7 de junho de 1776, Richard Henry Lee se levantou, dirigiu-se ao presidente e fez a seguinte declaração, para espanto da Assembleia:

— Cavalheiros, declaro aqui que essas Colônias Unidas são, e têm o direito de ser, estados livres e independentes, que devem se libertar de toda e qualquer obediência à Coroa Britânica e que todas as conexões políticas entre elas e o estado da Grã-Bretanha devem ser totalmente eliminadas.

A declaração espantosa de Lee foi discutida com fervor e por tanto tempo que ele começou a perder a paciência. Finalmente, depois de vários dias de discussão, ele novamente tomou a palavra e declarou, em voz alta e firme:

— Sr. Presidente, nós já estamos discutindo esse assunto há vários dias. Esse é o único caminho a seguir. Por que, então, ficar adiando? Por que ainda estamos discutindo isso? Vamos deixar que esse lindo dia testemunhe o nascimento de uma República Americana. Que ela surja, não para destruir e conquistar, mas para restabelecer o reino da paz e da lei. Os olhos da

Decisão: para não adiar mais as coisas

Europa estão voltados para nós. Ela exige um exemplo vivo de liberdade, cuja felicidade dos cidadãos contraste com uma tirania cada vez maior.

Antes que a declaração fosse finalmente votada, Lee foi chamado de volta a Virgínia, por conta de um grave problema de doença na família, mas, antes de partir, colocou a questão nas mãos do amigo Thomas Jefferson, que prometeu lutar até que uma ação favorável fosse decidida. Pouco depois, o presidente do Congresso (Hancock) nomeou Jefferson presidente do Comitê para elaborar uma Declaração de Independência.

O Comitê trabalhou duro, por muito tempo, num documento que, quando fosse aceito pelo Congresso, significaria que todos os signatários estariam assinando a própria sentença de morte, caso as colônias perdessem a luta contra a Grã-Bretanha, a qual certamente ocorreria.

O documento foi redigido e, no dia 28 de junho, o rascunho original foi lido diante do Congresso. Seguiram-se vários dias de debates e alterações, até que ficou pronto. No dia 4 de julho de 1776, Thomas Jefferson se ergueu diante da Assembleia e destemidamente leu a decisão mais portentosa já escrita.

"Quando, no curso dos acontecimentos humanos, é necessário que um povo desfaça os laços políticos que o ligara a outro e assuma, dentre os poderes que existem na Terra, um posto igual e separado que as leis da Natureza e do Deus da Natureza lhe concedem, um respeito decente à opinião dos seres humanos exige que eles declarem as causas que os impelem à separação (...)"

Quando Jefferson terminou, foi votado, aceito e assinado pelos 56 homens o documento em que cada um estava apostando a própria vida ao assinar o nome. Com essa decisão, surgiu a nação que estaria fadada a dar às pessoas, eternamente, o privilégio de tomar decisões.

É apenas com decisões tomadas num estado de Fé como esse — e somente com essas decisões — que as pessoas conseguem resolver os problemas pessoais e atingir um alto nível de riqueza material e espiritual. Não nos esqueçamos disso!

Analise os acontecimentos que levaram à Declaração da Independência e convença-se de que essa nação, que hoje impõe respeito e poder diante de todos os países do mundo, nasceu a partir de uma decisão gerada por uma Mente Mestra, constituída por 56 homens. Observe, também, que foi a decisão deles que garantiu o êxito dos exércitos de George Washington, porque o *espírito* dessa decisão estava no coração de todos os soldados que lutaram com ele e serviu como um poder espiritual que simplesmente desconhece o fracasso.

Observe, também (para seu grande benefício), que o poder que concedeu a liberdade a esse país é o mesmo que precisa ser utilizado por todas as pessoas que desejem traçar o próprio destino. Esse poder é constituído pelos princípios descritos neste livro. Não é difícil encontrar, nesse relato da Declaração da Independência, no mínimo seis princípios: desejo, decisão, fé, perseverança, a mente mestra e o planejamento organizado.

Em toda essa filosofia, vamos ver que o pensamento, apoiado num desejo férreo, tem a tendência de se transformar no equivalente físico. Antes de seguir em frente, gostaria de lhe sugerir que é possível encontrar nessa história, assim como na da United States Steel Corporation, uma descrição perfeita do método pelo qual o pensamento gera essa impressionante transformação.

Ao buscar o segredo desse método, não tente encontrar um milagre, porque isso você não vai encontrar. Só verá as eternas leis da Natureza. Essas leis estão disponíveis para todas as pessoas que têm a fé e a coragem de utilizá-las. Elas podem ser usadas para trazer a liberdade a um país ou para ganhar uma fortuna. Elas não têm preço, exceto o tempo necessário para você compreendê-las e incorporá-las à sua vida.

As pessoas que tomam decisões rápidas e definitivas, e que sabem o que querem, geralmente conseguem. Os líderes em qualquer área da vida decidem rápido e com firmeza. Essa é a razão principal para serem líderes. O mundo tem o hábito de abrir caminho para as pessoas cujas palavras e ações mostram que sabem para onde vão.

A indecisão é um hábito que geralmente começa na juventude. Ela se torna permanente à medida que passamos pelo ensino fundamental, ensino médio e até a faculdade, sem um propósito definido. A maior fraqueza de todos os sistemas de ensino é que eles não ensinam, nem incentivam, o hábito de tomar decisões definitivas.

Ajudaria muito se as faculdades não permitissem a inscrição de nenhum aluno, que não declarasse seu maior objetivo na hora de fazer a matrícula. Seria um benefício ainda maior se todo aluno que entrasse no ensino fundamental fosse obrigado a ser treinado no hábito de tomar decisões e tivesse que ser aprovado num teste sobre o assunto, antes de poder avançar na escola.

O hábito da Indecisão adquirida por causa das nossas instituições de ensino, acompanha o aluno na profissão que ele escolher — isso *se* ele escolher a profissão. Geralmente, o jovem que sai da escola aceita qualquer emprego. Ele pega o primeiro emprego que consegue, porque acalentou o hábito da indecisão. Noventa e oito por cento das pessoas assalariadas de hoje estão no emprego em que estão porque não tiveram a firmeza para traçar um plano de chegar a um emprego definido, ou o conhecimento de como escolher um bom empregador.

Tomar uma decisão definitiva é um ato que exige coragem, às vezes *muita* coragem. As 56 pessoas que assinaram a Declaração de Independência estavam arriscando a vida ao incluírem os nomes naquele documento. A pessoa que toma a decisão bem-definida de ir atrás de um determinado emprego, e fazer a vida pagar o preço que ela pede, não está arriscando a vida, mas sim a liberdade econômica. A riqueza, a independência financeira, um negócio próprio ou um bom cargo profissional não estão ao alcance da pessoa que não nutre essas expectativas, ou se recusa a desejar, planejar e exigir essas coisas. Quem deseja ficar rico com o mesmo espírito que Samuel Adams desejou a liberdade das colônias, com certeza haverá de acumular uma fortuna.

No capítulo "Planejamento organizado" você vai encontrar instruções completas para vender qualquer tipo de serviço profissional. Também encontrará informações detalhadas para escolher o empregador de sua preferência e o cargo que desejar. Mas essas instruções não vão ter valor algum se você não tomar a firme decisão de colocá-las num plano de ação.

CAPÍTULO 9

PERSEVERANÇA:
O ESFORÇO PERMANENTE E NECESSÁRIO QUE GERA A FÉ

O oitavo passo para a riqueza

A PERSEVERANÇA É UM fator crítico no processo de transformação do desejo no equivalente monetário. A base da perseverança é a força de vontade.

O desejo e a força de vontade, quando bem-combinados, formam um casal irresistível. Homens que acumulam grandes fortunas geralmente são considerados pessoas de sangue-frio, às vezes implacáveis. Muitas vezes são mal compreendidos. O que eles têm é força de vontade, que misturam com a perseverança, e a utilizam para empurrar os desejos e *ter certeza* de que os objetivos serão atingidos.

Muita gente considera Henry Ford, equivocadamente, uma pessoa gélida e implacável. Esse equívoco nasceu a partir do hábito de Ford de perseverar em todos os planos até o fim.

A maioria das pessoas desiste logo de seus objetivos e metas ao menor sinal de azar ou oposição. Umas poucas vão em frente, apesar de todas as adversidades, até atingirem o objetivo. Essas poucas são os Fords, os Carnegies, os Rockefellers e os Edisons.

A palavra "perseverança" pode até não ter uma conotação heroica, mas é uma qualidade que está para o caráter do homem da mesma maneira que o carbono está para o aço.

A construção de uma fortuna geralmente envolve a aplicação de todos os 13 fatores dessa filosofia. Esses princípios precisam ser compreendidos e aplicados persistentemente por todos os que desejam acumular dinheiro.

Se você estiver lendo este livro com a intenção de utilizar o conhecimento que ele destila, seu primeiro teste de perseverança vai ocorrer quando você começar a seguir os seis passos descritos no Capítulo 2. A não ser que você seja um dos 2% que já tenham um objetivo definido no qual estão mirando, e um plano definitivo para alcançá-lo, você pode até ler as instruções, mas depois vai seguir com a sua rotina comum, sem nunca seguir o que nelas está escrito.

Este autor está lhe provocando, porque a falta de perseverança é uma das maiores causas do fracasso. Além do mais, a experiência com milhares de pessoas comprovou que a falta de persistência é uma fraqueza comum à maioria das pessoas — uma fraqueza que pode ser suplantada pelo esforço. A facilidade com que se pode dominar a falta de perseverança depende *inteiramente* da intensidade do desejo de alguém.

O ponto de partida de toda e qualquer realização é o desejo. Tenha isso sempre em mente. Desejos frágeis levam a resultados frágeis, assim como um pouquinho de fogo só gera um pouquinho de calor. Se você detectar em si mesmo falta de perseverança, isso pode ser consertado montando um fogo mais forte sob seus desejos.

Continue lendo este livro até o fim, depois volte ao Capítulo 2 e comece *imediatamente* a seguir as instruções dadas nos seis passos. Sua disposição em seguir à risca as instruções vai indicar claramente o quanto você realmente deseja acumular dinheiro. Se verificar que ainda está indiferente, pode ter certeza que ainda não adquiriu a "consciência do dinheiro" que precisa ter para estar convicto de que irá acumular sua fortuna.

As fortunas gravitam na direção das mentes que foram preparadas para "atraí-las", da mesma maneira que as águas correm para o mar. Neste livro, você vai encontrar todos os estímulos necessários para "afinar" qualquer mente normal com as vibrações que vão atrair o objeto do desejo.

Se descobrir que a perseverança é um ponto fraco para você, concentre sua atenção nas instruções contidas no capítulo sobre poder; cerque-se de um grupo de Mente Mestra e, pelos esforços cooperativos dos integrantes, irá desenvolver a persistência. Você vai encontrar instruções adicionais para desenvolver a perseverança nos capítulos sobre autossugestão e mente subconsciente. Siga as instruções descritas nesses capítulos até que o hábito passe ao comando da mente subconsciente uma imagem clara do seu objeto de desejo. Desse ponto em diante, a falta de perseverança não vai mais atrapalhá-lo.

Sua mente subconsciente trabalha continuamente, quando você está acordado e também quando está dormindo.

Esforços pontuais e ocasionais para aplicar essas regras não vão adiantar nada. Para conseguir bons resultados, você precisa aplicar todas as regras até que se tornem um hábito fixo para você. Não há outra maneira de se desenvolver a "consciência do dinheiro".

A pobreza é atraída por aquelas mentes que a favorecem, assim como, pelas mesmas leis, o dinheiro é atraído para as mentes que se prepararam por vontade própria para atraí-lo. A consciência da pobreza vai voluntariamente se apossar da mente que não estiver ocupada por uma consciência do dinheiro. Uma consciência da pobreza se desenvolve sem a aplicação *consciente* dos hábitos que lhe favorecem. A consciência do dinheiro tem que ser gerada pela própria pessoa, a não ser que já tenha nascido com ela.

Compreenda o total significado das frases acima e você vai entender a importância da perseverança na acumulação de fortuna. Sem persistência, você vai ser derrotado antes mesmo de começar. Perseverando, você vence.

Se você já teve um pesadelo, vai perceber o valor da persistência. Você está deitado na cama, meio sonolento, com a sensação de que está prestes a dormir. Você é incapaz de se virar na cama, ou de mover um músculo. Você percebe que precisa recuperar o controle sobre os músculos. Com o esforço persistente da força de vontade, você finalmente consegue mexer os dedos de uma das mãos. Continuando a mexer os dedos, você estende esse controle aos músculos de um dos braços, até conseguir erguê-lo. Depois, recupera o controle do outro braço, da mesma maneira. Finalmente, adquire o domínio sobre os músculos de uma perna e o estende à outra. E aí, com um supremo esforço da vontade, recupera o domínio total sobre todo o sistema muscular e consegue "escapar" do pesadelo. A armadilha foi desmontada passo a passo.

Talvez você tenha que "escapar" da inércia mental por um procedimento semelhante, movendo-se devagar a princípio, depois aumentando de velocidade, até ganhar o domínio total da sua vontade. Seja perseverante, independentemente do quanto demore para você se mexer, no começo. Com persistência, o sucesso virá.

Se escolher seu grupo de Mente Mestra com cuidado, você encontrará nele pelo menos uma pessoa que vai lhe ajudar a desenvolver a persistência. Algumas pessoas que acumularam grandes fortunas chegaram a esse ponto por necessidade. Elas desenvolveram o hábito de serem persistentes porque eram tão dominadas pelas circunstâncias que não havia outro jeito de escaparem, *a não ser pela perseverança*.

Não existe nenhum substituto para a perseverança! Ela não pode ser suplantada por nenhuma outra qualidade! Lembre-se disso e isso irá aquecê-lo, no começo, quando a estrada pode parecer lenta e difícil demais.

Os que cultivam o hábito da perseverança parecem dispor de um seguro natural contra fracassos. Independentemente de quantas vezes forem derrotados, eles finalmente acabam chegando ao topo da escada. Às vezes, parece que há um Guia escondido, cuja tarefa é testar as pessoas com todo tipo de experiência desanimadora. Aquelas que lambem as feridas depois da derrota e continuam tentando, chegam lá. E aí o mundo grita: "Parabéns! Eu sabia que você ia conseguir." O Guia escondido não permite que ninguém realize algo de grandioso sem passar primeiro pelo teste da persistência. Aqueles que não aguentam simplesmente não recebem o diploma.

Aqueles que "aguentam firme" são muito bem recompensados — e conquistam o objetivo que estiverem perseguindo. Não só isso! Eles recebem algo que é infinitamente mais importante que a recompensa material. É o conhecimento de que "todo fracasso traz em si as sementes de uma vantagem equivalente".

Há exceções a essa regra. Algumas pessoas sabem, por experiência própria, o quanto a perseverança é importante. São aquelas que não aceitaram uma derrota como nada mais do que algo temporário. São aquelas cujos desejos são aplicados tão persistentemente que a derrota acaba, finalmente, transformando-se em vitória. Nós, que ficamos observando a vida, vemos um número extraordinário de pessoas que afundam na derrota e nunca mais conseguem se levantar. E vemos umas poucas que aceitam o castigo da derrota *ansiosas para fazer um esforço ainda maior*. Essas, felizmente, não aceitam viver a vida em marcha à ré. Mas o que nós não vemos, e a maioria das pessoas nem faz ideia que existe, é o poder silencioso e irresistível que chega para socorrer aqueles que continuam lutando, mesmo diante da falta de incentivo. Se quisermos dar um nome a esse poder, vamos dizer que é a perseverança — e deixar por isso mesmo. Mas de uma coisa podemos ter certeza: se alguém não tiver persistência, não vai atingir qualquer sucesso digno de nota, em qualquer profissão.

Enquanto escrevo estas linhas, ergo os meus olhos e vejo a menos de uma quadra de distância a grande e misteriosa Broadway, o "Cemitério das Esperanças Mortas", e ao mesmo tempo a "Varanda das Oportunidades". As pessoas vêm do mundo inteiro até a Broadway em busca de fama, fortuna, amor, poder, ou o que os seres humanos chamem de sucesso. Muito de vez em quando alguém se ergue acima dessa longa procissão de esperançosos e então o mundo recebe a notícia de que mais uma pessoa conquistou a Broadway. Mas a Broadway não é conquistada fácil ou rapidamente. Ela reconhece o gênio e o talento e paga muito bem, *mas só depois* que a pessoa se recusa a desistir.

E aí podemos ter certeza de que ela descobriu o segredo de como conquistar a Broadway. O segredo está sempre, indefectivelmente, ligado à palavra *perseverança*!

Este segredo aparece na luta de Fannie Hurst, cuja perseverança conquistou The Great White Way. Ela chegou a Nova York em 1915 para transformar os escritos dela em riqueza. A conversão não veio rápido — mas veio. Durante quatro anos, a Srta. Hurst conheceu de perto as calçadas de Nova York. Ela passava os dias trabalhando e as noites, sonhando. Quando a esperança enfraquecia, ela não dizia: "Ok, Broadway, você venceu!" Dizia: "Ok, Broadway, você pode até derrotar algumas pessoas, mas eu, não. Eu vou obrigá-la a desistir."

Perseverança: o esforço permanente e necessário que gera a fé

Um jornal (o *Saturday Evening Post*) chegou a rejeitá-la *36 vezes* antes que ela conseguisse quebrar o gelo e vender uma história para eles. O escritor comum, como todas as pessoas "comuns" que existem por aí, teria desistido do objetivo muito antes da primeira carta de rejeição. Ela ficou batendo perna nas calçadas durante quatro anos, ouvindo NÃO, porque estava determinada a ganhar.

E aí veio a grande recompensa. A maldição foi quebrada, o Guia invisível havia testado Fannie Hurst e viu que ela conseguia aguentar. E de lá para cá, jornais e editoras foram bater à porta dela. E o dinheiro veio tão rápido que ela mal teve tempo de contar. Aí o cinema a descobriu também, e o dinheiro que veio não foi pouco, e sim uma enxurrada. Os direitos de adaptação para o cinema do último romance, *Great Laughter*, renderam 100 mil dólares, e foram considerados os maiores já pagos por uma história ainda não publicada. E o percentual que ela vai ganhar com as vendas do livro provavelmente vai ser maior ainda.

Enfim, você teve aqui um pequeno resumo do que a perseverança é capaz de conseguir. A Fannie Hurst não é uma exceção. Sempre que as pessoas acumulam muito dinheiro, você pode ter certeza de que a primeira coisa que elas adquiriram foi a persistência. A Broadway pode lhe dar uma xícara de café e um sanduíche, como faria com qualquer mendigo, mas exige perseverança dos que sonham com o filé mignon.

Kate Smith vai dizer "amém" quando ler isso. Ela passou anos cantando sem ganhar dinheiro, sem cachê, em qualquer microfone que pudesse encontrar. E a Broadway lhe disse: "Vem buscar sua recompensa se conseguir passar pelas provações." E ela passou, até que um dia a Broadway se cansou e disse: "Tudo bem, de que adianta? Você não sabe quando está derrotada, então diga logo qual é o seu preço e vá trabalhar de verdade." E a Srta. Smith disse quanto queria ganhar! Era muito. Um número tão alto que uma semana do seu salário é mais do que a maioria das pessoas ganha num ano.

Realmente, vale a pena ser persistente!

E aqui vai uma declaração de incentivo que traz uma sugestão de grande significado. Milhares de cantores que são melhores que Kate Smith ficam perambulando pela Broadway, procurando um "golpe de sorte" — sem sucesso. Muitos outros tiveram uma chance e perderam, alguns até que cantavam bem, mas não tiveram a coragem de continuar até que a Broadway se cansasse de fustigá-los.

A perseverança é um estado de espírito, por isso ela pode ser cultivada. Como todos os estados de espírito, a perseverança se baseia em causas bem-definidas, entre as quais citamos:

a) UM PROPÓSITO BEM-DEFINIDO. Saber o que se quer é o primeiro passo, e talvez o mais importante, para se alimentar a perseverança. Um motivo forte faz uma pessoa superar muitas dificuldades.

b) DESEJO. É relativamente fácil ser e se manter persistente quando se está atrás de um objeto de intenso desejo.

c) AUTOCONFIANÇA. Acreditar que é possível levar um plano até o fim incentiva muito alguém a colocá-lo em prática de maneira persistente. (A autoconfiança pode ser fomentada pelo princípio descrito no capítulo da autossugestão.)

d) PLANOS BEM-DEFINIDOS. Planos organizados, mesmo que sejam frágeis e pouco práticos, ajudam a fomentar a persistência.

e) CONHECIMENTO PRECISO. Saber que seus planos são sólidos, baseados na experiência e na observação, incentivam a perseverança; já "achar" em vez de "saber" destrói a persistência.

f) COOPERAÇÃO. A simpatia, a compreensão e a cooperação harmoniosa com os outros tendem a desenvolver a perseverança.
g) FORÇA DE VONTADE. O hábito de concentrar o pensamento em construir os planos para um objetivo bem-definido leva à perseverança.
h) HÁBITO. A persistência é resultado direto do hábito. A mente absorve e se torna parte das experiências diárias que a alimentam. O medo — o pior de todos os inimigos — pode ser efetivamente derrotado por meio da *repetição forçada de atos de coragem*. Todo mundo que já esteve numa guerra sabe disso.

Antes de sair do tema perseverança, faça uma avaliação de si mesmo e, se for o seu caso, determine em que pontos você sente falta dessa qualidade fundamental. Faça uma aferição rigorosa, item por item, e veja em quantos dos oito fatores da perseverança você se enquadra. A análise pode levar a descobertas que vão lhe dar uma nova ideia de si mesmo.

SINTOMAS DA FALTA DE PERSEVERANÇA

Aqui você vai encontrar os verdadeiros inimigos que se intrometem entre o lugar onde você está agora e a realização do que tanto deseja. Aqui você vai encontrar não só os "sintomas" que indicam falta de perseverança, mas também as causas firmemente assentadas no seu subconsciente. Estude essa lista com todo o cuidado e faça uma avaliação sem meias medidas, se realmente quer saber quem você é e o que é capaz de realizar. Essas são as fraquezas que precisam ser aniquiladas por todo mundo que quiser acumular fortuna.

1. Não reconhecer e não determinar exatamente o que se quer.
2. Adiamentos, com ou sem motivo. (Geralmente apoiados numa quantidade formidável de desculpas e álibis.)
3. Falta de interesse em obter conhecimento especializado.
4. Indecisão, ou o hábito de sempre "passar a peteca para os outros", em vez de encarar as coisas de frente. (Também apoiado em muitos álibis.)
5. O hábito de se fiar nesses álibis, em vez de criar planos definidos para a solução dos problemas.
6. Satisfazer-se com pouco. Não há remédio para esse mal, nem esperança para os que dele sofrem.
7. Indiferença, que geralmente se reflete na facilidade com que uma pessoa sempre cede, em vez de encarar o adversário e enfrentá-lo.
8. O hábito de culpar os outros pelos próprios erros e de dizer que as circunstâncias desfavoráveis são insuperáveis.
9. Desejos muito fracos, por não escolher bem os motivos que levam à ação.
10. Mostrar-se pronto (e até ansioso) para desistir diante do primeiro sinal de derrota. (Com base em um ou mais dos seis medos clássicos.)
11. Falta de um planejamento organizado e por escrito, de modo que ele possa ser analisado e acompanhado.
12. O hábito de não dar seguimento às ideias, ou de não agarrar uma oportunidade quando ela se apresenta.
13. Ter uma vontade fraca, em vez de um Desejo Ardente.
14. O hábito de aceitar a Pobreza, em vez de querer ser rico. Falta geral de ambição de *ser* alguém, *fazer* e *possuir* alguma coisa.
15. Procurar atalhos para a riqueza, querendo ganhar sem dar algo justo e equivalente em troca. Geralmente, isso se reflete no hábito de jogar ou de tentar fazer "negociatas".

Perseverança: o esforço permanente e necessário que gera a fé

16. Medo da crítica, ou incapacidade de criar planos e colocá-los em prática, por conta do que os outros vão pensar, fazer ou dizer. Esse inimigo talvez devesse vir no alto da lista, porque geralmente existe na mente subconsciente, onde não se nota sua presença. (Veja os Seis Medos Básicos num capítulo mais à frente.)

Analisemos agora alguns dos sintomas do Medo da Crítica. A maioria das pessoas permite que parentes, amigos e outros indivíduos exerçam tamanha influência sobre elas a ponto de não viverem a própria vida por medo de serem criticadas.

Muitas delas erram no casamento, mas continuam casadas e vivem uma vida absolutamente infeliz, porque temem as críticas que virão caso se disponham a corrigir o erro. (Qualquer um que tenha sucumbido a esse medo sabe o dano irreparável que ele provoca, ao destruir a ambição, a autoconfiança e o desejo de realizar alguma coisa.)

Milhões de pessoas, depois de já terem saído da escola há muito tempo, deixam de procurar educação na vida adulta, porque temem as críticas que poderão receber.

Um número considerável de homens e mulheres, jovens e adultos, permite que parentes estraguem suas vida em nome do dever, porque teme as críticas. (O dever não exige que ninguém destrua as ambições pessoais, nem abra mão do direito de viver a própria vida.)

As pessoas se recusam a se arriscar num negócio porque temem as críticas que vão receber se fracassarem. *O medo da crítica, nesses casos, é mais forte que o desejo de sucesso.*

Muitos se recusam a traçar metas ambiciosas para si mesmos, ou nem se preocupam em escolher devidamente uma profissão, porque temem as críticas de parentes e "amigos" que irão lhe dizer: "Não sonhe tão alto. As pessoas vão dizer que você está maluco."

Quando Andrew Carnegie sugeriu que eu dedicasse 20 anos da minha vida para organizar uma filosofia de realizações individuais, meu primeiro impulso de pensamento foi o medo do que os outros iriam dizer. Aquela sugestão trazia uma meta muito maior do que qualquer outra que eu tivesse concebido. Rápida como um raio, minha mente começou a criar todo tipo de desculpas esfarrapadas, sempre ligadas ao medo inerente das críticas. Alguma coisa dentro de mim dizia: "Não vai dar, não. É um trabalho pesado demais, que vai exigir muito tempo. O que os seus parentes vão pensar? Como é que você vai ganhar dinheiro? Ninguém nunca ousou organizar uma filosofia do sucesso. O que faz você pensar que vai conseguir? E quem é você para sonhar tão alto? Lembre-se da sua origem humilde. E o que é que você entende de filosofia? As pessoas vão pensar que você enlouqueceu (aliás, elas pensaram, sim). Por que que você acha que ninguém fez isso antes?"

Essas e muitas outras perguntas passaram pela minha cabeça e exigiram minha atenção. Era como se o mundo inteiro tivesse de repente se virado para mim, com o objetivo de me ridicularizar e de me fazer desistir de todo o desejo de levar adiante a sugestão feita por Andrew Carnegie.

Eu tive uma bela oportunidade, ali mesmo, de matar essa ambição, antes que ela me dominasse. Mais tarde na vida, depois de analisar milhares de pessoas, descobri que a maioria das ideias morre prematuramente e precisa que um sopro de vida seja injetado nelas por meio de um plano definido de ação imediata. A hora de cuidar de uma ideia é no momento em que ela nasce. Cada minuto que ela vive, maior a chance de sobreviver. O medo da crítica é a base de destruição da maioria das ideias, que nunca chegam às etapas do planejamento e da ação.

Perseverança: o esforço permanente e necessário que gera a fé

Muita gente acredita que o sucesso material é o resultado de "golpes de sorte". Essa crença tem uma parte verdadeira, mas aqueles que acham que só dependem da sorte quase sempre se decepcionam, porque deixam de perceber um importante fator, que também precisa estar presente antes que alguém tenha a certeza do sucesso. É saber que os "golpes de sorte" podem ser preparados sob medida.

Durante a Depressão, o comediante W.C. Fields perdeu todo o dinheiro que tinha e acabou sem emprego, sem renda e o meio de vida dele (o teatro de variedades, ou *vaudeville*) deixou de existir. Além do mais, ele já tinha passado dos 60, idade em que muita gente se considera "velha" para qualquer coisa. Estava tão ansioso por voltar a atuar que se ofereceu para trabalhar de graça, num novo campo — o cinema. Além de todos esses problemas, ele ainda caiu e lesionou o pescoço. Para muita gente, essa seria a hora certa para ele desistir de tudo. Mas Fields perseverou. Ele sabia que, se continuasse, acabaria tendo "golpes de sorte" mais cedo ou mais tarde. E ele teve — mas não foi por acaso.

Marie Dressier se viu numa pior, sem dinheiro, sem emprego e prestes a completar 60 anos. Ela também estava atrás de um "golpe de sorte", e conseguiu. A perseverança dela proporcionou um triunfo impressionante numa fase tardia da vida, muito tempo depois que a maioria das pessoas já abriu mão de qualquer ambição de realizar alguma coisa.

Eddie Cantor perdeu tudo o que tinha no crash da Bolsa de 1929, mas continuou munido de persistência e coragem. Com isso, e mais um belo par de olhos, ele conseguiu voltar a ganhar 10 mil dólares por semana! O fato é que, se uma pessoa for dotada de persistência, pode se dar bastante bem na vida, mesmo sem muitas outras qualidades.

O único "golpe de sorte" em que se pode confiar é aquele em que a própria pessoa cria. E eles chegam através da perseverança. E o ponto de partida é um objetivo bem-definido.

Analise as cem primeiras pessoas que você encontrar, pergunte a elas o que mais querem da vida e 98% não vão conseguir lhe dizer. Se pressioná-las exigindo uma resposta, muitas vão dizer segurança, dinheiro, outras vão dizer felicidade, fama, poder, reconhecimento social, uma vida mais fácil, talento para cantar, dançar, escrever, mas nenhuma vai ser capaz de definir exatamente o que quer dizer, ou dar a menor indicação de que existe um plano pelo qual esperam atingir esses desejos excessivamente vagos. A riqueza não responde a parcos desejos. Ela só responde a planos definidos, apoiados em desejos igualmente bem-estipulados e na mais absoluta perseverança.

COMO DESENVOLVER A PERSEVERANÇA

Quatro passos bem simples podem fazê-lo cultivar o hábito da persistência. Eles não exigem muita inteligência, nem muita educação — apenas um pouco de tempo e esforço. Esses passos, tão necessários, são:

1. Um propósito definido, apoiado por um desejo ardente de que ele se realize.
2. Um plano bem-definido, que contenha ações continuadas.
3. Uma mente hermeticamente fechada contra todas as influências negativas e desanimadoras, aí incluídas as de parentes, amigos e colegas.
4. Uma aliança amistosa com uma ou mais pessoas que o incentivem a dar sequência aos seus planos e seu objetivo.

Esses quatro passos são fundamentais para o sucesso, independentemente do seu negócio ou profissão. Todo o objetivo dos 13 princípios dessa filosofia é capacitar a pessoa a *se habituar* a adotar esses quatro passos.

Esses são os passos que permitem uma pessoa a controlar o próprio destino financeiro.

Esses são os passos que levam à riqueza, em maior ou menor grau.

Eles abrem caminho para o poder, a fama e o reconhecimento do mundo.

São quatro passos que garantem que os "golpes de sorte" vão vir.

São os passos que convertem sonhos numa realidade física.

E que levam ao domínio sobre o medo, o desânimo e a indiferença.

Há uma recompensa magnífica para os que aprenderem a dar esses passos. É o privilégio de escrever a própria história e fazer a vida pagar o preço que desejamos.

Não tenho como apurar esses fatos, mas me arrisco a dizer que o grande amor que a Srta. Wallis Simpson* nutria por um determinado homem não foi mero acaso, nem resultado de um simples "golpe de sorte". Em cada etapa do caminho, ela se nutriu de um desejo ardente e de uma busca muito bem-realizada. O compromisso dela maior era com o amor. Qual é a coisa mais importante da Terra? O Mestre disse que era o amor — não as regras dos homens, as críticas, a amargura, a calúnia, ou os "casamentos" arranjados, mas o amor.

---

* Socialite americana (1896-1986), que, divorciada, envolveu-se num relacionamento com o rei Eduardo VIII, da Inglaterra, o que acabou abrindo uma crise constitucional no Reino Unido e a abdicação dele do trono, em 1936, para se casar "com a mulher que amava". (*N. do T.*)

Ela sabia o que queria, não depois de ter conhecido o príncipe de Gales, mas muito antes disso. Nas duas vezes em que fracassou em encontrar o amor, ela teve a coragem de continuar a busca. "Sejas verdadeira consigo, e daí virá a consequência, como a noite segue o dia, que não poderás ser falsa com homem algum."

Deixar de ser uma pessoa desconhecida foi um processo lento, gradual e persistente — mas certeiro! Ela conseguiu triunfar, mesmo diante de uma chance mínima. E não importa quem você seja, ou o que pense de Wallis Simpson, ou do rei que abdicou do trono pelo amor dessa mulher, ela é um exemplo magnífico de perseverança e aplicação, uma verdadeira professora das regras da autodeterminação, das quais o mundo inteiro pode tirar lições proveitosas.

Quando pensar em Wallis Simpson, pense numa mulher que sabia o que queria e que, para conseguir, sacudiu o maior império da face da Terra. As mulheres que vivem reclamando que esse é um mundo machista, que elas não têm as mesmas chances de vencer, devem a si mesmas a tarefa de estudar dedicadamente a vida dessa figura extraordinária, que, numa idade em que a maioria das mulheres se considera "velha", conquistou o afeto do solteiro mais cobiçado do mundo.

E o que dizer do rei Eduardo? Que lição podemos tirar do papel dele no maior drama que o mundo acompanhou nesses últimos tempos? Será que ele pagou um preço alto demais pelo afeto da mulher que escolheu?

Evidentemente, só ele pode dar a resposta.

O restante de nós só pode fazer especulações. O que sabemos é que o rei não nasceu porque quis. Foi herdeiro de uma grande fortuna, sem tê-la pedido. Era perseguido insistentemente por políticos e estadistas da Europa inteira que atiravam princesas e dotes aos pés dele. Por ser o filho mais velho, iria herdar uma coroa que ele não ambicionou e talvez nem quisesse. Por mais de 40 anos, não foi dono da própria vida, não podia viver como bem entendesse, teve pouquíssima privacidade e finalmente teve que ver certas funções serem largadas sobre ele, quando ascendeu ao trono.

Alguns de vocês irão dizer: "Com tantas bênçãos, o rei Eduardo devia ser uma pessoa serena, contente e cheia de alegria."

Mas a verdade é que por trás de todos os privilégios da coroa, de todo o dinheiro, fama e poder herdados por Eduardo VIII, havia um vazio que só podia ser preenchido pelo amor.

O maior desejo dele era o amor. Muito antes de conhecer Wallis Simpson, ele, com certeza, sentiu essa grande emoção universal puxar os fios do coração e bater na porta dele, lutando para se expressar.

E quando encontrou uma alma gêmea, clamando pelo mesmo Sagrado privilégio de expressão, ele a reconheceu e, sem medo ou desculpa, abriu o coração e deixou que ela entrasse. Todos os criadores de escândalos do mundo não puderam destruir a beleza desse verdadeiro drama internacional, de duas pessoas que encontraram o amor e tiveram a coragem de enfrentar críticas abertas e renunciar a tudo para conferir uma expressão *sagrada* a esse amor.

A decisão de Eduardo VIII de abdicar do trono do império mais poderoso do mundo, pelo privilégio de seguir pelo resto da vida com a mulher que escolheu, foi uma decisão que exigiu coragem. A decisão também teve um preço, mas quem vai dizer que foi um preço caro demais? Certamente não Ele, que disse: "Quem não tiver pecado que atire a primeira pedra."

Como uma pequena sugestão à pessoa maldosa disposta a difamar o duque de Windsor porque desejava o amor e o declarou abertamente a Wallis Simpson, chegando a abdicar do trono inglês por ela, lembre-se de que a declaração aberta não era essencial. Ele poderia ter seguido o velho costume de manter uma relação clandestina, comum na Europa através dos séculos, sem abrir mão nem do trono nem da mulher que escolheu, e ninguém da Igreja ou das instituições seculares teria reclamado. Mas esse homem extraordinário era feito de um material mais nobre. O amor dele era puro, profundo e sincero. Representava a única coisa que ele realmente desejava acima de tudo, e por isso ele agarrou o que queria e pagou o preço que lhe foi exigido.

Se nos últimos cem anos a Europa tivesse sido agraciada com mais regentes com o coração humano e a honestidade do outrora rei Eduardo, aquele infeliz continente, hoje encharcado de ódio, ganância, luxúria, complacência política e ameaças de guerra, teria uma história bem melhor e diferente para contar. Uma história regida pelo amor, e não pelo ódio.

Com as palavras de Stuart Austin Wier, ergamos nossas taças e façamos um brinde ao ex-rei Eduardo e Wallis Simpson:

"Abençoado é o homem que percebeu que nossos pensamentos mudos são nossos pensamentos mais doces.

"Abençoado é o homem que, nas profundezas mais profundas, pode vislumbrar a luminosa figura do amor e, ao vê-la, cantar; e cantando, dizer: 'Mais doce que eu posso dizer são os pensamentos que tenho por você.'"

Com essas palavras, rendemos nossa homenagem às duas pessoas que, mais do que todas as outras da época atual, foram vítimas de críticas e ofensas, simplesmente porque encontraram o maior tesouro da Vida, e se apossaram dele.*

---

* A Srta. Simpson leu e aprovou esta análise. (*N. do A.*)

Perseverança: o esforço permanente e necessário que gera a fé

A maior parte do mundo vai aplaudir o duque de Windsor e Wallis Simpson por causa da perseverança que demonstraram até encontrar a maior recompensa da vida. Todos nós podemos lucrar seguindo o exemplo deles na nossa própria busca pelo que pedimos da vida.

Que poder místico confere às pessoas persistentes a capacidade de fazer frente às dificuldades? Será que a qualidade da perseverança prepara a mente de alguém de algum modo espiritual, mental, ou provoca alguma atividade química que lhe permite acessar as forças sobrenaturais? Será que a Inteligência Infinita se coloca ao lado da pessoa que continua sempre lutando, mesmo depois de a batalha ter sido perdida, quando o mundo inteiro está do lado contrário?

Essas e outras perguntas semelhantes passaram pela minha mente enquanto eu via homens como Henry Ford criar um império industrial de grandes proporções, começando com nada além da persistência. Ou Thomas Alva Edison, que, com menos de três meses de educação formal, se tornou o maior inventor do mundo e converteu a perseverança numa máquina de ditar, numa máquina de fazer filmes, na lâmpada incandescente, isso para não falar de outra meia centena de invenções úteis.

Tive o feliz privilégio de poder analisar Edison e Ford, por muito tempo, ano após ano, e assim pude estudá-los de perto, portanto, falo com conhecimento de causa quando digo que nos dois não encontrei nenhuma qualidade que pudesse ser considerada a maior fonte de conquistas extraordinárias a não ser a perseverança.

Quando se faz um estudo imparcial dos profetas, filósofos, "milagreiros" e líderes religiosos do passado, chega-se à conclusão inevitável de que a perseverança, o esforço concentrado e um objetivo definido foram as maiores fontes de realizações.

Veja, por exemplo, a estranha e fascinante história de Maomé. Analise a vida dele, compare-o com os grandes realizadores da nossa era industrial e financeira, e observe como todos têm uma característica marcante em comum — a perseverança!

Se estiver realmente interessado em estudar o estranho poder que dá tanta força à perseverança, leia uma biografia de Maomé, especialmente a de Essad Bey. Essa breve resenha do livro, escrita por Thomas Sugrue para o *Herald-Tribune*, lhe dará um pequeno trailer da delícia que espera os que se derem o trabalho de ler a história inteira de um dos exemplos mais fantásticos do poder da persistência que a civilização já viu.

O ÚLTIMO GRANDE PROFETA
Resenha de Thomas Sugrue

"Maomé foi profeta, mas nunca fez milagre. Ele não era místico. Não tinha educação formal. Só iniciaria a missão dele depois dos 40 anos. Quando anunciou que era um Mensageiro de Deus, que trazia a palavra da verdadeira religião, foi chamado de maluco e ridicularizado. As crianças esticavam o pé para ele tropeçar e as mulheres jogavam lixo em cima dele. Foi banido da cidade natal, Meca, e os seguidores dele foram destituídos de todos os bens materiais e mandados para o deserto com ele. Depois de pregar por dez anos, ainda não tinha o que mostrar, a não ser o fato de ter ficado pobre, sido exposto ao ridículo e banido. No entanto, antes que mais dez anos se passassem, já era conhecido por toda a Arábia, o regente de Meca, e líder de uma religião do Novo Mundo que se alastraria até o rio Danúbio e os montes Pireneus antes de se esgotar o ímpeto lançado por ele. E esse ímpeto se assentou em três pilares: o poder da palavra, a eficácia das orações e o parentesco do homem com Deus.

"A carreira dele nunca fez muito sentido. Maomé era o filho de um ramo pobre de uma importante família de Meca. Como Meca — a esquina do mundo, sítio da pedra mágica chamada Caaba, grande cidade comercial e centro de muitas rotas comerciais — era uma cidade insalubre, as crianças eram enviadas ao deserto para serem educadas pelos beduínos. Foi assim que Maomé foi criado, tirando força e saúde do leite de mães nômades e dedicadas. Era pastor de ovelhas e logo foi contratado para ser o líder das caravanas de uma viúva rica. Viajou para todas as partes do Oriente, conversou com pessoas de crenças muito diferentes e observou o declínio do cristianismo em várias facções que se digladiavam. Quando ele tinha 28 anos, Khadija, a viúva, o elegeu e se casou com ele. Como o pai dela não iria concordar com um casamento desses, ela o embebedou e o manteve de pé, enquanto ele dava a bênção de pai. Pelos 12 anos seguintes, Maomé viveu como rico comerciante, respeitado e muito astuto. Então ele começou a vagar pelo deserto, e um dia voltou com a primeira estrofe do Corão e contou a Khadija que o arcanjo Gabriel havia aparecido para ele e dito que ele devia ser o Mensageiro de Deus.

"O Corão, a palavra revelada de Deus, foi a coisa que mais se assemelhou a um milagre na vida de Maomé. Ele jamais fora poeta. Não tinha habilidade com as palavras. No entanto, os versículos do Corão, como ele os recebeu e recitou aos fiéis, eram melhores do que qualquer verso que os poetas profissionais das tribos eram capazes de redigir. Para os árabes, foi um milagre. Para eles, o dom da palavra era o maior de todos, e o poeta se tornou o todo-poderoso. Além disso, o Corão dizia que todos os homens são iguais diante de Deus, e que o mundo devia ser um estado democrático — o Islã. Foi essa heresia política, além do desejo de Maomé de destruir 360 ídolos na praça da Caaba, que o levou ao exílio. Os ídolos traziam as tribos do deserto até Meca, e isso era sinônimo de bons negócios. E assim os comerciantes de Meca, os capitalistas — e Maomé havia sido um deles — se perfilaram contra o profeta. Então, ele se retirou para o deserto e exigiu ser soberano do mundo inteiro.

"Começou, assim, a ascensão do Islã. Do deserto veio uma chama que não podia ser apagada — um exército democrático que lutava como um só e que estava preparado para morrer sem reclamar. Maomé convidara os judeus e os cristãos para se unirem a ele, pois o objetivo não era fundar uma nova religião. Ele conclamava a todos que acreditassem num só Deus a se unirem numa única fé. Se os judeus e os cristãos tivessem aceitado o convite, o islamismo teria conquistado o mundo. Mas eles não aceitaram. Não aceitaram sequer as inovações que Maomé trouxe para a guerra entre os homens. Quando os exércitos do profeta invadiram Jerusalém, nenhuma pessoa foi morta por causa da fé. Quando os cruzados tomaram a cidade, séculos depois, nenhum homem, mulher ou criança muçulmana foi poupada. Mas os cristãos aceitaram uma ideia dos muçulmanos: o lugar de aprendizado — as universidades."

CAPÍTULO 10

O PODER DA MENTE MESTRA: A FORÇA MOTRIZ

O nono passo para a riqueza

O PODER É FUNDAMENTAL para se ter sucesso na acumulação de dinheiro.

Qualquer plano será inerte e inútil se não houver poder suficiente para transformá-lo em ação. Este capítulo descreverá o método pelo qual uma pessoa é capaz de obter e exercer o poder.

O poder pode ser definido como "o conhecimento organizado e dirigido com inteligência". O poder, da maneira como a palavra é aqui usada, refere-se a um esforço organizado, suficiente para permitir que uma pessoa transforme o desejo no equivalente financeiro. Esse esforço organizado é obtido a partir de uma coordenação de esforços de duas ou mais pessoas, que trabalham juntas para um determinado fim, num espírito de harmonia.

O poder é necessário para a acumulação de dinheiro! O poder é necessário para manter o dinheiro depois dele ter sido acumulado!

Vamos esclarecer como o poder pode ser adquirido. Se poder é um "conhecimento organizado", examinemos primeiro as fontes desse conhecimento:

a) *Inteligência infinita.* Essa fonte de conhecimento pode ser contatada por meio do procedimento descrito em outro capítulo, com a ajuda da Imaginação Criativa.
b) *Experiência acumulada.* A experiência acumulada dos seres humanos (ou pelo menos a parte que foi organizada e registrada) pode ser encontrada em qualquer biblioteca pública de bom nível. Parte importante dessa experiência acumulada é ensinada em escolas e universidades públicas, onde foi classificada e organizada.
c) *Pesquisa e experiência.* No campo da ciência, assim como em praticamente todos os outros ramos do conhecimento, as pessoas estão reunindo, classificando e organizando fatos novos diariamente. Essa é a fonte para a qual temos que nos virar, quando o conhecimento ainda não está disponível como "experiência acumulada". Aqui, também a Imaginação Criativa deve ser utilizada com frequência.

O conhecimento pode ser adquirido a partir de qualquer uma das fontes acima. Pode ser convertido em poder se for organizado em planos bem-definidos que sejam colocados em ação.

Um exame das três principais fontes de conhecimento revela prontamente a dificuldade que uma pessoa teria, se dependesse apenas dos próprios esforços, para reunir todo esse conhecimento e expressá-lo em planos bem-definidos, que pudessem ser postos em prática. Se os planos dela forem ambiciosos, ela geralmente terá que convencer outras pessoas a cooperar, antes de injetá-los com o necessário elemento do poder.

CONQUISTANDO O PODER PELA "MENTE MESTRA"

A Mente Mestra pode ser definida da seguinte maneira: "Uma coordenação de esforço e conhecimento, num espírito de harmonia, entre duas ou mais pessoas, para se alcançar um objetivo definido."

Nenhuma pessoa pode ter grande poder sem utilizar uma Mente Mestra. Num capítulo anterior, foram dadas instruções sobre a criação dos planos para transformar um desejo no equivalente monetário. Se você puser em prática essas instruções com perseverança e inteligência, e escolher bem o seu grupo de Mente Mestra, já terá meio caminho andado em direção ao seu objetivo, antes que se dê conta disso.

Para você compreender o potencial "intangível" do poder que terá disponível por meio de uma Mente Mestra bem-escolhida, vamos explicar aqui duas características do princípio da Mente Mestra: uma, de natureza econômica, e a outra, espiritual. A característica econômica é óbvia. Uma vantagem econômica pode ser obtida a partir de qualquer pessoa que se cerque dos conselhos, da orientação e da cooperação pessoal de um grupo de pessoas dispostas a ajudá-lo de todo o coração, num espírito de perfeita harmonia. Essa forma de aliança cooperativa é a base de quase todas as grandes fortunas existentes. O fato de você compreender essa grande verdade pode ser determinante para sua situação financeira.

A fase espiritual do princípio da Mente Mestra é bem mais abstrata e difícil de se compreender, porque diz respeito a forças espirituais que a raça humana, em geral, não conhece direito. Mas você pode ter uma boa ideia do que estou falando a partir da seguinte frase: "Duas mentes nunca se juntam sem criarem uma terceira força, invisível e intangível, com as características de uma terceira mente."

Tenha sempre em mente o fato de que só existem dois elementos conhecidos no universo: matéria e energia. É fato notório que a matéria pode ser dividida em unidades — moléculas, átomos e elétrons. Há unidades de matéria que podem ser isoladas, separadas e analisadas.

O mesmo acontece com as unidades de energia.

A mente humana é uma forma de energia, sendo que parte dela é de natureza espiritual. Quando as mentes de duas pessoas são coordenadas num espírito de harmonia, as unidades espirituais de energia de cada uma delas criam uma afinidade, que constitui a parte "espiritual" da Mente Mestra.

O princípio da Mente Mestra, ou melhor, a característica econômica, foi mostrado para mim pela primeira vez por Andrew Carnegie há mais de 25 anos. A descoberta desse princípio foi responsável por eu ter escolhido essa linha de trabalho para a minha vida.

A Mente Mestra do Sr. Carnegie se compunha de um grupo formado por cerca de cinquenta homens, dos quais ele se cercava, com o objetivo definido de fabricar e comercializar aço. E ele atribui toda a sua fortuna ao poder que acumulou através dessa Mente Mestra.

Verifique o currículo de qualquer pessoa que tenha acumulado uma grande fortuna, e muitas que acumularam uma fortuna menor, e verá que elas se utilizaram, consciente ou inconscientemente, do princípio da Mente Mestra.

Não se pode acumular grande poder a não ser por este princípio!

A energia é o material de trabalho da Natureza, com o qual ela constrói todas as coisas materiais do universo, inclusive o ser humano, e toda forma de vida animal ou vegetal. Por um processo que só a própria Natureza compreende inteiramente, ela transforma a energia em matéria.

Esse "material de construção" da Natureza está disponível para as pessoas com a energia presente nos pensamentos! O cérebro de uma pessoa pode ser comparado a uma bateria. Ele absorve a energia do éter, que permeia todos os átomos, de todas as matérias, e preenche a totalidade do universo.

É inegável que um grupo de baterias elétricas vai gerar mais energia do que uma única bateria. Assim como também é inegável que uma bateria sozinha vai gerar uma energia proporcional à quantidade e capacidade das células que contiver.

O cérebro funciona de maneira semelhante. E isso explica por que alguns cérebros são bem mais eficientes que outros, o que por sua vez leva a uma afirmação significativa: um grupo de cérebros coordenados (ou conectados) num espírito de harmonia, assim como um grupo de baterias elétricas, vai gerar mais energia do que uma única bateria.

Com essa metáfora, fica absolutamente claro por que o princípio da Mente Mestra guarda o segredo do poder exercido pelas pessoas que se cercam de outros bons cérebros.

A isso se segue mais uma constatação, que vai nos aproximar ainda mais da parte espiritual do princípio da Mente Mestra: quando um grupo de cérebros se coordena e funciona em harmonia, o aumento de energia gerado por essa aliança passa a estar disponível para todos os cérebros daquele grupo.

É fato conhecido que Henry Ford começou a carreira no mundo dos negócios pobre, ignorante e analfabeto. Também é sabido que, num período incrivelmente curto de dez anos, o Sr. Ford já havia superado as três dificuldades citadas e que, em 25 anos, havia se tornado um dos homens mais ricos dos Estados Unidos. Adicione a isso o conhecimento de que os passos mais rápidos do Sr. Ford aconteceram depois que ele se tornou amigo pessoal de Thomas Edison e você vai começar a entender a influência que uma mente pode exercer sobre outra. Dê mais um passo e descubra que as realizações mais extraordinárias do Sr. Ford vieram depois que ele conheceu Harvey Firestone, John Burroughs e Luther Burbank (todos eles homens de grande capacidade mental) e você terá mais uma prova do poder que pode ser produzido a partir de uma aliança amigável de mentes.

Não há dúvida alguma de que Henry Ford seja uma das pessoas mais bem-informadas no mundo industrial e dos negócios. Ninguém discute a riqueza dele. Analise agora os amigos mais íntimos do Sr. Ford — alguns dos quais foram aqui citados — e você será capaz de compreender a seguinte afirmação: "As pessoas assumem a natureza, os hábitos e a maneira de pensar daquelas com quem se associam, num espírito de simpatia e harmonia."

Henry Ford deixou para trás a pobreza, o analfabetismo e a ignorância aliando-se a grandes mentes, cujas vibrações de pensamento ele absorveu. Por meio das associações com Edison, Burbank, Burroughs e Firestone, o Sr. Ford adicionou à sua própria capacidade o suprassumo da inteligência, da experiência, dos conhecimentos e da força espiritual desses homens. Além disso, ele se apropriou do princípio da Mente Mestra e o utilizou, por meio do procedimento narrado neste livro.

E agora esse princípio está à sua disposição!

Já falamos aqui de Mahatma Gandhi. Talvez a maioria das pessoas que tenha ouvido falar de Gandhi o vejam apenas como um velhinho excêntrico, que anda por aí sem roupas formais criando problemas para o governo britânico.

Na verdade, Gandhi não tem nada de excêntrico — é um dos seres humanos mais poderosos do mundo (estimando-se pelo número de seguidores que acreditam na liderança dele). Além do mais, ele talvez seja o ser humano mais poderoso que já existiu. O poder dele pode ser passivo, mas é real.

Analisemos o método pelo qual ele adquiriu esse esplêndido poder. Podemos explicar em poucas palavras. Ele obteve o poder induzindo 200 milhões de pessoas a coordenar corpo e mente, num espírito de harmonia, na busca de um objetivo definido.

Resumindo: Gandhi operou um milagre, porque é realmente um milagre quando 200 milhões de pessoas podem ser induzidas — e não forçadas — a cooperar num espírito de harmonia por um período indeterminado de tempo. Se ainda estiver em dúvida de que se trata de um milagre, tente convencer duas pessoas quaisquer a cooperar num espírito de harmonia *por qualquer período de tempo*.

Qualquer pessoa que já tenha administrado um negócio sabe o quanto é difícil fazer com que os funcionários trabalhem juntos num espírito que minimamente pareça ser de harmonia.

A lista das principais fontes de onde se pode extrair o poder começa, como já vimos, pela Inteligência Infinita. Quando duas ou mais pessoas coordenam esforços dentro de um espírito harmônico e trabalham em direção a um objetivo definido, elas se colocam, por meio dessa aliança, em tal posição que conseguem absorver o poder diretamente desse grande estoque universal que é a Inteligência Infinita. Essa é a maior de todas as fontes de poder. É a fonte à qual o gênio recorre. É a fonte à qual todo grande líder recorre — esteja ele consciente disso ou não.

As outras duas grandes fontes da qual se extrai o conhecimento, e que são necessárias para a acumulação de poder, não são mais confiáveis que nossos cinco sentidos. E eles nem sempre são confiáveis. Já a Inteligência Infinita não erra nunca.

Nos próximos capítulos, iremos descrever melhor os métodos pelos quais a Inteligência Infinita pode ser acionada com mais facilidade.

Este livro não é um curso de religião. Nenhum princípio fundamental descrito aqui deve ser utilizado para interferir, direta ou indiretamente, nos hábitos religiosos das outras pessoas. Este livro se restringe exclusivamente a ensinar uma forma para o leitor transformar o objetivo definido desejado em dinheiro ou algum equivalente monetário.

Leia, *pense* e medite à medida que for lendo. Logo, logo, todo esse assunto terá sido apresentado a você e poderá ser visto como um todo. No momento, você só está acompanhando os detalhes dos capítulos individuais.

O dinheiro é tão tímido e evasivo como as "donzelas" de antigamente. Ele precisa ser seduzido e ganho por métodos que acabam não sendo muito diferentes dos utilizados por um amante determinado, que corteja a eleita. E, coincidência ou não, o poder usado para "seduzir" o dinheiro não é muito diferente do que se usa para cortejar uma donzela. Esse poder, quando bem-utilizado na busca pelo dinheiro, precisa ser misturado com a fé. Precisa ser misturado ao desejo. Precisa ser misturado com a perseverança. E precisa ser posto em prática por meio de um plano. Tem que virar uma ação.

Quando o dinheiro chega "numa enxurrada", ele flui para quem o acumula com a mesma facilidade com que a água corre montanha abaixo. Existe um grande fluxo invisível de poder, que pode ser comparado a um rio — exceto pelo fato de que um lado corre numa direção, dragando todos os que entram daquele lado na direção da riqueza, e o outro corre na direção oposta, carregando todos os infelizes que nele entram (e que não conseguem se livrar dele) numa espiral negativa de pobreza e miséria.

Toda pessoa que acumulou uma grande fortuna conhece muito bem esse fluxo de vida. Ele se baseia no que a pessoa pensa. As emoções positivas do pensamento formam aquele lado do rio que leva à fortuna. As emoções negativas formam o lado que leva à pobreza.

Isso é de importância capital para quem estiver lendo este livro com o objetivo de acumular fortuna.

Se estiver daquele lado do rio que leva à pobreza, o livro pode servir como um remo, com o qual você pode se esforçar para chegar à outra margem. Mas só vai servir se você efetivamente utilizá-lo na prática. Só ler e fazer algumas elucubrações não vai lhe levar a lugar algum.

Algumas pessoas se alternam entre os lados positivo e negativo do rio, ficando às vezes no lado positivo e, outras vezes, no negativo. O crash de 1929 carregou milhões de pessoas do lado positivo para o

O poder da mente mestra: a força motriz

negativo. Esses milhões de pessoas hoje estão lutando, algumas delas desesperadas e mortas de medo, para voltar outra vez para o lado positivo. Este livro foi escrito principalmente para esses milhões.

A pobreza e a riqueza muitas vezes trocam de lugar. O crash ensinou essa verdade ao mundo, apesar de saber que o mundo não vai guardá-la na memória por muito tempo. A pobreza pode — e muitas vezes isso acontece — tomar o lugar da riqueza. Quando a riqueza toma o lugar da pobreza, isso geralmente acontece devido a PLANOS bem-concebidos e executados. Já a pobreza não tem que planejar nada. Não precisa da ajuda de ninguém, porque ela toma espaço e é impiedosa.

Já a riqueza é tímida. Precisa ser "atraída".

> QUALQUER UM tem o direito de QUERER ser rico — aliás, a maioria das pessoas quer —, mas muito poucos sabem que um plano bem-definido, somado a um DESEJO ARDENTE de riqueza, é o único caminho confiável que se tem para acumular dinheiro.

CAPÍTULO 11
O MISTÉRIO DA TRANSMUTAÇÃO SEXUAL

O décimo passo para a riqueza

O SIGNIFICADO DA PALAVRA "transmutar" é, em termos simples, "mudar, ou transferir um elemento, ou tipo de energia, para outro".

A emoção do sexo gera um estado de espírito.

Por causa da ignorância que existe em relação a esse assunto, esse estado de espírito é geralmente associado ao físico e, por causa de influências inadequadas, às quais a maioria das pessoas está sujeita, a mente ficou totalmente condicionada a encarar somente o lado físico do sexo.

Na verdade, a emoção do sexo apresenta três possibilidades construtivas. São elas:

1. A perpetuação da raça humana.
2. A manutenção do bem-estar físico (como agente terapêutico, não há nada melhor).
3. A transformação da mediocridade em genialidade, por meio da transmutação.

O mistério da transmutação sexual

A transmutação sexual é algo muito simples e fácil de se explicar. Significa desligar a mente da expressão física do sexo e conectá-la a pensamentos de outra natureza.

O desejo sexual é o mais poderoso do ser humano. Guiado pelo desejo, ele atiça a imaginação das pessoas — e também a coragem, a força de vontade, a perseverança e a capacidade criativa de um jeito que elas não se julgariam capazes. O desejo e o ímpeto sexual são tão fortes que as pessoas chegam a arriscar a própria vida e a reputação para dar vazão a eles. Quando redirecionada a outras frentes (e bem-utilizada), essa força motriz mantém todos os atributos de coragem, vivacidade de imaginação etc., que podem ser utilizados como forças poderosas e criativas nas artes, na literatura ou em qualquer ofício ou profissão, inclusive na acumulação de riqueza.

A transmutação da energia sexual exige força de vontade, evidentemente, mas a recompensa vale o esforço. O desejo de expressão sexual é natural — ele nasce com as pessoas. Esse desejo não pode ser abafado ou eliminado. Mas deve ter mecanismos de expressão que enriqueçam o corpo, a mente e o espírito das pessoas. Se, pela transmutação, ele não dispuser desses mecanismos, vai procurar se expressar pelos canais exclusivamente físicos.

Um rio pode ser represado e a água controlada por algum tempo, mas, no fim, ela vai acabar forçando uma saída. O mesmo vale para a emoção do sexo. Ela pode ser abafada e controlada por algum tempo, mas a própria natureza exige que ela esteja sempre procurando um forma de expressão. Se não for transmutada em alguma atividade criativa, vai acabar encontrando uma forma de vazão menos nobre.

Bem-aventurada é a pessoa que descobriu como dar vazão à emoção do sexo por meio de algum esforço criativo, porque, com essa descoberta, ela se ergue à categoria de gênio.

A pesquisa científica revelou os seguintes fatos significativos:

1. Os homens mais realizadores são aqueles cuja natureza sexual é a mais desenvolvida; aqueles que aprenderam a arte da transmutação sexual.
2. Os homens que acumularam as maiores fortunas e que obtiveram o maior reconhecimento na literatura, nas artes, na arquitetura e nas demais profissões foram motivados pela influência de uma mulher.

A pesquisa na qual se baseia essa impressionante descoberta voltou mais de 2 mil anos nas páginas da história e das biografias de pessoas notáveis. Sempre que havia indícios disponíveis sobre as vidas particulares das pessoas altamente realizadoras, a indicação mais convincente é que elas possuíam naturezas sexuais extremamente desenvolvidas.

A emoção do sexo é uma "força irresistível", contra a qual não pode haver oposição de um "corpo imóvel". Quando conduzidas por essa emoção, as pessoas são agraciadas com superpoderes para a ação.

Compreenda essa verdade e você vai entender o significado da frase em que eu disse que a transmutação do sexo eleva a pessoa à categoria de gênio.

A emoção do sexo contém o segredo da habilidade criativa. Prova disso é o que acontece com qualquer animal que seja castrado. Um touro passa a ter a mesma docilidade de uma vaca, depois de ter sido sexualmente alterado. A alteração sexual tira do macho — homem ou animal — todo o instinto de luta que há dentro dele. A alteração sexual da fêmea tem o mesmo efeito.

OS DEZ ESTÍMULOS MENTAIS

A mente humana responde a estímulos, pelos quais ela pode ser "instada" a atingir um alto grau de vibração, o que chamamos de entusiasmo, imaginação criativa, desejo intenso etc. Os estímulos aos quais a mente responde mais livremente são:

1. O desejo de expressão sexual.
2. Amor.
3. Um desejo ardente por fama, poder, lucro financeiro ou dinheiro.
4. Música.
5. Amizade (com pessoas do mesmo sexo ou do sexo oposto).
6. Uma aliança de Mente Mestra, baseada na harmonia de duas ou mais pessoas que se juntam para o progresso espiritual ou secular.
7. Sofrimento mútuo, como o experimentado por pessoas que são perseguidas.
8. Autossugestão.
9. Medo.
10. Álcool e entorpecentes.

O desejo de expressão sexual vem no alto da lista dos estímulos que mais "aceleram" as vibrações da mente e fazem girar as "rodas" da ação física. Oito desses estímulos são naturais e construtivos. Dois são destrutivos. Esta lista é apresentada aqui com o objetivo de permitir que você faça um estudo comparativo das maiores fontes de estimulação mental. Com esse estudo, logo se verá que a emoção do sexo é, de longe, a mais intensa e poderosa de todos os estímulos mentais.

Essa comparação é necessária para demonstrar a afirmação de que a transmutação da energia sexual pode elevar alguém à categoria de gênio. Vejamos de que consiste a genialidade.

Um espertinho qualquer disse que um gênio é um homem "de cabelos longos, que come uns alimentos esquisitos, vive sozinho e serve de alvo para as piadas dos outros". Talvez uma melhor definição de gênio seja "uma pessoa que descobriu como aumentar a vibração do pensamento, de modo a conseguir se comunicar livremente com fontes de sabedoria que não estão disponíveis na vibração habitual".

Um ser humano pensante vai querer saber algumas coisas sobre essa definição de gênio. A primeira seria: "Como é que alguém pode se comunicar com as fontes de sabedoria que não estão disponíveis na vibração comum do pensamento?"

E a pergunta seguinte poderia ser: "Existem fontes de sabedoria disponíveis só para os gênios? Em caso afirmativo, que fontes são essas e como, exatamente, elas podem ser acessadas?"

Nós vamos provar aqui algumas das afirmações mais importantes feitas neste livro — ou pelo menos dar indícios suficientes para que você mesmo comprove o que dizemos, com suas próprias experiências. Com isso, passemos à resposta das duas perguntas.

O "GÊNIO" SE DESENVOLVE PELO SEXTO SENTIDO

A existência de um "sexto sentido" já foi razoavelmente comprovada. O sexto sentido é a "Imaginação Criativa". A grande maioria das pessoas jamais se utiliza dessa faculdade, a vida inteira. Um número relativamente pequeno de pessoas faz uso, deliberada e propositadamente, da imaginação criativa. Os que dela se utilizam voluntariamente, e compreendem essas funções, são os gênios.

A imaginação criativa é a ligação direta entre a mente finita do ser humano e a Inteligência Infinita. Todas as chamadas "revelações", que normalmente estão no campo da religião, e todas as descobertas de princípios novos e elementares no campo da invenção acontecem por causa dessa faculdade.

Quando ideias ou conceitos entram na mente de alguém, por meio daquilo que costumamos chamar de "instinto", eles partem de uma dessas fontes:

1. Inteligência Infinita.
2. Da mente subconsciente, onde ficam armazenadas todas as impressões coletadas pelos sentidos e pelos impulsos de pensamento que chegaram ao cérebro através dos cinco sentidos.
3. Da mente de outra pessoa que tenha acabado de lançar esse pensamento, ou visualizado a ideia/conceito por meio do pensamento consciente.
4. Do armazém subconsciente de outra pessoa.

Não há outras fontes conhecidas de onde as ideias "inspiradas" ou "instintivas" possam ser recebidas.

A imaginação criativa funciona melhor quando a mente está vibrando (devido a algum tipo de estímulo mental), numa velocidade cada vez mais alta; ou seja, quando a mente está funcionando num nível de vibração mais elevado do que o dos pensamentos comuns.

Quando a ação do cérebro foi estimulada, por um ou mais dos dez estímulos mentais, ela tem o efeito de erguer o indivíduo muito acima do horizonte dos pensamentos comuns e permite que ele enxergue ao longe o tamanho e a qualidade dos pensamentos de um jeito que não está disponível no plano mais baixo — como aqueles que ocupam a mente quando nos dedicamos à solução de problemas do dia a dia.

Guardando-se as devidas proporções, quando a pessoa é erguida a esse nível mais alto de pensamento por um estímulo mental qualquer, ela ocupa a mesma posição de alguém dentro de um avião voando tão alto que se pode ver acima e além da linha do horizonte que limitava a visão em terra. Além do mais, quando o indivíduo está nesse nível mais elevado de pensamento, ele não é incomodado nem está preso a nenhum dos estímulos que circunscrevem a visão enquanto ele tem que lidar com os problemas habituais das três necessidades básicas — alimento, vestuário e abrigo —, pois está imerso num mundo de pensamento, onde as angústias comuns do dia a dia foram efetivamente removidas, como são as montanhas e os vales e os outros limites da visão física, quando ele voa de avião.

Enquanto ele estiver nesse plano elevado, a faculdade criativa da mente ganha liberdade de ação. O caminho foi liberado para que o sexto sentido funcione, e a pessoa passa a estar receptiva a ideias que não lhe chegariam em outras circunstâncias. O "sexto sentido" é a faculdade que faz a diferença entre o gênio e a pessoa comum.

A faculdade criativa se torna mais alerta e receptiva às vibrações que se originam fora da mente subconsciente quanto mais ela é utilizada e quanto mais a pessoa nela confia e exige que ela crie impulsos de pensamento. É uma faculdade que só pode ser cultivada e desenvolvida pelo uso.

O que se chama de "consciência" funciona exclusivamente por esta faculdade que é o sexto sentido.

Os grandes artistas, escritores, músicos e poetas se tornaram grandes porque adquiriram o hábito de confiar naquela "vozinha silenciosa" que fala dentro deles, por meio da imaginação criativa. É fato bem conhecido para as pessoas dotadas de uma imaginação "aguçada" que suas melhores ideias são as chamadas "instintivas".

Conheço um grande orador que não atinge a grandeza até a hora em que fecha os olhos e começa a confiar inteiramente na

Imaginação Criativa. Quando perguntaram a ele por que fechava os olhos, logo antes de chegar ao auge da oratória, ele respondeu: "É porque nessa hora eu falo por meio das ideias que vêm de dentro de mim."

Um dos financistas mais conhecidos e bem-sucedidos dos Estados Unidos tinha o hábito de fechar os olhos por uns dois ou três minutos antes de tomar uma decisão. Quando perguntaram por que ele fazia isso, respondeu: "De olhos fechados, sou capaz de me conectar com a fonte da inteligência superior."

O falecido Dr. Elmer R. Gates, de Chevy Chase, Maryland, criou mais de duzentas patentes viáveis, muitas delas elementares, pelo processo de cultivar e utilizar a faculdade criativa. O método dele é significativo e interessante para qualquer pessoa que queira se elevar à categoria de gênio, à qual o Dr. Gates, sem dúvida, pertencia. O Dr. Gates foi um dos grandes cientistas do mundo, embora pouco conhecido e presente na mídia.

Em seu laboratório, ele tinha aquilo que chamava de "quarto de comunicação pessoal". Era praticamente à prova de som e fora feito de tal maneira que toda luz podia ser bloqueada. Dentro, havia uma pequena mesa, com um bloco de anotações. Na parede em frente, havia um dimmer elétrico, pelo qual ele controlava a intensidade da luz. Quando o Dr. Gates queria se utilizar da Imaginação Criativa, ele entrava nesse quarto, se sentava à mesa, apagava todas as luzes e se concentrava nos fatores conhecidos da invenção em que estava trabalhando, permanecendo nessa posição até que as ideias começassem a "espocar" na mente dele, no tocante aos fatores desconhecidos.

Uma vez, as ideias vieram com tanta rapidez que ele se viu obrigado a escrever por quase três horas. Quando os pensamentos pararam de fluir e ele examinou as notas, percebeu que continham uma descrição minuciosa de princípios, sem paralelo nos conhecimentos da ciência. Além do mais, a resposta para o problema dele se apresentava sofisticadamente nessas notas. Foi desse jeito que o Dr. Gates registrou cerca de 200 patentes que começaram — mas não terminaram — em cérebros "em banho-maria". As provas de todas essas afirmações estão no Escritório de Patentes dos Estados Unidos.

Desse jeito, o Dr. Gates ganhava a vida "sentando e captando ideias" para pessoas e empresas. Algumas das maiores corporações dos Estados Unidos pagavam honorários substanciais, por hora, para que ele "sentasse e captasse ideias".

O raciocínio se equivoca com frequência, porque é guiado em larga escala pela experiência acumulada. Nem todo o conhecimento acumulado pela "experiência" é exato. As ideias recebidas pelas faculdades criativas são muito mais confiáveis, pela simples razão de virem de fontes mais confiáveis do que qualquer uma disponível para o mero raciocínio mental.

A maior diferença entre o gênio e o inventor medíocre está no fato de o gênio trabalhar pela faculdade da imaginação criativa, enquanto o comum nem sabe que ela existe. Os inventores científicos (como Edison e o Dr. Gates) se utilizam ao mesmo tempo das faculdades criativas e sintéticas da imaginação.

Por exemplo, o inventor científico, ou "gênio", começa uma invenção organizando e combinando as ideias conhecidas ou princípios acumulados pela experiência, através da faculdade sintética (ou raciocínio). Se descobrir que esses conhecimentos acumulados não são suficientes para completar sua invenção, ele passa a dispor das fontes de conhecimento disponíveis por meio da faculdade *criativa*. O método de trabalho varia, mas aqui vai um resumo do processo de um gênio:

1. Ele estimula a mente, de um modo que ela vibre num plano acima da média, valendo-se de um ou mais dos dez estimulantes citados, ou outro, ao critério dele.

2. Ele se concentra nos fatores conhecidos (o que já está pronto) da invenção e cria na mente uma imagem perfeita dos fatores desconhecidos (o que ainda falta fazer). Ele fixa essa imagem na mente até ela ter ficado gravada no subconsciente, e depois relaxa, esvaziando a mente de todos os pensamentos, e espera a resposta piscar, como num flash.

Às vezes, os resultados são imediatos e definitivos. Noutras, os resultados são negativos, dependendo do estado de desenvolvimento do "sexto sentido", ou faculdade criativa.

Thomas Edison tentou mais de 10 mil combinações de ideias por meio da faculdade sintética da imaginação antes de "se antenar" à faculdade criativa, e acabou tendo a resposta que levou à lâmpada incandescente. O processo foi basicamente o mesmo quando quis produzir a máquina de ditar.

Há muitas provas confiáveis de que a faculdade criativa da imaginação existe. Essas provas estão disponíveis pela análise detalhada de pessoas que se tornaram líderes em seus ramos de atividade, mesmo sem ter muita educação formal. Lincoln foi um notável exemplo de líder que ascendeu à grandeza pela descoberta e posterior utilização da imaginação criativa. Ele descobriu e começou a utilizar essa faculdade em consequência do amor que vivenciou ao conhecer Anne Rutledge — o que é altamente significativo, quando se estuda a fonte da genialidade dele.

As páginas da história estão cheias de grandes líderes cujas realizações podem ser ligadas diretamente à influência de mulheres que despertaram neles a faculdade criativa da mente pelo estímulo do desejo sexual. Um deles foi Napoleão Bonaparte. Enquanto foi inspirado pela primeira mulher, Josephine, ele foi invencível e irresistível. Mas quando "pensou melhor" e o raciocínio fez com que ele descartasse Josephine, começou a entrar em declínio. A derrota e o exílio em Santa Helena não estavam muito longe.

Se não fosse por uma questão de educação, poderíamos citar aqui tranquilamente inúmeros homens, bem conhecidos da população americana, que atingiram o ápice da realização sob a influência estimulante das mulheres, só para se destruírem depois que o dinheiro e o poder subiram à cabeça e eles trocaram a mulher antiga por uma nova. Napoleão não foi o único homem a descobrir que a influência do sexo, *vindo da pessoa certa*, é mais poderosa do que qualquer substituto fácil, criado exclusivamente pela razão.

A mente humana responde aos estímulos que recebe!

Entre os maiores e mais poderosos desses estímulos está o desejo sexual. Quando explorado e transmutado, essa força motriz é capaz de erguer as pessoas às mais altas esferas do pensamento, o que permite que elas dominem as fontes de preocupações e dos pequenos aborrecimentos que as atrapalham no plano inferior.

Infelizmente, só os gênios fizeram essa descoberta. Outros aceitaram a experiência do desejo sexual, sem terem descoberto um dos maiores potenciais deles. E por isso temos inúmeras "pessoas comuns" se comparado ao número limitado de gênios.

Para refrescar a memória, no que diz respeito à biografia de certos homens, apresentamos aqui os nomes de alguns que realizaram feitos notáveis, sendo que todos eram conhecidos por terem uma natureza altamente sexual. O gênio deles, com certeza, teve como fonte a energia sexual transmutada:

George Washington   Thomas Jefferson
Napoleão Bonaparte   Elbert Hubbard
William Shakespeare   Elbert H. Gary

O mistério da transmutação sexual

Oscar Wilde
Woodrow Wilson
Abraham Lincoln
Ralph Waldo Emerson

Robert Burns
John H. Patterson
Andrew Jackson
Enrico Caruso

Você pode utilizar as outras biografias que conhecer para ampliar essa lista. Descubra, se for capaz, um único homem, em toda a história da humanidade, que tenha conquistado um sucesso extraordinário em qualquer profissão, que não tenha sido guiado por uma natureza sexual bem desenvolvida.

Se não quiser confiar nas biografias de pessoas que ainda estão vivas, faça uma lista daquelas que você tem certeza que realizaram grandes feitos e veja se consegue descobrir uma única que não fosse altamente sexualizada.

A energia sexual é a energia criativa de todos os gênios. *Nunca houve, e nunca haverá, um grande líder, empreendedor ou artista no qual a força motriz do sexo esteja ausente.*

E, por favor, não vá pensar que esta afirmação significa que todas as pessoas altamente sexuais são geniais! Alguém só alcança o status de gênio quando — e se — estimula a mente para se abastecer das forças disponíveis por meio da faculdade criativa da imaginação. O primeiro dos estímulos para "acelerar" a vibração é a energia sexual. Mas a simples *posse* dessa energia não é suficiente para produzir um gênio. A energia precisa ser *transmutada* de um desejo por contato físico em *outra forma* de desejo e ação antes que alguém possa ser elevado à categoria de gênio.

Longe de se tornarem gênios, por causa do intenso desejo sexual, a maioria dos homens *acaba se rebaixando* — ao não compreender e não utilizar corretamente essa grande força — ao status de mero animal.

POR QUE AS PESSOAS RARAMENTE FAZEM SUCESSO ANTES DOS 40 ANOS

A partir da análise que fiz de 25 mil pessoas, descobri que as pessoas que se destacam de qualquer modo extraordinário raramente obtêm êxito antes dos 40 anos, e com muita frequência não atingem o verdadeiro ritmo de vida senão depois dos 50. Esse fato é tão impressionante que me levou a estudar mais profundamente as causas, uma investigação que se estendeu por mais de 12 anos.

O estudo demonstrou que o maior motivo pelo qual a maioria dos homens só passa a ser bem-sucedido depois dos 40 ou 50 anos é a tendência de desperdiçar a energia dedicando-se excessivamente à expressão física do sexo. A maioria dos homens *nunca* aprende que o desejo sexual oferece outras possibilidades, que são muito mais importantes que a mera expressão física. E a maioria dos que descobrem só faz isso *depois de ter desperdiçado muitos anos de vida*, num período em que a energia sexual está no auge, antes de chegar aos 40 ou 50 anos. A isso se segue normalmente uma realização notável.

A vida de muitos homens até os 40 anos, e às vezes bem depois disso, reflete um desperdício contínuo de energia, que poderia ser bem mais lucrativa se desviada para outros canais. Mas ele acaba lançando a emoção mais poderosa e elevada aos quatro ventos. Foi desse hábito eminentemente masculino que surgiu a expressão "espalhar os grãos selvagens".

O desejo de expressão sexual é, disparado, a emoção humana mais forte e impetuosa e, por isso, *se esse desejo for bem-aproveitado e transmutado* em ação, em vez de mera expressão física, pode elevar uma pessoa ao nível da genialidade.

Um dos empresários mais competentes dos Estados Unidos confessou, com toda a franqueza, que a bela secretária foi responsável pela maior parte dos planos que ele criou. Confessou, também, que a mera presença dela o erguia ao mais alto nível da imaginação criativa, de uma maneira que ele não vivenciava sob qualquer outro estímulo.

Um dos homens mais bem-sucedidos dos Estados Unidos deve boa parte do sucesso à influência de uma senhorita muito charmosa, que lhe serviu como fonte de inspiração por mais de 12 anos. Todo mundo sabe a quem nos referimos, mas nem todo mundo conhece a verdadeira fonte das realizações dele.

A história está cheia de exemplos de homens que atingiram o status de gênio em consequência de estímulos artificiais como álcool e narcóticos. Edgar Allen Poe escreveu *O corvo* influenciado pela bebida, "sonhando como nenhum mortal jamais se atreveu a sonhar". James Whitcomb Riley escreveu as melhores obras sob a influência do álcool. Talvez seja por isso que ele viu "a mistura ordenada e intercalada de sonho e realidade, o moinho acima do rio e a bruma sobre a nascente". Robert Burns também escrevia melhor quando bebia. "Para Auld Lang Syne, meu caro, bebamos um gole de gentileza a Auld Lang Syne."*

Mas também devemos lembrar que, no final, muitos deles acabaram se destruindo. A Natureza preparou as poções com as quais as pessoas podem estimular a mente em segurança, de modo que elas vibrem num plano que as permita entrar em sintonia com aqueles pensamentos finos e raros que chegam... sabe lá Deus de onde! Nenhum substituto foi descoberto para os estimulantes da Natureza.

Os psicólogos conhecem bem o fato de que há uma relação muito próxima entre o desejo sexual e os anseios espirituais — um fato que responde pelo comportamento muito peculiar de pessoas

---

* Expressão escocesa que significa, em tradução livre, "Os velhos tempos". (*N. do T.*)

que participam de orgias chamadas de "renascimentos" religiosos, muito comum entre tipos mais primitivos.

O mundo é regido — e o destino da civilização determinado — pelas emoções humanas. As pessoas são influenciadas nas ações, nem tanto pela razão, mas pelo *feeling*. A faculdade criativa da mente entra em ação exclusivamente por conta das emoções, *e não pelo raciocínio frio*. A mais poderosa emoção humana é o sexo. Há outros estimulantes mentais, alguns dos quais listados aqui, mas nenhum deles, nem todos eles juntos, são páreo para essa força motriz que é o sexo.

Um estimulante mental é qualquer influência que, temporária ou permanentemente, aumente a vibração do pensamento. Os dez maiores estímulos, aqui citados, são aqueles aos quais as pessoas recorrem com maior frequência. Por essas fontes, pode-se entrar em comunhão com a Inteligência Infinita, ou acessar, quando se quiser, o armazém da mente subconsciente, seja a dele própria, ou a de outra pessoa — um processo *que é a própria marca do gênio*.

Um professor que treinou e conduziu os esforços de mais de 30 mil vendedores fez a impressionante descoberta que os homens mais sexualizados são os melhores vendedores. A explicação é que aquele fator da personalidade a que chamamos de "magnetismo pessoal" não é nada mais nada menos que a energia sexual. Pessoas altamente sexualizadas dispõem de muito magnetismo. Se for cultivada e compreendida, essa força vital pode ser utilizada de uma maneira extremamente proveitosa nas relações humanas. Essa energia pode ser comunicada aos outros utilizando os seguintes meios:

1. O aperto de mão. O cumprimento indica, na mesma hora, a presença do magnetismo — ou sua ausência.
2. O tom de voz. O magnetismo, ou a energia sexual, é o fator que colore a voz, ou que a deixa charmosa e musical.

3. Porte e postura corporal. Pessoas altamente sexuais se movem rapidamente, com graça e tranquilidade.
4. As vibrações do pensamento. Pessoas altamente sexuais misturam a emoção do sexo com os pensamentos, ou fazem isso quando quiserem, e desse jeito influenciam os que estão em volta.
5. Acessórios corporais. Pessoas altamente sexuais normalmente são cuidadosas com a própria aparência. Geralmente escolhem um tipo de roupa que combine com a personalidade, sua compleição física etc.

Na hora de contratar, os gerentes mais competentes buscam o magnetismo pessoal como a *primeira qualidade essencial* de um bom vendedor. Pessoas com pouca energia sexual nunca vão ser entusiasmadas nem inspirar o entusiasmo alheio, e entusiasmo é um dos primeiros requisitos na hora de se vender alguma coisa, o que quer que seja.

O palestrante, o pregador, o advogado ou o vendedor em que falta a energia sexual é um "fracasso" no que diz respeito a influenciar os outros. Acrescente-se a isso o fato de que a maioria das pessoas só consegue ser influenciada se receber um apelo às emoções, e você vai entender a importância da energia sexual como parte do talento de um vendedor nato. Os supervendedores viram verdadeiros mestres na arte de vender porque, consciente ou inconscientemente, *transmutam* a energia sexual em entusiasmo comercial! Com isso, acabamos de dar uma sugestão bastante prática do real significado da transmutação sexual.

O vendedor que sabe como desligar a mente do sexo e dirigi-la para um esforço de venda, com a mesma dedicação e entusiasmo que dedicaria ao objetivo original, conquistou a arte da transmutação sexual independentemente de saber disso ou não. A maioria dos vendedores que transmutam a energia sexual faz isso sem a menor ideia do que (ou de como) estão fazendo.

A transmutação da energia sexual exige uma força de vontade maior do que uma pessoa comum acredita ser necessária. Os que acharem difícil acionar tanta força de vontade, aviso que essa é uma habilidade que pode ser desenvolvida aos poucos. Embora exija muita determinação, a recompensa por essa prática vale mais do que o esforço.

A maioria das pessoas tem uma ignorância quase que imperdoável a respeito de sexo. A necessidade sexual é tão mal compreendida, difamada e desencaminhada pelos ignorantes e mal-intencionados que a própria palavra "sexo" raramente é usada entre pessoas cultas. Os homens e as mulheres que foram abençoados — sim, abençoados — com uma natureza altamente sexual geralmente são desprezadas como inferiores. Em vez de serem consideradas abençoadas, são geralmente destratadas.

Milhões de pessoas, mesmo numa época iluminada como a nossa, ainda sentem um complexo de inferioridade que criaram por causa da falsa crença de que uma natureza altamente sexual é uma maldição. Essas afirmações sobre as virtudes da energia sexual não devem ser interpretadas como uma apologia da libertinagem. A emoção do sexo só é uma virtude quando usada com inteligência e ponderação. Mas ela também pode ser tão mal-utilizada (e isso acontece muito) que acaba denegrindo, em vez de enriquecer, o corpo e a mente. O melhor uso dessa força é o que este capítulo se propõe a tratar.

Pareceu muito emblemático a este autor, quando ele descobriu que praticamente todos os grandes líderes que ele teve o privilégio de analisar são homens cujas realizações foram amplamente inspiradas por uma mulher. Em muitos casos, a "tal mulher" era modesta, renunciando a atenção do público, que em geral quase

O mistério da transmutação sexual

não ouviu falar dela. Em alguns poucos casos, a fonte de inspiração esteve ligada à "outra". Talvez você não desconheça inteiramente esses casos.

A falta de moderação nos hábitos sexuais é tão prejudicial quanto o descontrole nos hábitos de comer e beber. Nos tempos de hoje, uma fase que começou com a Grande Guerra, a falta de moderação no sexo é bastante comum. Essa orgia de indulgências talvez seja a responsável pela falta de grandes líderes. Nenhum homem pode utilizar a imaginação criativa ao mesmo tempo em que a dissipa. O ser humano é a única criatura na Terra que viola o objetivo da Natureza em relação ao sexo. Todos os outros animais exercem com moderação a Natureza sexual e com um objetivo que se harmoniza com as leis da natureza. Todos os outros animais só respondem ao chamado do sexo quando estão "prontos". Já a inclinação do ser humano é declarar que "sempre está pronto".

Toda pessoa inteligente sabe que o excesso de estímulos, seja pelo álcool ou pelas drogas, é um tipo de exagero que destrói os órgãos vitais do corpo, inclusive o cérebro. O que muita gente não sabe é que os exageros na expressão sexual podem se tornar um hábito tão destrutivo e prejudicial ao esforço criativo quanto o álcool ou os entorpecentes.

Um maníaco sexual não é fundamentalmente diferente de um maníaco drogado! Ambos perderam o controle sobre as faculdades da razão e do livre-arbítrio. O exagero sexual não so pode destruir a razão e a força de vontade como também levar à insanidade temporária ou até mesmo permanente. Muitos casos de hipocondria (doenças imaginárias) nascem de hábitos desenvolvidos devido à ignorância da verdadeira função sexual.

Dessas breves referências ao assunto, pode-se ver claramente que a ignorância sobre a transmutação sexual cobra uma penalidade formidável dos ignorantes, por um lado, enquanto impede que eles recebam benefícios igualmente formidáveis, do outro.

A ignorância geral sobre sexo se deve ao fato de que o tema sempre foi cercado de mistério e envolto numa nuvem de silêncio. A conspiração do mistério e do silêncio teve o mesmo efeito na mente dos mais jovens que a psicologia da Lei Seca. O resultado acabou sendo uma curiosidade ainda maior e um desejo de conhecer mais sobre esse assunto "tabu"; e para vergonha dos legisladores e da maioria dos médicos — que, pela formação que têm, deveriam ser os mais qualificados para tratar do assunto —, essas informações não podem ser obtidas facilmente.

É muito raro que uma pessoa se dedique a um esforço altamente criativo, em qualquer área, antes dos 40 anos. A pessoa comum atinge o período de máxima capacidade entre os 40 e os 60 anos. Essas afirmações se baseiam na análise de milhares de homens e mulheres que foram cuidadosamente observados. Elas devem servir de incentivo para aqueles que ainda não tiveram êxito antes dos 40, ou que ficam com medo da "aproximação da idade", por volta dos 40 anos. Os anos entre os 40 e os 50 são, como regra geral, os mais profícuos de uma pessoa. O ser humano deve se aproximar dessa idade sem tremer de medo, e sim com esperança e até mesmo ansiedade.

Se quiser uma prova de que a maioria dos seres humanos não costuma fazer o melhor trabalho antes dos 40 anos, estude a biografia dos americanos mais bem-sucedidos. Henry Ford ainda não tinha "cavado o lugar dele" como realizador até depois dos 40. Andrew Carnegie já tinha passado em muito dessa marca quando começou a colher os frutos do esforço. O magnata das ferrovias James J. Hill ainda operava o telégrafo aos 40 anos. As magníficas realizações dele só aconteceram depois dessa idade. As biografias dos industriais americanos estão cheias de provas

O mistério da transmutação sexual

de que o período que vai dos 40 aos 60 anos é o mais produtivo de um ser humano.

Entre os 30 e os 40 anos, a pessoa começa a aprender (*quando* aprende) a arte da transmutação sexual. Essa descoberta em geral é puramente acidental e o mais frequente é que a pessoa que descobre nem faz ideia do que ela significa. Ela pode perceber que a capacidade de realização aumentou lá pelos 35 ou 40 anos, mas, na maioria dos casos, não sabe o que levou à mudança, que é o fato de a natureza ter começado a harmonizar as emoções do amor e do sexo no indivíduo entre os 30 e os 40 anos, de modo que ele possa se valer dessas forças e aplicá-las como um estímulo à ação.

O sexo, por si só, é um forte estímulo à ação, mas as forças dele são como um furacão — geralmente incontroláveis. Quando a emoção do amor começa a se misturar com a emoção do sexo, o resultado é a tranquilidade de propósito, uma postura mais equilibrada e julgamentos melhores. Quem é que não chegou aos 40 que não pode atestar a veracidade dessas afirmações pela própria experiência?

Se for guiado unicamente pelo desejo de agradar uma mulher, apenas pela emoção do sexo, um homem pode ser — e geralmente consegue ser — capaz de grandes realizações, mas as ações dele podem ser desregradas, distorcidas e totalmente destrutivas. Quando guiado pelo desejo de agradar uma mulher, exclusiva nente por causa do sexo, um homem pode roubar, trapacear e até mesmo matar. Mas quando a emoção do amor se une à emoção do sexo, esse mesmo homem irá guiar as ações com mais equilíbrio, raciocínio e bom-senso.

Os criminologistas descobriram que até os criminosos mais empedernidos podem ser recuperados através da influência do *amor* de uma mulher. Mas não há registro de um criminoso ter sido recuperado por influência exclusiva do sexo. São fatos bem conhecidos, mas a causa, não. A recuperação só chega (*quando* chega) pelo *coração*, ou pelo lado emocional do homem, *e não* pela cabeça, o lado racional. Reformar significa "mudar o coração". Não significa "mudar a cabeça". Um homem pode, pelo raciocínio, modificar parte da conduta pessoal para evitar certas consequências indesejáveis, mas uma reforma autêntica só virá com uma mudança de coração — e com o desejo de mudança.

O amor, o romance e o sexo são emoções capazes de levar os homens às mais altas realizações. O amor é a emoção que serve de válvula de segurança e garante o equilíbrio, a boa postura e o esforço construtivo. Quando combinadas, essas três emoções podem alçar alguém às raias da genialidade. No entanto, existem gênios que conhecem muito pouco a emoção do amor. A maioria pode ser vista se dedicando a uma forma de ação destrutiva ou, no mínimo, que não se baseia na justiça. Se não fosse por uma questão de educação, eu poderia citar aqui pelo menos uma dúzia de pessoas na área industrial e nas finanças que atropelam sem a menor piedade o direito dos outros. Parecem ser totalmente desprovidas de consciência. O leitor pode montar sua própria lista de empresários desse gênero.

As emoções são estados de espírito. A Natureza deu aos homens uma "química mental" que funciona de modo semelhante aos princípios da química da matéria. É fato notório que, pela química da matéria, um químico pode criar um veneno mortal misturando certos elementos, e nenhum deles — por si só — é prejudicial na medida certa. Da mesma maneira, as emoções podem ser combinadas e criar um veneno mortal. As emoções do sexo e do ciúme, quando misturadas, podem transformar uma pessoa num animal enfurecido.

A presença de qualquer das emoções destrutivas na mente humana, pela química mental, pode despertar um veneno capaz de destruir o sentimento de justiça e dignidade. Em casos extremos, a presença de qualquer conjunto de emoções pode destruir a razão.

O caminho para a genialidade consiste no desenvolvimento, no controle e na utilização do sexo, do amor e do romance. Resumidamente, esse processo acontece da seguinte maneira:

Incentive a presença dessas emoções como os pensamentos dominantes em sua mente e desestimule a presença de todas as emoções destrutivas. A mente é uma criatura de hábito. Ela se alimenta dos pensamentos *dominantes* que recebe. Pela força de vontade, pode-se desestimular a presença de qualquer emoção e encorajar a presença de outras. O controle da mente pela força de vontade não é algo difícil. O controle vem com a perseverança e pelo hábito. O segredo do controle está em compreender o processo de transmutação. Quando qualquer emoção negativa se apresentar na mente de uma pessoa, ela tem que ser transmutada numa emoção positiva ou construtiva pela simples mudança de pensamentos.

Não há outro caminho para a genialidade a não ser pelo esforço voluntário. O ser humano pode chegar a grandes realizações nos negócios ou no mundo financeiro simplesmente guiando a energia sexual. Contudo, a história está cheia de provas de que ele geralmente apresenta traços de caráter que o impedem de manter ou aproveitar essa fortuna. Isso merece uma análise, uma meditação e uma reflexão, porque comprova uma verdade que pode ser útil a muita gente. Esse tipo de ignorância custou a milhares de pessoas o privilégio da felicidade, mesmo sendo ricas.

As emoções do amor e do sexo deixam marcas indeléveis na fisionomia das pessoas. Além disso, são sinais tão visíveis que qualquer um pode lê-los. O homem que é guiado pela tormenta das paixões, baseado unicamente no desejo sexual, está, na verdade, alardeando esse fato para o mundo inteiro pela expressão do olhar e pelas feições do rosto. A emoção do amor, quando se mistura à emoção do sexo, alivia, modifica e embeleza a expressão facial. Não é preciso nenhum analista de caráter para dizer isso. Você mesmo pode observar.

A emoção do amor traz à tona e incrementa a natureza estética e artística do ser humano. E deixa uma marca na alma, mesmo depois de o fogo interior ter sido reduzido por conta do tempo ou das circunstâncias.

As memórias do amor nunca passam. Elas permanecem, guiam e influenciam por muito tempo depois de a fonte do estímulo ter passado. Não há nenhuma novidade nisso. Todo mundo que já foi guiado pelo amor verdadeiro sabe que ele deixa traços duradouros no coração. O efeito do amor permanece porque sua natureza é espiritual. A pessoa que não consegue ser estimulada às grandes realizações pelo amor, não tem esperança. Está morta, mesmo que pareça viver.

Até as lembranças do amor são suficientes para elevar alguém a um plano mais alto de esforço criativo. A força maior do amor pode se gastar e morrer, como um fogo que se apagou, mas deixa marcas indeléveis como prova de que cumpriu seu caminho. A ausência do amor geralmente prepara o coração humano para um ainda maior.

Volte ao passado, de vez em quando, e banhe sua mente nas belas recordações de um amor que passou. Isso vai amainar a influência das preocupações e dos aborrecimentos do presente. Vai lhe dar uma fonte para escapar das realidades desagradáveis da vida e talvez até, quem sabe, sua mente lhe dará, nesse retiro temporário para o mundo da fantasia, as ideias ou os planos que podem mudar toda a sua situação espiritual e financeira.

Se você se sente infeliz porque "perdeu o amor", enterre esse pensamento. Quem ama de verdade nunca perde inteiramente. O amor é volúvel e temperamental. A natureza dele é efêmera e transitória. Vem quando bem entende e vai embora sem avisar. Aceite-o e curta enquanto durar, mas não perca tempo se preocupando com o fato de ele ter ido embora. As preocupações nunca irão trazê-lo de volta.

Livre-se, igualmente, do pensamento de que o amor só aparece uma vez. O amor vai e vem, inúmeras vezes, mas não há duas experiências amorosas que afetem uma pessoa da mesma maneira. O que existe, normalmente, é uma experiência que deixa uma marca mais profunda no coração do que as outras, mas todas as experiências amorosas são benéficas, a não ser para a pessoa que se torna cínica e amargurada, quando o amor vai embora.

Não deve haver decepção no amor — e não haveria se as pessoas compreendessem a diferença entre as emoções do amor e do sexo. A maior delas é que o amor é espiritual, enquanto o sexo é biológico. Nenhuma experiência que toca o coração humano com a força espiritual pode ser prejudicial, a não ser que venha carregada de ciúme e ignorância.

O amor é, sem sombra de dúvida, a maior experiência da vida. Ele cria uma comunhão com a Inteligência Infinita. Quando unido às emoções do romance e do sexo, pode fazer uma pessoa subir a escada da criatividade. As emoções do amor, do sexo e do romance são os lados de um eterno triângulo do gênio das realizações. É dessa maneira, e nenhuma outra, que a Natureza cria os gênios.

O amor é uma emoção com muitos lados, sombras e cores. O amor que sentimos pelos pais ou pelos filhos é bem diferente do que sentimos por uma namorada. Este último se mistura com a emoção do sexo; os outros, não.

O amor que sentimos numa amizade verdadeira não é o mesmo que sentimos por uma namorada, pelos pais ou pelos filhos, mas também é uma forma de amor.

Depois, há o amor pelas coisas inanimadas, como o amor pelas belezas da Natureza. Mas o mais intenso e ardente desses vários tipos de amor é o que se vivencia misturando as emoções do amor e do sexo. Os casamentos que não são abençoados com a afinidade eterna do amor, mesmo que bem-equilibrados com o sexo, nunca poderão ser felizes — e raramente perduram. O amor, sozinho, não trará felicidade a um casamento, nem o sexo sozinho. Quando essas duas emoções se misturam, o casamento pode gerar um estado de espírito que é a coisa mais próxima do espiritual que se pode experimentar no plano terreno.

Quando a emoção do romance é acrescentada ao amor e ao sexo, as barreiras entre a mente finita do ser humano e a Inteligência Infinita são retiradas. E assim nasce um novo gênio!

Veja como essa história é diferente daquelas que normalmente são associadas à emoção do sexo. Esta é uma interpretação que tira a emoção do lugar-comum e a transforma no barro nas mãos de Deus, com o qual ele forma tudo aquilo que é bonito e inspirador. É uma interpretação que, se fosse bem-compreendida, transformaria em harmonia o caos que existe em tantos casamentos. As desarmonias, normalmente expressas como picuinhas, podem ser ligadas à *falta de conhecimento* sobre o sexo. Quando o amor, o romance e o devido conhecimento da função e da emoção do sexo entram em cena, não há desarmonia entre pessoas casadas.

Feliz do marido cuja mulher compreende a verdadeira relação entre as emoções do amor, do sexo e do romance. Quando ela é motivada por essa trinca sagrada, nenhuma forma de trabalho é cansativa, porque até o esforço mais simplório assume a natureza de um trabalho feito por amor.

Um ditado muito antigo diz que "A mulher pode tornar o homem um sucesso ou levá-lo à falência", mas nem sempre se entende a razão. O "sucesso" ou a "falência" resulta da compreensão

O mistério da transmutação sexual

(ou falta de compreensão), pela mulher, das emoções do amor, do sexo e do romance.

Apesar do fato de os homens serem polígamos, devido à herança biológica, o fato é que nenhuma mulher exerce tanta influência sobre um homem quanto a mulher dele, a não ser que ele seja casado com uma mulher totalmente inadequada à natureza dele. Se uma mulher permite que o marido perca o interesse por ela e se interesse mais pelas outras, geralmente é por causa da ignorância dela (ou indiferença) em relação às questões do amor, do sexo e do romance. Essa afirmação, obviamente, parte do princípio de que algum dia existiu um amor verdadeiro entre esse homem e essa mulher. Tudo isso também se aplica ao homem que permite que a mulher perca o interesse por ele.

As pessoas casadas geralmente se espezinham por um monte de pequenas coisas. Se for analisada com atenção, a verdadeira causa de todos os problemas geralmente vai ser a indiferença ou a ignorância quanto aos três elementos citados.

A maior força motriz do homem é o desejo de agradar a mulher! O caçador que se destacava na era pré-histórica, antes dos primórdios da civilização, fazia isso por causa do desejo de parecer bem aos olhos das mulheres. A natureza do homem não mudou em relação a isso. O "caçador" de hoje não traz para casa peles de animais, mas indica o desejo por ela lhe dando belas roupas, carros e objetos de valor. O homem tem o mesmo desejo de agradar à mulher que tinha antes do alvorecer das civilizações. A única coisa que mudou foi a maneira de agradar. Os homens que acumulam grandes fortunas e alcançam altos níveis de fama e de poder fazem isso, principalmente, para satisfazer o *desejo de agradar as mulheres.* Tire as mulheres da vida e toda essa fortuna seria basicamente inútil para a maioria dos homens. *É esse desejo inerente que o homem tem de agradar que dá à mulher o poder de levá-lo ao sucesso ou à falência.*

A mulher que compreende a natureza do homem e a alimenta com o devido tato não precisa temer a concorrência das outras. Os homens podem ser "gigantes" com uma força de vontade indomável ao lidar com outros homens, mas são facilmente dominados pelas mulheres que escolhem.

A maioria deles jamais irá admitir que são facilmente influenciados pelas mulheres que escolheram, porque faz parte da natureza masculina querer ser reconhecido como o mais forte da espécie. Além do mais, a mulher inteligente reconhece essa "característica masculina" e, muito sabiamente, não cria problema com isso.

Alguns homens são influenciados pela mulher que escolheram — mulheres, namoradas, mães ou irmãs —, mas evitam se rebelar contra isso, porque são suficientemente inteligentes para saber que nenhum homem é feliz ou completo sem a influência transformadora da mulher certa. O homem que não reconhece esta importante verdade se priva do poder que fez mais para ajudá-los a conquistar o sucesso do que todas as outras forças somadas.

CAPÍTULO 12

A MENTE SUBCONSCIENTE: O ELO DE LIGAÇÃO

O 11º passo para a riqueza

A MENTE SUBCONSCIENTE É formada por um campo de consciência onde todos os impulsos de pensamento que chegam à mente objetiva pelos cinco sentidos são classificados e registrados, e de onde os pensamentos podem ser acessados ou deixados como pastas num arquivo.

Ela recebe e arquiva os pensamentos e as impressões dos sentidos, independentemente da natureza deles. Você pode plantar deliberadamente em sua mente consciente qualquer plano, pensamento ou objetivo que deseje traduzir num equivalente físico ou financeiro. O subconsciente age primeiro nos desejos dominantes, aqueles que vêm misturados com emoção — como, por exemplo, **a fé**.

Pense nisso em relação às instruções dadas no capítulo sobre desejo (cumprindo os seis passos destacados) e às do capítulo sobre criação e execução de planos e compreenderá a importância dos pensamentos que você tem.

A mente subconsciente trabalha noite e dia. Por um processo ainda desconhecido, o subconsciente canaliza a força da Inteligência Infinita para obter o poder pelo qual ele voluntariamente transforma seus desejos no equivalente físico, valendo-se, para isso, dos meios mais práticos para a realização.

Você não pode controlar *inteiramente* sua mente subconsciente, mas pode deliberadamente passar para ela qualquer plano, desejo ou objetivo a que queira dar uma forma concreta. Leia outra vez as instruções de como usar a mente subconsciente no capítulo sobre autossugestão.

Há muitas provas para apoiar a crença de que a mente subconsciente seja o elo de ligação entre a mente finita do ser humano e a Inteligência Infinita, servindo como o intermediário por meio do qual as pessoas podem extrair, quando quiserem, as forças dessa Inteligência Infinita. Só ela detém a fórmula secreta com a qual os impulsos mentais são modificados e transformados no equivalente espiritual. Só por meio dela uma oração pode ser transmitida à fonte capaz de lhe responder.

As possibilidades dos esforços criativos ligados à mente subconsciente são extraordinários, imponderáveis e absolutamente respeitáveis.

Eu nunca entro na discussão sobre a mente subconsciente sem me sentir pequeno e inferior, talvez porque o estoque de conhecimentos de que nós, seres humanos, dispomos sobre esse assunto é tão lamentavelmente limitado. O simples fato de a mente subconsciente ser o meio de comunicação entre a mente pensante do homem e a Inteligência Infinita é, por si só, um fato que quase paralisa a razão.

Depois de ter aceito a existência da mente subconsciente, e de ter compreendido as possibilidades dela como meio de transformar seus desejos num equivalente físico ou monetário, você vai compreender o completo significado das instruções passadas no capítulo sobre desejo. E também vai entender por que sempre foi

A mente subconsciente: o elo de ligação

instado a tornar seus desejos claros e a colocá-los no papel. Também vai entender a necessidade da perseverança na hora de levar a cabo todas as instruções.

Os 13 princípios deste livro são os estímulos com os quais você adquire a capacidade de atingir e influenciar a mente subconsciente. Não desanime se não conseguir na primeira tentativa. Lembre-se de que a mente subconsciente só pode ser deliberadamente orientada *pela força do hábito*, com as instruções dadas no capítulo sobre a fé. Você ainda não teve tempo de dominar a fé. Tenha paciência. E insista.

Muitas das afirmações presentes nos capítulos sobre fé e autossugestão vão ser repetidas aqui para o bem do seu subconsciente. Lembre-se de que a mente subconsciente funciona de maneira arbitrária, *independentemente de você fazer algum esforço para influenciá-la, ou não*. Isso, naturalmente, sugere que pensamentos de medo ou de pobreza e qualquer pensamento negativo servem de estímulo à mente subconsciente, *a não ser que* você domine esses impulsos e lhe dê um alimento mais apetitoso.

Seu subconsciente não vai ficar parado! Se você não conseguir plantar desejos em sua mente subconsciente, ela vai se alimentar dos pensamentos que chegarem a ela *por conta da sua negligência*. Já falamos que impulsos de pensamento, tanto os positivos quanto os negativos, chegam continuamente à mente subconsciente das quatro fontes citadas no capítulo sobre a Transmutação Sexual.

No momento, basta lembrar que você vive *todos os dias* no meio de todo tipo de impulsos de pensamento que chegam à mente subconsciente, mesmo sem saber. Alguns desses impulsos são negativos, outros, positivos. O que você tem que fazer, a partir de agora, é ajudar a fechar o fluxo de impulsos negativos e ajudar a influenciar deliberadamente sua mente subconsciente por meio dos impulsos positivos do desejo.

Quando você conseguir, vai ter a chave que abre a porta da sua mente subconsciente. Além do mais, vai controlar tanto a porta que nenhum pensamento indesejável vai poder entrar na sua mente subconsciente.

Tudo que o ser humano cria começa com um impulso de pensamento. As pessoas não podem criar nada que não seja concebido primeiro na forma de pensamento. Com a ajuda da imaginação, os impulsos de pensamento podem ser juntados em planos. A imaginação, quando controlada, pode ser utilizada para a criação de planos ou objetivos que levam ao sucesso numa determinada profissão.

Todos os impulsos de pensamento que você quiser que se transformem num equivalente físico, deliberadamente plantados na mente subconsciente, precisam passar primeiro pela imaginação e se misturar com a fé. Para ser enviada ao subconsciente, essa "mistura" de fé com um plano (ou objetivo) só pode ser realizada pela imaginação.

Dessas afirmações, você já pode perceber que o uso voluntário do subconsciente exige a coordenação e a aplicação de todos os princípios.

Ella Wheeler Wilcox mostrou que compreendeu bem o poder do subconsciente quando escreveu os seguintes versos:

"Nunca se pode dizer o que um pensamento fará
Para lhe trazer ódio ou amor...
Pois pensamentos são concretos, e sua leveza alada,
Mais rápida que um pombo-correio.
Eles seguem a lei universal
Cada coisa cria outra igual
Que corre pelos trilhos para lhe trazer
De volta o que sua mente oferecer."

A mente subconsciente: o elo de ligação

A Sra. Wilcox compreendeu a verdade de que os pensamentos que saem da mente de uma pessoa também se inserem profundamente no subconsciente — onde servem de ímã, padrão ou modelo, pelo qual o subconsciente é influenciado a traduzi-lo num equivalente físico. Pensamentos realmente são coisas concretas, pelo fato de que todas as coisas concretas partem de uma energia de pensamento.

A mente subconsciente é mais suscetível à influência dos impulsos de pensamento, se estes forem misturados com um sentimento ou uma emoção do que por aqueles que simplesmente se originam da parte racional da mente. Aliás, existem muitas provas para apoiar a teoria de que apenas os pensamentos dotados de emoção influenciam a ação do subconsciente. É fato notório que os sentimentos ou as emoções comandam a maioria das pessoas. Se for verdade que a mente subconsciente responde com mais rapidez, e é mais influenciada, pelos impulsos de pensamento que vêm misturados às emoções, é fundamental conhecer melhor esse lado emocional. Há sete grandes emoções positivas e sete grandes emoções negativas. As negativas se intrometem *deliberadamente* nos impulsos de pensamento e com isso têm acesso ao subconsciente. As positivas precisam ser injetadas, pelo princípio da autossugestão, nos impulsos de pensamento que uma pessoa deseja passar à mente subconsciente. (Sobre isso demos instruções no capítulo relativo à autossugestão.)

Essas emoções, ou impulsos sentimentais, podem ser comparadas ao fermento no pão, porque constituem aquele elemento de ação que passam os impulsos de pensamento do estado passivo para o ativo. É assim que se pode entender por que os impulsos de pensamento, que foram misturados às emoções, são ativados mais rapidamente do que aqueles impulsos originados da "análise fria".

Você está se preparando para influenciar e controlar o "público interno" da sua mente subconsciente, para poder dar a ela seu desejo de dinheiro, que você quer que se transforme num equivalente monetário. Por isso, é fundamental que compreenda como se aproximar desse seu "público interno". Você tem que falar a língua dele, ou ele não vai lhe obedecer. Portanto, vamos passar agora à descrição das sete grandes emoções positivas e das sete grandes emoções negativas, de modo que você possa fazer um bom uso das positivas e evitar as negativas, ao dar instruções ao seu subconsciente.

AS SETE GRANDES EMOÇÕES POSITIVAS

A emoção do DESEJO
A emoção da FÉ
A emoção do AMOR
A emoção do SEXO
A emoção do ENTUSIASMO
A emoção do ROMANCE
A emoção da ESPERANÇA

Existem outras emoções positivas, mas estas são as sete mais poderosas e as mais utilizadas, normalmente, nos esforços criativos. Domine estas sete emoções (que só podem ser dominadas pelo uso) e as outras vão estar sob seu comando quando você precisar delas. Lembre-se, nesse sentido, de que está lendo um livro que se propõe a ajudá-lo a desenvolver uma "consciência do dinheiro" *enchendo sua mente de emoções positivas*. Ninguém ganha uma consciência do dinheiro enchendo a mente de emoções negativas.

AS SETE GRANDES EMOÇÕES NEGATIVAS (A SEREM EVITADAS)

A emoção do MEDO
A emoção do CIÚME
A emoção do ÓDIO
A emoção da VINGANÇA
A emoção da GANÂNCIA
A emoção da SUPERSTIÇÃO
A emoção da RAIVA

As emoções positivas e negativas não podem ocupar a mente ao mesmo tempo. Uma está sempre no comando. E sua responsabilidade é fazer com que as emoções positivas constituam a influência predominante em sua mente. É aqui que a força do hábito irá lhe ajudar. *Crie o hábito* de dominar sua mente tão completamente que os pensamentos negativos *nunca possam entrar.*

É só seguindo essas instruções ao pé da letra — e permanentemente — que você poderá ganhar o controle sobre o seu subconsciente. A presença de uma única emoção negativa em seu subconsciente é suficiente para *destruir* todas as suas chances de lhe dar um auxílio construtivo.

Se você for uma pessoa observadora, deve ter notado que a maioria das pessoas só recorre à oração quando tudo mais deu errado! Ou, então, que elas rezam por meio de um ritual de palavras sem sentido. E como é fato notório que a maioria das pessoas só reza depois que tudo mais deu errado, elas já fazem suas orações com a mente repleta de medos e dúvidas, *que são as emoções que o subconsciente utiliza* e passa à Inteligência Infinita. Consequentemente, essa é a emoção que a Inteligência Infinita recebe e com a qual ela atua.

Se você reza para conseguir alguma coisa, mas enche a oração com o medo de não recebê-la ou acha que sua prece não será atendida pela Inteligência Infinita, sua reza *terá sido em vão*.

A oração, às vezes, pede que algo se realize. Se você já passou pela experiência de ter recebido o que pediu, use sua memória para voltar no tempo e procure se lembrar do estado de espírito que tinha enquanto rezava. Saberá, com certeza, que a teoria que descrevemos aqui é bem mais que uma teoria.

Ainda vai chegar o dia em que as escolas e as instituições de ensino do país vão ensinar a "ciência da oração". E aí as preces poderão e deverão ser reduzidas a uma ciência. Quando essa hora chegar (e chegará assim que a humanidade estiver pronta para ela, e exigir que isso aconteça), ninguém vai ter medo na hora de se aproximar da Mente Universal, pela simples razão de que o medo não vai mais existir. A ignorância, a superstição e os falsos ensinamentos vão desaparecer e as pessoas terão alcançado o verdadeiro papel de filhas da Inteligência Infinita. Bem poucos entre nós conseguiram essa bênção.

Se você acha que essa é uma profecia que está muito longe de acontecer, dê uma olhada no histórico da raça humana. Há menos de cem anos, as pessoas acreditavam que os raios eram uma prova da fúria de Deus e tinham medo deles. Hoje, graças ao poder da fé, as pessoas conseguiram aproveitar a força do raio e transformá-la nas rodas que movem a indústria. Há muito menos de cem anos, as pessoas acreditavam que o espaço entre os planetas não passava de um imenso vazio, onde não havia absolutamente nada. Agora, graças a esse mesmo poder da fé, as pessoas sabem que, longe de ser um espaço morto ou vazio, esse espaço é muito vivo, a ponto de ser a forma mais alta de vibração que existe, a não ser, talvez, pela vibração do pensamento. Além do mais, as pessoas sabem que essa energia vibratória viva e pulsante, que permeia

A mente subconsciente: o elo de ligação

todos os átomos das matérias, e preenche cada nicho do espaço, conecta todos os cérebros humanos uns com os outros.

Por que, então, as pessoas não acreditam que essa mesma energia conecta todos os cérebros humanos com a Inteligência Infinita?

Não existe nenhum pedágio entre a mente finita do ser humano e a Inteligência Infinita. Os custos de comunicação são apenas paciência, fé, compreensão e um desejo sincero de se comunicar. Além do mais, só a própria pessoa pode se comunicar. De nada valem as orações pagas. A Inteligência Infinita não aceita procuração. Ou você fala direto com ela, ou não se comunica.

Você pode comprar livros de orações e repeti-las até o dia do Juízo Final, e não vai adiantar nada. Os pensamentos que você deseja comunicar à Inteligência Infinita precisam passar por uma transformação, que só pode ser feita no seu subconsciente.

O método pelo qual você pode se comunicar com a Inteligência Infinita é muito parecido com aquele utilizado pelo rádio para transmitir a vibração do som. Se você sabe como o rádio funciona, vai entender que o som não pode ser transmitido pelo éter até ele ter sido "incrementado", ou passado a um grau de vibração que o ouvido humano não é capaz de detectar. A estação transmissora pega o som da voz humana e a "mistura" ou modifica, aumentando a vibração milhões de vezes. É só dessa maneira que a vibração do som pode ser comunicada pelo éter. Depois dessa transformação ter ocorrido, o éter "capta" a energia (que originalmente tinha a forma de vibrações de som) e a carrega para as estações receptoras. Estas "reduzem" a energia de volta ao nível de vibração original, para que ela volte a ser reconhecida como som.

A mente subconsciente é o intermediário que traduz suas preces nos termos que a Inteligência Infinita é capaz de reconhecer, apresentando a mensagem e trazendo de volta a resposta na forma de uma ideia ou plano definido para conseguir o objetivo da oração. Compreenda esse princípio e entenderá por que simples palavras recitadas de um livro de orações não podem, nem poderão nunca, servir como agente de comunicação entre a mente humana e a Inteligência Infinita.

Antes que as suas orações alcancem a Inteligência Infinita (e essa é apenas a minha teoria), ela provavelmente é transformada da vibração original de pensamento numa espécie de vibração espiritual. A fé é o único agente conhecido que pode dar aos seus pensamentos esse tipo de natureza. A fé não combina com o medo. *Onde um está, o outro não pode existir.*

CAPÍTULO 13

O CÉREBRO:
UMA ESTAÇÃO PARA TRANSMITIR E RECEBER PENSAMENTOS

O 12º passo para a riqueza

HÁ MAIS DE VINTE anos, este autor, trabalhando com o falecido Dr. Alexander Graham Bell e o Dr. Elmer R. Gates, observou que todo cérebro é, ao mesmo tempo, uma estação transmissora e receptora da vibração do pensamento.

Através do éter, e de um modo muito parecido com as transmissões do rádio, todo cérebro humano é capaz de captar as vibrações de pensamento enviadas pelos outros.

Nesse sentido, pense na descrição que fizemos da Imaginação Criativa no capítulo sobre a imaginação. Essa Imaginação Criativa é a "parte receptora" do cérebro, que recebe os pensamentos enviados pelos cérebros alheios. É o agente de comunicação entre a mente consciente e racional das pessoas e as quatro fontes pelas quais se recebem os estímulos de pensamento.

Quando estimulada, ou "incrementada", a um alto nível de vibração, a mente se torna mais receptiva às vibrações de pensamento que lhe chegam, pelo éter, das fontes exteriores. Esse "incremento" acontece tanto pelas emoções positivas quanto pelas negativas. Pelas emoções, as vibrações do pensamento podem ser aumentadas.

As vibrações cada vez mais altas são as únicas que podem ser captadas e transmitidas, por meio do éter, de um cérebro a outro. O pensamento é uma forma de energia que viaja num nível muito alto de vibração. O pensamento que foi modificado ou "incrementado" por qualquer uma das grandes emoções vibra num nível muito maior que um pensamento comum, e é esse tipo de pensamento que passa de um cérebro a outro por essa máquina de transmissão que é o cérebro humano.

A emoção do sexo está no topo da lista das emoções humanas, no que diz respeito à intensidade e força motriz. O cérebro estimulado pelo sexo vibra num nível muito mais rápido do que aquele em que essa emoção está ausente ou adormecida.

O resultado da transmutação do sexo é o aumento do nível de vibração dos pensamentos, a tal ponto que a Inteligência Criativa se torna altamente receptiva às ideias que capta do éter. Por outro lado, quando o cérebro está vibrando num ritmo muito acelerado, ele não só consegue atrair os pensamentos e as ideias lançados no éter pelos outros cérebros como também dá aos próprios pensamentos aqueles sentimentos que são fundamentais, antes que sejam capturados e incorporados pela mente subconsciente.

Com isso você vê que o princípio da transmissão é o fator pelo qual você mistura os sentimentos e as emoções com seus pensamentos e os repassa à mente subconsciente.

A mente subconsciente é a "estação transmissora" do cérebro, pela qual as vibrações do pensamento são transmitidas. A Imaginação Criativa é a "parte receptora", pela qual as vibrações de pensamento são captadas do éter.

Além dos importantes fatores do subconsciente, e da faculdade da Imaginação Criativa, que formam as partes transmissora e receptora do seu equipamento de transmissão mental, pense um pouco no princípio da autossugestão, que é o meio pelo qual você pode operar sua "estação de rádio".

Nas instruções descritas no capítulo sobre autossugestão, você foi definitivamente informado sobre o método pelo qual um desejo pode se transformar em seu equivalente monetário.

A operação da sua "estação de rádio" mental é um processo relativamente simples. Você só tem que ter três princípios em mente (e aplicá-los) quando quiser usar a estação: o subconsciente, a imaginação criativa e a autossugestão. Os estímulos pelos quais você pode colocar esses três princípios em ação já foram descritos. Tudo começa pelo desejo.

AS MAIORES FORÇAS SÃO "INTANGÍVEIS"

A Depressão levou o mundo ao limite do entendimento das forças intangíveis e invisíveis. Ao longo dos séculos, o ser humano dependeu demais dos sentidos físicos e limitou o conhecimento às coisas tangíveis que ele pode ver, tocar, medir e pesar.

Agora nós entramos na época mais maravilhosa de todas — uma época que irá nos ensinar algo sobre as forças intangíveis que existem no mundo. Talvez devamos aprender, nessa era, que o "outro self" é mais poderoso que o self físico que percebemos no espelho.

Às vezes as pessoas falam superficialmente sobre o que é intangível — as coisas que não podem perceber pelos cinco sentidos —; e, quando ouvimos isso, devemos nos lembrar de que *todos somos controlados por forças invisíveis e intangíveis*.

Nem toda a humanidade junta tem poder de lidar ou controlar as forças intangíveis envoltas nas ondas dos oceanos. O ser humano não tem a capacidade de compreender a força intangível da gravidade, que mantém este pequeno planeta suspenso no universo e que impede que os homens caiam — muito menos o poder de controlar essa força. O ser humano é um escravo total da força intangível que vem com uma tempestade, e o mesmo acontece com a eletricidade. Caramba, ele nem sabe o que é eletricidade, de onde ela vem e qual o objetivo dela!

E a ignorância do homem sobre o invisível e o intangível de maneira alguma se resume a isso. Ele não compreende a força (e a inteligência) intangível que envolve o solo da Terra — *a força que fornece todos os alimentos que ele come, todos os seus artigos de vestuário e cada dólar que ele carrega no bolso.*

A DRAMÁTICA HISTÓRIA DO CÉREBRO

Por fim, o ser humano, mesmo com toda a cultura e educação que alardeia, não entende quase nada da força intangível do *pensamento* — que é a maior de todas. Ele sabe muito pouco a respeito do cérebro físico propriamente dito e a vasta rede e a intrincada maquinaria pela qual o poder do pensamento é traduzido num equivalente material — mas agora está entrando numa era que deve iluminar esse assunto. Os cientistas já começaram a voltar a atenção para o estudo dessa coisa maravilhosa que é o cérebro e, embora ainda estejam no jardim de infância desse aprendizado, já descobriram coisas suficientes para saber que o sistema de "telefonia central" do cérebro humano, o número de linhas que ligam as células cerebrais umas com as outras, é igual ao número 1, seguido de 15 milhões de algarismos.

"É um número tão impressionante", disse o Dr. C. Judson Herrick, da Universidade de Chicago, "que cifras astronômicas que lidam com centenas de milhões de anos-luz se tornam insignificantes. (...) Já foi determinado que existem entre 10 e 14 bilhões de células nervosas no córtex cerebral humano, e sabemos que elas são organizadas em padrões bem-definidos. Esses arranjos não foram gerados ao acaso — são bem-ordenados. Métodos recém-desenvolvidos de eletrofisiologia captam as correntes de ação de células de localização muito precisa, ou fibras com microeletrodos, amplificam-nas com válvulas de rádio e registram diferenças potenciais de um milionésimo de volt."

É inconcebível que uma rede de mecanismos tão intrincados só exista com o objetivo de lidar com as funções físicas ligadas ao crescimento e à manutenção do corpo físico. Não é razoável pensar que o mesmo sistema que dá a bilhões de células cerebrais um meio para se comunicarem entre si não possa servir também como meio de comunicação com outras forças intangíveis?

Depois deste livro ter sido escrito, e pouco antes de ser mandado à editora, um editorial foi publicado no *New York Times* demonstrando que pelo menos uma grande universidade e um pesquisador inteligente no campo dos fenômenos mentais estão se dedicando a uma pesquisa que chegou a conclusões muito parecidas com as que são descritas neste e no próximo capítulo. O editorial analisou sucintamente a obra do Dr. Rhine e dos parceiros dele na Universidade Duke. Reproduzimos:

O que é "telepatia"?

Há um mês, mostramos nesta página alguns dos impressionantes resultados do professor Rhine e dos colaboradores dele na Universidade Duke, obtidos de mais de 100 mil testes para determinar se existe ou não "telepatia" e "clarividência". Os resultados foram resumidos em dois artigos da *Harpers Magazine*. Num novo artigo publicado agora, o autor E. H. Wright tenta resumir o que se descobriu, ou o que se deve razoavelmente concluir, em relação à natureza exata desses dois modos de "percepção extrassensorial".

No momento, a existência da telepatia e da clarividência parece, para alguns cientistas, extremamente provável, em consequência das experiências de Rhine. Foi pedido a vários participantes que dissessem o máximo de cartas presentes num baralho especial, sem olhar ou ter qualquer tipo de contato sensorial com elas. Verificou-se que um certo número de homens e mulheres conseguia indicar tantas cartas correta e sistematicamente que "não havia sequer uma chance em 1 trilhão de que isso fosse uma questão de sorte ou acidente".

Mas como é que eles conseguiam? Esses poderes — partindo-se do princípio que eles existam — não parecem ser sensoriais. Não há um órgão responsável por eles. As experiências funcionaram da mesma maneira tanto para pessoas que estavam na mesma sala, quanto para aquelas que estavam a centenas de quilômetros de distância. Esses fatos também renegam, na opinião do Sr. Wright, as tentativas de se explicar a telepatia ou a clarividência por qualquer teoria física de radiação. Todas as formas conhecidas de energia de radiação diminuem de maneira inversamente proporcional ao quadrado da distância. A telepatia e a clarividência, não. Mas podem variar por motivos físicos, tanto quanto os outros poderes mentais. E, ao contrário do que se acredita comumente, elas não aumentam quando o participante está dormindo ou em estado de sonolência, e sim, ao contrário, quanto mais alerta e ligado ele está. Rhine descobriu que um narcótico sistematicamente diminui os resultados dos participantes, enquanto um estimulante sempre aumenta. Mesmo o praticante mais regular não irá obter um bom resultado, a não ser que realmente se esforce.

Uma conclusão a que Wright chegou, com certa confiança, é que as chamadas telepatia e clarividência são um só dom. Ou seja, a capacidade de "ver" uma carta de cabeça para baixo parece ser a mesma de "ler" um pensamento que está na cabeça de outra pessoa. Há vários motivos para se acreditar nisso. Até aqui, por exemplo, esses dois dons sempre foram encontrados em quem quer que soubesse ter um deles. Em todos os casos, as duas capacidades tinham praticamente a mesma força. Paredes, tapadeiras e a distância não tiveram qualquer efeito. Com isso, Wright conclui instintivamente que as outras experiências extrassensoriais, como sonhos proféticos e premonições de desastres, podem ser parte dessa mesma capacidade. Não se deve pedir ao leitor que aceite qualquer uma dessas conclusões, a não ser que julgue necessário, mas os indícios que Rhine reuniu são realmente impressionantes.

Em vista do que Rhine afirmou sobre as condições em que a mente melhor responde ao que ele chama de "percepção extrassensorial", tenho o privilégio de testemunhar aqui que eu e meus colaboradores descobrimos as condições ideais, pelas quais a mente pode ser estimulada para que o sexto sentido (a ser descrito no próximo capítulo) funcione bem.

Essas condições surgiram a partir de uma íntima aliança entre mim e dois colaboradores da minha equipe. Por tentativa e erro, nós descobrimos como estimular nossas mentes (aplicando o princípio ligado aos "Conselheiros Invisíveis" descrito no próximo capítulo), de maneira que possamos, ao misturar nossas mentes numa só, encontrar a solução para um sem-número de problemas pessoais enviados pelos meus clientes.

O procedimento é muito simples. Nós nos sentamos a uma mesa de reunião, declaramos claramente a natureza do problema em questão e começamos a debatê-lo. Cada um contribui com os pensamentos que lhe ocorrerem. O interessante sobre essa forma de estimulação mental é que ela põe cada participante em comunicação com fontes desconhecidas de conhecimento que estão fora da experiência dele.

Se você compreendeu o princípio descrito no capítulo sobre a Mente Mestra, com certeza reconhecerá que a mesa redonda que acabamos de descrever não deixa de ser uma aplicação prática da Mente Mestra.

Esse método de estimulação mental, pela discussão harmoniosa de assuntos bem-definidos, da parte de três pessoas, ilustra a utilização mais simples e prática da Mente Mestra.

Adotando e seguindo um plano semelhante, qualquer estudioso desta filosofia pode se apoderar da famosa fórmula de Andrew Carnegie que resumimos na introdução. Se no momento isso não significa nada para você, marque esta página e volte a ela depois que tiver terminado o último capítulo.

> A "Depressão" foi uma bênção disfarçada. Ela reduziu o mundo inteiro a um novo ponto de partida, que dá a todos uma nova oportunidade.

14

O SEXTO SENTIDO: A PORTA PARA O TEMPLO DA SABEDORIA

O 13º passo para a riqueza

O 13º PRINCÍPIO É chamado de "sexto sentido", pelo qual a Inteligência Infinita pode e irá se comunicar voluntariamente, sem qualquer tipo de esforço ou pedido por parte da pessoa.

Esse princípio é o auge da nossa filosofia. Mas só pode ser assimilado, compreendido e aplicado depois que se dominar os 12 anteriores.

O sexto sentido é aquela parte do subconsciente a que nos referimos como a Imaginação Criativa. Também falamos que ele é a "estação receptora" pela qual as ideias, os planos e os pensamentos acendem na mente. Esses lampejos às vezes são chamados de "instinto" ou "inspiração".

O sexto sentido desafia uma descrição! Não pode ser descrito a alguém que ainda não dominou os demais princípios desta filosofia, porque uma pessoa assim não tem conhecimento ou experiência com a qual se possa comparar o sexto sentido. O entendimento sobre o sexto sentido só vem com a meditação, pelo desenvolvimento da mente *a partir de dentro*. O sexto sentido, provavelmente, é o meio de contato entre a mente finita do ser humano e a Inteligência Infinita, e, por esse motivo, *ele é uma mistura do mental com o espiritual*. Acredita-se que seja o ponto em que a mente humana faz contato com a Mente Universal.

Depois de ter dominado os princípios descritos neste livro, você vai estar apto para aceitar como verdade uma frase que, de outra maneira, não seria crível. É a seguinte:

Com a ajuda do sexto sentido, você será avisado de perigos existentes e como evitá-los, e vai ser alertado sobre oportunidades que vão surgir, a tempo de abraçá-las.

Desenvolvendo o sexto sentido, você será auxiliado, quando pedir, por um "anjo da guarda" que abrirá para você, sempre que quiser, a porta para o Templo da Sabedoria.

Se isso é verdade ou não, você nunca saberá, a não ser que siga as instruções contidas neste livro, ou algum método semelhante.

Este autor não acredita, nem defende os "milagres", pelo simples motivo de ter conhecimento suficiente da Natureza para saber que ela *nunca se desvia das normas estabelecidas*. Algumas dessas leis são tão incompreensíveis que produzem aquilo que podem parecer "milagres". O sexto sentido é o mais próximo que se pode chegar de um milagre que eu já experimentei, e isso é assim porque não compreendo exatamente o método pelo qual esse princípio entra em ação.

Mas este autor sabe de uma coisa: que existe um poder, ou uma Primeira Causa, ou uma Inteligência, que permeia cada átomo de matéria, e abraça cada unidade de energia perceptível aos seres humanos; e é essa Inteligência Infinita que converte sementes em carvalhos, faz a água descer morro abaixo pela lei da gravidade e faz o dia se seguir à noite, o inverno ao verão, cada coisa mantendo o devido lugar em relação às outras. Essa Inteligência pode, pelos princípios desta filosofia, ser induzida a dar aos seus desejos uma forma concreta, material. Este autor sabe disso, porque já fez pessoalmente essas experiências — e vivenciou tudo isso.

O sexto sentido: a porta para o templo da sabedoria

Nos capítulos anteriores, você foi sendo conduzido, passo a passo, até aqui. Se dominou todos os princípios, agora está pronto para aceitar, *sem ceticismo*, todas as incríveis afirmações que vou fazer. Se ainda não dominou os demais princípios, vai ter que dominá-los antes de concluir se as afirmações deste capítulo são fato ou ficção.

Quando eu estava na idade em que "idolatrava heróis", eu me via tentando imitar os que mais admirava. Além disso, descobri que o elemento de fé, com o qual eu tentava imitar meus ídolos, me dava uma grande capacidade de fazer isso com sucesso.

Eu nunca me livrei inteiramente desse hábito de idolatrar heróis, mesmo já tendo passado da idade normal para isso. A experiência me ensinou que a coisa mais próxima de ser grande é imitar os grandes, pela ação e pelos sentimentos, o máximo possível.

Muito antes de eu ter escrito uma única linha que fosse publicada, ou ousado fazer uma palestra em público, segui o hábito de forjar minha personalidade tentando imitar a "vida e obra" dos nove homens que mais me impressionaram. Eram eles: Ralph Waldo Emerson, Thomas Paine, Thomas Edison, Charles Darwin, Abraham Lincoln, Luther Burbank,* Napoleão Bonaparte, Henry Ford e Andrew Carnegie. Toda noite, por muitos e muitos anos, eu fazia uma reunião imaginária em um Conselho formado por esse grupo que chamei de meus "Conselheiros Invisíveis".

Acontecia assim. Logo antes de dormir, eu fechava os olhos e via, na minha imaginação, esse grupo de senhores sentados comigo na Mesa do Conselho. Nela eu não só tinha a oportunidade de

---

* Botânico americano (1849-1926), pioneiro das ciências agrícolas. Desenvolveu inúmeras variedades de plantas e escreveu uma coleção de oito livros chamada *How Plants Are Trained to Work For Man* [Como as plantas são treinadas para trabalhar para os homens], um clássico do assunto. (*N. do T.*)

me sentar com pessoas que considerava magníficas, mas, também, efetivamente, dominava o grupo, na função de presidente.

Eu tinha um propósito muito bem-definido ao utilizar a imaginação para convocar essas reuniões noturnas. O objetivo era reconstruir minha personalidade para que ela representasse um amálgama da personalidade dos meus conselheiros imaginários. Como percebi, muito cedo na vida, que tinha que superar a desvantagem de ter nascido num ambiente de ignorância e superstição, eu deliberadamente incumbi a mim mesmo a tarefa de ter um "renascimento voluntário" pelo método aqui descrito.

CONSTRUINDO SUA PERSONALIDADE PELA AUTOSSUGESTÃO

Sendo um aluno aplicado de psicologia, eu sabia, é claro, que todos esses homens foram o que foram por causa dos pensamentos e desejos dominantes deles. Sabia que todo desejo firmemente assentado tem o efeito de buscar uma expressão no mundo exterior, de maneira que o desejo possa se transformar em realidade. Sabia que a autossugestão é um poderoso fator na hora de construir a personalidade, que ela é, de fato, o único princípio por meio do qual a personalidade é construída.

Com esse conhecimento de como a mente funciona, eu já estava bem-armado e equipado para me reconstruir. Nessas reuniões imaginárias do meu Conselho, eu convocava os membros e pedia os conhecimentos que queria que eles me passassem, me dirigindo em voz alta a cada um dos membros da seguinte maneira:

"Sr. Emerson, desejo adquirir do senhor a maravilhosa compreensão da Natureza que tanto distinguiu sua vida. Desejo que o senhor grave no meu subconsciente quaisquer qualidades que o senhor possuía, que lhe permitiam compreender e se adaptar às leis da Natureza. Peço-lhe que me ajude a alcançar e me utilizar de qualquer fonte de conhecimento disponível para esse fim.

"Sr. Burbank, peço-lhe que me passe o conhecimento que permitiu que o senhor se harmonizasse tão bem com as leis da Natureza, que fez com que um cacto não tivesse espinhos e, muito ao contrário, virasse um alimento comestível. Dê-me acesso ao conhecimento que permitiu que o senhor fizesse crescer duas folhas de grama onde antes só nascia uma e lhe ajudou a misturar as cores das flores com mais harmonia e esplendor, pois só o senhor foi capaz de criar um lírio dourado.

"Napoleão Bonaparte, desejo receber do senhor sua magnífica capacidade de inspirar os homens e incitá-los a adotar um espírito de ação cada vez maior e mais determinado. E também adquirir o espírito de sua fé inabalável, que permitiu que o senhor transformasse a derrota em vitória e superasse obstáculos intransponíveis. Imperador do Destino, Rei da Sorte, eu o saúdo!

"Sr. Paine, desejo adquirir do senhor a liberdade de pensamento e a coragem e a clareza com as quais devemos expressar nossas convicções que tanto lhe distinguiram!

"Sr. Darwin, desejo adquirir do senhor sua maravilhosa paciência e capacidade de estudar causa e efeito, sem qualquer viés ou preconceito, que o senhor tão bem exemplificou no campo das ciências naturais.

"Sr. Lincoln, desejo injetar na minha personalidade seu magnífico senso de justiça, sua paciência incansável, seu senso de humor, de compreensão dos seres humanos, e sua tolerância, que foram suas marcas distintivas.

"Sr. Carnegie, eu já lhe devo muito por ter me levado a escolher a obra da minha vida, que me trouxe muita felicidade e paz de espírito. Gostaria de adquirir uma completa compreensão sobre os princípios de *esforço organizado* que o senhor utilizou com tamanha eficiência para construir seu grande império industrial.

"Sr. Ford, o senhor foi uma das pessoas que mais me ajudaram, ao me fornecer um material tão importante para o meu trabalho. Gostaria de adquirir seu espírito de perseverança, sua determinação, postura e autoconfiança, que permitiu que o senhor superasse a pobreza e organizasse, unificasse e simplificasse o esforço humano para que eu possa ajudar outras pessoas a seguir seu caminho.

"Sr. Edison, eu coloquei o senhor à minha direita, aqui ao meu lado, por causa da cooperação pessoal que o senhor me forneceu durante a pesquisa que fiz sobre as causas do sucesso e do fracasso. Desejo adquirir do senhor o maravilhoso espírito de fé, com o qual o senhor conseguiu desvendar tantos segredos da Natureza e a laboriosa destreza com a qual o senhor tantas vezes extraiu a vitória de uma derrota."

O meu método de me dirigir aos membros do meu Gabinete imaginário variava, de acordo com as características que eu estava mais interessado em adquirir, num determinado momento. Estudei o histórico de suas vidas com absoluto afinco. Depois de alguns meses desse ritual noturno, fiquei impressionado com a descoberta de que essas figuras imaginárias tinham se tornado, aparentemente, *reais*.

Cada um desses nove homens desenvolveu características individuais que me surpreenderam. Lincoln, por exemplo, tinha o hábito de sempre chegar atrasado, mas quando chegava andava com a formalidade que o cargo exigia. Quando ele vinha, andava devagar, com as mãos às costas e, de vez em quando, parava na minha cadeira e pousava a mão, momentaneamente, no meu ombro. Ele sempre trazia uma expressão séria no rosto. Raramente sorria. As preocupações dele com uma nação dividida o haviam deixado com um semblante muito grave.

Também era só ele. Burbank e Paine frequentemente faziam tiradas espirituosas que às vezes pareciam assustar os demais membros do Gabinete. Uma noite, Paine sugeriu que eu fizesse uma palestra sobre "A Idade da Razão" e a proferisse do púlpito da igreja que eu frequentava. Muitos em volta da mesa riram a valer da sugestão. Mas Napoleão, não! Ele fez uma careta com a boca e soltou um grunhido tão alto que todos olharam para ele, espantados. Para ele, a Igreja não passava de um capacho do Estado. Não devia ser reformada, mas usada, como uma conveniente instigadora das massas.

Uma vez, foi Burbank quem chegou atrasado. Quando chegou, estava todo animado e entusiasmado e explicou que tinha se atrasado por causa de uma experiência que estava fazendo, pela qual ele esperava fazer com que uma maçã nascesse em qualquer tipo de árvore. Paine o criticou, dizendo que fora uma maçã quem dera início a todos os problemas entre homens e mulheres. Darwin soltou uma risada gostosa e sugeriu que Paine ficasse alerta em relação às pequenas cobras quando pegasse maçãs na floresta, porque elas tinham o hábito de se transformar em serpentes.

— Se não tiver serpente, não pode ter maçã! — comentou Emerson.

— E se não tiver maçã, não pode ter estado! — aparteou Napoleão.

Lincoln desenvolveu o hábito de sempre ser o último a se retirar, no fim das reuniões. Uma vez, ele se inclinou na cabeceira da mesa, com os braços cruzados, e ficou vários minutos nessa posição. Não quis perturbá-lo. Finalmente, ele ergueu a cabeça devagar, se levantou e foi até a porta, então se virou, voltou, pôs a mão no meu ombro e avisou:

— Meu caro, você vai precisar de muita coragem e não pode esmorecer na hora de dar sequência ao objetivo da sua vida. Sempre se lembre, quando as dificuldades surgirem, que as pessoas comuns têm bom-senso. A adversidade ajuda a criá-lo.

Uma noite, Edison chegou antes dos outros. Ele veio a mim e se sentou à minha esquerda, onde costumava ficar Emerson, e falou:

— Você está prestes a descobrir o segredo da vida. Quando a hora chegar, você vai ver que a vida consiste em grandes fluxos de energia, ou entidades, tão inteligentes quanto os seres humanos *pensam* que são. Essas unidades de vida se agrupam como abelhas numa colmeia, e ficam juntas até se desintegrarem *pela falta de harmonia*.

"Essas unidades têm diferenças de opinião, assim como os seres humanos têm as deles, e geralmente brigam entre si. Essas reuniões que você preside vão ser muito úteis para você. Vão trazer ao seu socorro algumas das mesmas unidades de vida que serviram aos membros deste Gabinete na vida deles. Essas unidades são eternas. Nunca morrem! Os próprios pensamentos e desejos delas servem como um ímã que atrai as unidades de vida, dos grandes oceanos que existem no mundo exterior. Só as unidades amistosas são atraídas — as que se harmonizam com a natureza dos seus desejos."

Os demais membros do Gabinete começaram a entrar na sala. Edison se levantou e lentamente se dirigiu ao seu lugar de costume. O inventor ainda estava vivo quando isso aconteceu, e a fala dele me impressionou tanto que pedi para falar com ele e narrei a vivência. Ele abriu um largo sorriso e comentou:

— O seu sonho foi mais real do que você imagina.

E não falou mais nada.

As reuniões começaram a ser tão realistas que comecei a ter medo das consequências. Eu as interrompi por vários meses. Eram experiências tão fantásticas que tive medo de que, se continuasse, acabaria me esquecendo de que as reuniões eram *apenas exercícios da minha imaginação*.

Uns seis meses depois que parei, fui acordado no meio da noite — pelo menos, eu acho que fui —, quando vi Lincoln ao lado da minha cama.

— Logo logo o mundo vai precisar dos seus serviços — falou. — Ele vai passar por um período de caos, que vai levar homens e mulheres a perderem a fé e a entrarem em pânico. Continue com o seu trabalho e conclua a filosofia. Essa é a sua missão na vida. Se abandoná-la, por qualquer que seja o motivo, vai voltar a um estado primitivo e ser obrigado a passar por todos os ciclos que passou em milhares de anos.

Na manhã seguinte, não fui capaz de dizer se eu tinha sonhado com isso, ou se estava acordado. De qualquer maneira, nunca consegui descobrir, mas o fato é que o sonho — se é que foi sonho mesmo — ficou tão marcado na minha mente que retomei as reuniões na noite seguinte.

Nessa reunião, os membros do Conselho entraram todos juntos, em fila, e se sentaram nos lugares de costume à Mesa de Reunião, enquanto Lincoln erguia um copo e dizia:

— Cavalheiros, façamos um brinde ao amigo que voltou à luta.

Depois disso, comecei a acrescentar novos membros ao meu Gabinete, até que ele passou a ser formado por mais de cinquenta pessoas, entre elas Jesus Cristo, São Paulo, Galileu, Copérnico, Aristóteles, Platão, Sócrates, Homero, Voltaire, Bruno, Spinoza, Drummond, Kant, Schopenhauer, Newton, Confúcio, Elbert Hubbard, William Brann, Robert Ingersol, Woodrow Wilson e William James.

Esta é a primeira vez que eu criei coragem para contar isso. Até aqui, sempre me calei sobre esse assunto, porque sabia, pela minha própria atitude com esse tipo de coisa, que seria mal-interpretado se descrevesse uma experiência tão incomum. Mas agora juntei forças para colocar a experiência no papel, porque estou menos preocupado com "o que os outros vão dizer" do que em tempos passados. Uma das vantagens da maturidade é que ela, às vezes, nos dá mais coragem para ser sinceros, independentemente do que quem não entende vá pensar ou dizer.

Para que ninguém me entenda mal, quero falar aqui com todas as letras que continuo vendo essas reuniões do Gabinete como sendo exclusivamente imaginárias, mas sou obrigado a sugerir que, apesar de os membros do meu Gabinete serem fictícios, e as reuniões só acontecerem na minha imaginação, elas me levaram a caminhos gloriosos de aventura, fizeram renascer minha noção do que é realmente ser grande, incentivaram meus esforços criativos e me deram mais vigor para expressar um pensamento honesto.

Em algum lugar da estrutura celular do cérebro, há um órgão que recebe as vibrações do pensamento que geralmente são consideradas "instintivas". Até hoje, a ciência não conseguiu localizar o órgão onde fica o sexto sentido, mas isso não vem ao caso. O importante é que os seres humanos recebem conhecimentos precisos de fontes que não são os sentidos físicos. Esse tipo de conhecimento, geralmente, é recebido quando a mente está sob a influência de estímulos extraordinários. Qualquer emergência que desperte essas emoções e que faça o coração bater mais forte do que o normal pode, e geralmente consegue, acionar o sexto sentido. Qualquer um que quase tenha sofrido um acidente ao dirigir sabe que, nessas ocasiões, o sexto sentido normalmente vem em seu socorro e o ajuda, numa fração de segundo, a evitar o acidente.

Estou falando tudo isso antes de fazer uma afirmação: durante as reuniões com os meus "Conselheiros Invisíveis" eu sinto a minha mente mais receptiva às ideias, pensamentos e conhecimentos, que chegam a mim através do sexto sentido. Posso dizer, sinceramente, que devo aos meus Conselheiros Invisíveis todo o crédito por essas ideias, fatos e conhecimentos que recebi através da "inspiração".

Muitas vezes, quando estive em situações de emergência — algumas tão graves que eu corria risco de vida —, fui guiado milagrosamente pelas dificuldades por meio da influência dos meus "Conselheiros Invisíveis".

Meu objetivo original, ao conduzir as "reuniões de Conselho" com seres imaginários, era exclusivamente o de gravar em meu subconsciente, pela autossugestão, certas características que desejava incorporar. Nos últimos anos, minhas experiências assumiram um caminho totalmente diferente. Agora eu me dirijo aos conselheiros imaginários com qualquer problema difícil que eu ou meus clientes estejamos deparando. Os resultados são geralmente impressionantes, embora eu não dependa apenas desse tipo de Conselho.

Você, obviamente, já percebeu que este capítulo trata de um assunto que a maioria das pessoas desconhece. O sexto sentido é um assunto que será de grande interesse e benefício para a pessoa cuja meta é acumular uma grande fortuna, mas não precisa chamar a atenção dos que têm desejos mais modestos.

Henry Ford, com certeza, compreende e faz bom uso do sexto sentido. Suas amplas operações comerciais e financeiras exigem que ele compreenda e utilize esse princípio. O falecido Thomas Alva Edison entendia e fazia uso do sexto sentido na hora de desenvolver as invenções, especialmente as que tratavam de patentes básicas, nas quais não havia experiência humana ou um conhecimento acumulado para guiá-lo, como nos casos da máquina de ditar e da filmadora.

Quase todos os grandes líderes, como Napoleão, Bismarck, Joana d'Arc, Cristo, Buda, Confúcio e Maomé compreendiam, e provavelmente utilizavam, o sexto sentido quase que permanentemente. A maior parte da grandeza deles vinha do conhecimento desse princípio.

O sexto sentido não é algo que uma pessoa possa pegar e usar quando bem entender. A capacidade de utilizar esse grande poder surge lentamente, pela aplicação dos demais princípios relacionados neste livro. É muito raro que alguém saiba como realmente usar o sexto sentido antes dos 40 anos. O mais comum é que esse conhecimento só esteja disponível depois que a pessoa já foi bem além dos 50. Isso porque as forças espirituais, com as quais o sexto sentido é tão intimamente ligado, apenas amadurecem e se tornam utilizáveis depois de anos de meditação, autoanálise e uma séria avaliação.

Não importa quem você seja, ou qual tenha sido seu objetivo ao ler este livro. Você pode ganhar dinheiro com ele mesmo sem entender o princípio de que tratamos neste capítulo. Isso é especialmente verdade se seu objetivo principal for a acumulação de dinheiro ou outros bens materiais.

Este capítulo sobre o sexto sentido foi incluído porque este livro se propõe a apresentar uma filosofia completa pelas quais as pessoas podem se guiar sem erro para obter o que quiserem da vida. O ponto de partida de todas as realizações é o desejo. A linha de chegada é o tipo de conhecimento que leva à compreensão: do self, dos outros, das Leis da Natureza e do que é felicidade.

Esse tipo de compreensão só vem inteiramente conhecendo-se o sexto sentido e dele se utilizando. Por isso, esse princípio tinha que ser incluído como parte da filosofia, para o bem daqueles que desejam algo mais do que dinheiro.

Lendo este capítulo, você deve ter percebido que foi elevado a um alto nível de estimulação mental. Esplêndido! Volte a ele daqui a um mês, leia de novo e observe que sua mente vai disparar a um nível ainda mais alto de estimulação. Repita essa experiência de vez em quando, sem se preocupar com quanto vai aprender nessas horas, e com o tempo você vai se ver na posse de um poder que o tornará capaz de se livrar de qualquer desânimo, de conquistar o medo, de superar a procrastinação e de utilizar livremente sua imaginação. Aí verá o sentido daquele "toque" desconhecido, que move o espírito de todos os grandes líderes, pensadores, artistas, músicos, escritores e estadistas. E aí, sim, estará em posição de transformar seus desejos num equivalente físico ou financeiro, com a mesma facilidade com que poderia desistir de tudo logo ao primeiro sinal de oposição.

FÉ x MEDO!

Os capítulos anteriores mostraram como desenvolver a fé, através da autossugestão, do desejo e do subconsciente. O próximo vai dar instruções detalhadas sobre como conquistar o medo.

Você vai encontrar uma descrição completa dos seis medos que são a causa de todo desânimo, timidez, adiamentos, indiferença, indecisão, falta de ambição, de confiança, iniciativa, autocontrole e de entusiasmo.

Faça uma análise cuidadosa de si mesmo enquanto estiver lendo sobre esses seis inimigos, pois pode ser que eles existam só no seu subconsciente, onde nem sempre essas presenças são fáceis de detectar.

Lembre-se, também, quando analisar os "Seis Fantasmas do Medo", de que eles não passam de fantasmas, porque só existem na cabeça das pessoas.

Além disso, lembre-se de que fantasmas são criações de uma imaginação descontrolada e que causam a maior parte do prejuízo que as pessoas criam nas próprias mentes, de modo que eles podem ser tão perigosos quanto se habitassem e caminhassem em corpos físicos.

O Fantasma do Medo da Pobreza, que se apoderou das mentes de milhões de pessoas em 1929, era tão real que causou a pior depressão econômica já vista nos Estados Unidos. E esse fantasma ainda faz alguns de nós ficarem apavorados.

CAPÍTULO 15

COMO VENCER OS SEIS FANTASMAS DO MEDO

Este é o último capítulo. Faça uma avaliação de si mesmo e descubra quantos "Fantasmas" estão atrapalhando o seu caminho

ANTES DE PODER PÔR em prática uma única parte dessa filosofia, sua mente precisa estar pronta para recebê-la. A preparação não é difícil. Começa com estudo, análise e compreensão dos três inimigos de que você tem que se livrar. Eles são a indecisão, a dúvida e o medo!

O sexto sentido nunca vai funcionar enquanto esses três sintomas negativos — ou mesmo um único — estiver em sua cabeça. Os participantes desse trio infeliz andam muito juntos. Onde um está, os outros estão por perto.

A indecisão é a semente do medo! Lembre-se disso quando estiver lendo. A indecisão, com o tempo, se cristaliza em forma de dúvida e as duas se misturam e geram o medo! Essa "mistura" geralmente ocorre lentamente. É por isso que esses três inimigos são tão perigosos. Eles germinam e crescem *sem que a presença deles seja notada*.

O restante deste capítulo vai descrever um objetivo que precisa ser alcançado antes que essa filosofia possa ser posta em prática. Ela também analisa o motivo que, ultimamente, levou milhões de pessoas à pobreza e fala uma verdade que precisa ser compreendida por todos os que desejam acumular fortuna, seja em matéria de dinheiro ou na forma de um estado de espírito que vale muito mais do que dinheiro.

O objetivo deste capítulo é jogar uma luz sobre as causas e a cura dos seis medos básicos. Antes de derrotar qualquer inimigo, é preciso saber o nome dele, seus hábitos e onde ele se esconde. Enquanto estiver lendo, analise-se sinceramente e determine quais dos seis medos mais comuns grudaram em você.

Não se iluda com as práticas desses sutis inimigos. Às vezes, eles ficam escondidos na mente subconsciente, onde são difíceis de serem localizados e, mais ainda, de eliminar.

OS SEIS MEDOS BÁSICOS

São seis os medos básicos, e todo ser humano padece de um ou mais deles, de vez em quando. A maioria das pessoas tem sorte se não sofrer de todos os seis. Pela ordem mais comum em que aparecem, são eles:

O medo da pobreza ⎫
O medo da crítica ⎬ estes costumam estar na base das preocupações da maioria das pessoas
O medo da doença ⎭

O medo de perder o amor de alguém
O medo da velhice
O medo da morte

Todos os outros medos são de menor importância e normalmente podem ser agrupados sob um desses principais.

Como uma maldição, a prevalência de um desses medos ocorre em ciclos. Por quase seis anos, enquanto a Depressão se alastrava, nós afundávamos no medo da pobreza. Durante a Grande Guerra, estávamos no ciclo do medo da morte. Logo após a guerra, estávamos no ciclo do medo da doença, como provaram as epidemias que se espalharam mundo afora.

Medos não são nada mais nada menos do que estados de espírito. E estados de espírito podem ser controlados e dirigidos. Como todo mundo sabe, os médicos estão menos sujeitos a serem acometidos por uma doença do que as pessoas comuns, pelo simples fato de os médicos não terem medo delas. Médicos, sem medo ou hesitação, têm contato físico com centenas de pessoas, diariamente, que sofrem de doenças contagiosas como varíola, e nem por isso são infectados. A imunidade que eles têm frente às doenças decorre largamente — senão exclusivamente — da absoluta falta de medo deles.

As pessoas não criam nada que não sejam capazes de conceber, primeiro, por um impulso de pensamento. A este conceito segue-se outro, de ainda maior importância: os impulsos de pensamento das pessoas começam a se traduzir imediatamente em equivalentes físicos, independentemente desses pensamentos serem voluntários ou não. Os impulsos de pensamento que são captados do éter, como que por acaso (pensamentos soltos por outras pessoas), podem determinar o destino financeiro, profissional ou social de alguém, tanto quanto aqueles que a pessoa cria porque quer.

Aqui nós estamos lançando as bases para apresentar um fato de suma importância para aqueles que não entendem por que determinadas pessoas parecem ter "sorte", enquanto outras, com o mesmo talento, formação, experiência e capacidade cerebral — senão maior —, parecem condenadas a cavalgar nas asas da má sorte. Isso pode ser explicado da seguinte maneira: *todo ser humano tem a capacidade de controlar a mente* e, com esse controle, obviamente, toda pessoa pode abri-la para impulsos de pensamento miseráveis que são lançados por outros cérebros, ou trancar as portas com toda a força e só deixar entrar os impulsos de pensamento que permitir.

A Natureza deu às pessoas controle absoluto sobre uma única coisa, que são os pensamentos. Esse fato, juntamente com aquele que diz que tudo o que uma pessoa cria começa na forma de um pensamento, nos aproxima muito do princípio pelo qual os medos podem ser dominados.

Se for mesmo verdade que todo pensamento tem uma tendência a se converter num equivalente físico (e isso é verdade, sem qualquer sombra de dúvida), é igualmente verdade que os impulsos de pensamento do medo e da pobreza não podem ser traduzidos em termos de coragem e lucros.

Os habitantes dos Estados Unidos começaram a pensar em termos de pobreza depois do crash de 1929. Lenta, mas inexoravelmente, o pensamento das massas se cristalizou num equivalente físico, que passou a ser chamado de "depressão". E isso tinha que acontecer, conforme as leis da Natureza.

O MEDO DA POBREZA

Não há meio-termo entre pobreza e riqueza! A estrada que leva à pobreza vai na direção oposta da que leva à riqueza. Se você deseja ser rico, precisa se recusar a aceitar qualquer circunstância que leve à pobreza. (A palavra "riqueza" está sendo usada aqui em sentido amplo, podendo significar riqueza financeira, espiritual, mental ou material.) O ponto de partida da estrada para a riqueza é o desejo. No Capítulo 1, você recebeu instruções completas para o uso adequado do desejo. Neste capítulo, que trata do medo, vai receber instruções completas para preparar a mente para fazer uso prático dos desejos.

Aqui, portanto, é o lugar para lançar um desafio que vai determinar com toda certeza o quanto dessa filosofia você já incorporou. Esse é o momento em que você pode se tornar um profeta e prever precisamente o que o futuro reserva para você. Se, depois de ler este capítulo, estiver disposto a aceitar a pobreza, pode ficar tranquilo que é isso que você vai ter. É uma situação da qual não dá para fugir.

Se optar pela riqueza, defina de que tipo e que quantidade será suficiente para lhe satisfazer. Você já conhece o caminho que leva à riqueza. Recebeu um mapa que, se for seguido, vai lhe manter nessa pista. Se não der a partida, ou desistir antes de chegar, o único culpado será você. Essa responsabilidade é sua. Nenhuma desculpa vai livrar você da responsabilidade se fracassar ou se recusar a exigir uma vida rica, porque querer ser rico só depende de uma coisa que você pode controlar — aliás, a única coisa que você pode controlar —, que é o seu estado mental. Um estado mental (ou de espírito) é algo que uma pessoa tem. Não pode ser comprado. Tem que ser criado.

O medo da pobreza é um estado de espírito, nada mais! Mas é o suficiente para destruir as chances de realização em qualquer projeto, uma verdade que ficou dolorosamente patente na época da Depressão.

Esse medo paralisa a razão, destrói a imaginação, mata a autoconfiança, solapa o entusiasmo, desencoraja as iniciativas, leva à falta de clareza dos objetivos, favorece os adiamentos, desfaz o entusiasmo e inviabiliza o autocontrole. Ele tira todo o charme de uma pessoa, destrói a possibilidade de pensar com clareza, mina a concentração, ganha da perseverança, anula a força de vontade, destrói a ambição, obscurece a memória e é um convite ao fracasso em todas as formas; ele mata o amor e assassina as emoções mais nobres do coração, desencoraja a amizade e é um convite a centenas de desastres, tira o sono e leva à pobreza e à infelicidade — tudo isso, mesmo diante da verdade óbvia de que nós habitamos um mundo que oferece uma abundância de tudo o que o seu coração quiser, sem nada entre nós e nossos desejos, a não ser a falta de um objetivo definido.

O medo da pobreza é, sem sombra de dúvida, o mais destrutivo de todos os seis medos básicos. Foi colocado em primeiro lugar na lista porque é o mais difícil de ser dominado. É preciso muita coragem para dizer de onde surge esse medo e, mais ainda, para aceitar a verdade depois que ela foi dita. O medo da pobreza nasceu da tendência inata do ser humano de querer explorar seus iguais economicamente. Quase todos os animais inferiores são motivados por instinto, mas a capacidade que eles têm de "pensar" é limitada, por isso eles se agridem fisicamente. O ser humano, com intuição mais avançada, com capacidade de pensar e raciocinar, não devora fisicamente os iguais, no entanto tem mais satisfação em "engolir" o outro financeiramente. O ser humano é tão avarento que toda lei possível e imaginária precisou ser aprovada para ele se proteger dos iguais.

De todas as eras da humanidade de que se tem notícia, a atual parece ser notória pela "fome de dinheiro" que se apoderou das pessoas. Um homem vale menos que a poeira da terra, a não ser que exiba uma robusta conta bancária; mas se ele tiver dinheiro — independentemente de como o conseguiu —, é o próprio "rei" ou "figurão". Está acima da lei, manda ver na política, domina o mundo dos negócios e o mundo inteiro se curva quando ele passa.

Nada traz às pessoas maior sofrimento e humilhação do que a pobreza! Só aqueles que já foram pobres compreendem o exato significado disso.

Não é à toa que as pessoas têm *medo* da pobreza. Por meio de muitas experiências herdadas, as pessoas aprenderam que não se pode confiar em certos seres humanos, no que diz respeito a dinheiro ou bens materiais. Essa é uma acusação bastante forte, mas o pior de tudo é que é verdadeira.

A maioria dos casamentos é movida pela riqueza de uma ou de ambas as partes. Por isso não causa espanto que os processos de divórcio sejam tão numerosos.

As pessoas são tão ansiosas em ficar ricas que aceitam enriquecer de qualquer maneira — por métodos legais, se possível, ou outros métodos, se forem mais rápidos e necessários.

Uma autoanálise pode fazer uma pessoa descobrir fraquezas que preferiria não reconhecer. Essa forma de análise é fundamental para todo mundo que exige da vida mais do que pobreza e mediocridade. Lembre-se, ao se examinar ponto a ponto, de que você é, ao mesmo tempo, jurado e tribunal, promotor e advogado, autor e réu, e também... que está em julgamento. Encare os fatos de frente. Faça perguntas objetivas e exija respostas diretas. Quando a análise terminar, vai saber mais sobre si mesmo. Se não acredita que vai se manter imparcial nesse exame, chame alguém que o conheça bem para ser o juiz, enquanto você se analisa detalhadamente. O que importa é a verdade. *E você tem que saber a verdade, não importa a que custo, ou mesmo se ela for capaz de deixá-lo momentaneamente constrangido!*

A maioria das pessoas, quando questionadas sobre o maior medo, costuma responder: "Eu não tenho medo de nada." Esta seria uma resposta equivocada porque pouca gente percebe o quanto é limitada e maltratada física e espiritualmente por algum tipo de medo. A emoção do medo é tão profundamente arraigada que as pessoas podem passar a vida inteira com esse peso nas costas sem se dar conta da presença dele. É somente uma análise criteriosa que vai revelar a presença desse verdadeiro inimigo da raça humana. Quando começar um exame desse tipo, mergulhe profundamente na sua personalidade. Aqui vai uma lista de sintomas que você deve procurar.

SINTOMAS DO MEDO DA POBREZA

INDIFERENÇA. Geralmente se expressa pela falta de ambição; pela disposição de aceitar a pobreza e aceitar qualquer pagamento que a vida lhe der, sem ao menos protestar; pela preguiça física e mental pela falta de iniciativa, imaginação, entusiasmo e autocontrole

INDECISÃO. O hábito de permitir que os outros pensem por você. Ficar "em cima do muro".

DÚVIDA. Geralmente se expressa por meio de desculpas para encobrir as próprias falhas, ou de uma explicação rasteira; às vezes também se expressando como inveja dos que têm sucesso, ou fazendo críticas a eles.

ANGÚSTIA. Normalmente se expressa encontrando defeitos nos outros, ou como uma tendência a gastar mais do que se tem, a ter desleixo com a aparência pessoal, e a mostrar desaprovação franzindo a testa ou ralhando com os outros. Inclui uso excessivo de bebidas alcoólicas e, às vezes, narcóticos; nervosismo, falta de compostura, excessiva preocupação com o que os outros pensam e falta de autoconfiança.

EXCESSO DE CUIDADO. O hábito de olhar sempre o lado negativo de toda e qualquer situação, pensando e falando sobre possibilidades de fracasso, em vez de se concentrar em como ter êxito. Conhecer todos os caminhos que levam ao desastre, mas nunca procurar os planos que evitam o fracasso. Esperar pela "hora certa" para colocar ideias e planos em ação até que essa espera acaba virando um hábito permanente. Focar sempre em quem fracassou e se esquecer de quem deu certo. Ver o buraco no meio da rosca e não enxergar a rosca em si. Pessimismo, que pode levar à indigestão, evacuação insuficiente, autointoxicação, mau-hálito e mal-estar geral.

PROCRASTINAÇÃO. Hábito de deixar para amanhã algo que devia ter sido feito no ano passado. Passar tempo demais inventando desculpas para não trabalhar. Esse sintoma se aproxima muito do excesso de cuidado, da dúvida e da angústia. Recusa em aceitar a própria responsabilidade, enquanto puder ser evitada. Disposição para ceder, em vez de enfrentar uma briga desagradável. Desanimar diante das dificuldades, em vez de explorá-las e utilizá-las como um degrau para as realizações. Aceitar que a vida lhe dê alguns centavos, em vez de exigir prosperidade, opulência, riqueza, felicidade e alegria. Planejar o que fazer se fracassar, em vez de queimar todas as pontes, de modo a tornar o recuo impossível. Fraqueza e geralmente total falta de autoconfiança, objetividade, autocontrole, iniciativa, entusiasmo, ambição e capacidade de raciocínio. Avareza. Acreditar que vai ficar pobre em vez de exigir ser rico. Aliar-se àqueles que sucumbiram à pobreza, em vez de procurar a companhia de quem exige riqueza — e consegue.

DINHEIRO FALA MAIS ALTO!

Algumas pessoas vão me perguntar: "Por que você escreveu um livro sobre dinheiro? Por que medir a riqueza apenas em dólar?" Tem gente que acredita — e com razão — que há outras formas de riqueza, mais desejáveis do que dinheiro. Sim, é verdade que há certas fortunas que não podem ser medidas em dólar, mas milhões de pessoas também dizem: "É só me dar todo o dinheiro de que preciso que acabo encontrando o que eu quiser."

A razão principal por que escrevi um livro sobre como ganhar dinheiro é que o mundo, recentemente, passou por uma experiência que deixou milhões de pessoas paralisadas pelo medo da pobreza. O que esse tipo de medo provoca foi muito bem-descrito por Westbrook Pegler, no *New York World-Telegram*, reproduzido aqui:

Dinheiro é apenas uma casca vazia, pedaços de papel ou círculos de metal, e há tesouros no coração que nenhum dinheiro é capaz de comprar, mas a maioria das pessoas, quando está na pior, não consegue pensar em mais nada para sustentar o espírito. Quando um homem está perdido na rua, incapaz de conseguir um emprego sequer, alguma coisa acontece com seu espírito que nós sempre podemos observar nos ombros arqueados, na maneira como usa o chapéu, no andar e no olhar. Ele não pode escapar de um sentimento de inferioridade diante de pessoas com um emprego normal, mesmo que saiba que elas não são iguais a ele em matéria de caráter, talento ou inteligência.

Os outros — inclusive seus amigos — sentem, por outro lado, um sentimento de superioridade e o olham, talvez inconscientemente, como se ele fosse uma vítima. Ele pode viver de empréstimos por algum tempo, mas não o suficiente para sustentá-lo da maneira como está acostumado, e não vai conseguir viver de empréstimos por muito tempo. Porque pedir um empréstimo, quando ele é necessário simplesmente para se viver, é uma experiência deprimente, e o dinheiro não tem o mesmo efeito daquele que é ganho e que pode reacender seu espírito. Evidentemente, nada disso se aplica a mendigos ou vagabundos profissionais, mas apenas a pessoas que tenham uma ambição e um autorrespeito normais.

AS MULHERES CONSEGUEM ESCONDER O DESESPERO

Mulheres que passam pela mesma situação agem de maneira diferente. De algum modo, nós nunca pensamos em mulheres quando falamos de uma mendiga. Raramente elas entram na fila do auxílio-desemprego, raramente são vistas mendigando nas ruas e não são tão reconhecíveis na multidão pelos sinais que são tão visíveis na hora de identificar um homem fracassado. É claro que eu não estou falando daquelas maltrapilhas de cidades grandes, que correspondem aos vagabundos profissionais. Falo de mulheres razoavelmente bonitas, decentes e inteligentes. Devem existir muitas, mas o desespero delas não é tão aparente. Talvez elas se matem...

Quando um homem está na pior, ele tem todo o tempo do mundo para ficar vagabundeando. Pode viajar quilômetros só para procurar um emprego e descobrir que a vaga já foi ocupada, ou que é um daqueles empregos que não pagam salário, só uma comissão sobre a venda de alguma quinquilharia que ninguém compra, a não ser por pena. Recusando-se a se sujeitar a isso, ele se vê de volta às ruas, sem ter para onde ir. E assim ele continua perambulando. Fica olhando para as vitrines, vendo artigos de luxo que não pode comprar, e se sente inferior e dá lugar às pessoas que olham as vitrines com um interesse verdadeiro. Ele vai até a estação de trem ou se acomoda numa biblioteca para relaxar as pernas e se aquecer um pouco, mas isso não é procurar emprego, de modo que ele logo volta a caminhar. Ele pode até não saber, mas perambular sem destino revela o seu fracasso, de um modo que nem as feições entregam. Ele pode até estar bem-vestido, com roupas da época em que tinha um emprego fixo, mas as roupas não podem disfarçar a postura cabisbaixa.

O DINHEIRO FAZ DIFERENÇA

Ele vê milhares de outras pessoas — contadores, funcionários públicos, químicos ou maquinistas de trem —, todas ocupadas com o trabalho, e as inveja do fundo da alma. Elas têm independência, autorrespeito e masculinidade, e ele simplesmente não consegue se convencer de que também é um homem bom, embora estivesse disposto a contestar isso e se dar um julgamento favorável, a toda hora.

É só o dinheiro que faz essa diferença nele. Com um pouquinho de dinheiro, ele voltaria a ser o que era antes.

Alguns patrões se aproveitam grotescamente de pessoas como essas, que estão por baixo. As agências de emprego penduram uns cartazetes coloridos oferecendo salários miseráveis para fracassados — de 12 a 15 dólares por semana. Um salário de 18 dólares por semana já seria uma beleza, e ninguém pendura um cartaz colorido na frente de uma agência oferecendo 25 dólares semanais. Eu tenho um anúncio de classificado de um jornal local com vagas para um bom funcionário, com boa caligrafia, para anotar as encomendas por telefone de uma lanchonete das 11 às 14 horas, por 8 dólares por mês — não por semana, mas por mês! O anúncio também pede para a pessoa "informar religião". Dá para imaginar uma afronta dessas? Colocar um anúncio procurando um bom funcionário, para trabalhar a 11 centavos por hora, e ainda pedir que a pessoa diga qual a sua religião? Mas é isso o que se oferece aos fracassados.

O MEDO DA CRÍTICA

Como é que o homem desenvolveu esse medo, ninguém sabe exatamente, mas uma coisa é certa: todos o temos num grau altamente desenvolvido. Alguns dizem até que esse medo estreou mais ou menos na mesma época em que a política virou uma "profissão". Outros acreditam que esse medo pode estar ligado ao tempo em que as mulheres começaram a se preocupar com o "estilo" de suas roupas.

Como este autor não é humorista nem profeta, ele está mais inclinado a atribuir o medo da crítica àquela parte da natureza humana que faz com que uma pessoa não só queira tomar os bens do companheiro para si, mas que também justifique as ações por meio de críticas ao caráter do outro. É fato notório que qualquer ladrão vai criticar a pessoa de quem ele rouba. E que políticos procuram se eleger, não exibindo suas qualificações e virtudes, mas tentando arruinar a reputação dos adversários.

O medo da crítica aparece de várias maneiras, sendo que a maioria é absolutamente mesquinha e banal. Homens carecas, por exemplo, ficaram assim simplesmente pelo medo da crítica. Os homens ficam careca por causa de chapéus muito apertados que bloqueiam a circulação do sangue para a raiz dos cabelos. E os homens usam chapéus não porque deles precisem, mas porque "é o que todo mundo faz". A pessoa acaba se enquadrando e copia as outras com medo de ser criticada. As mulheres raramente ficam carecas, nem veem os cabelos rarearem, porque usam chapéus que ficam mais soltos na cabeça — só servem para enfeitar mesmo.

Mas que ninguém pense que as mulheres estão livres do medo da crítica. Se alguma mulher disser que é superior aos homens no que diz respeito a esse medo, peça para ela andar na rua com um chapéu de 1890.

Os espertíssimos fabricantes de roupas não demoraram a capitalizar esse medo básico da crítica, que tanto amaldiçoa a humanidade. Toda nova estação traz um novo estilo nos objetos de vestuário. Quem cria esses estilos? Certamente, não a compradora das roupas, mas o fabricante. E por que ele muda de estilo com tanta frequência? A resposta é óbvia. Ele muda o estilo para poder vender mais roupas.

Pela mesma razão, os fabricantes de automóveis (com poucas e muito honrosas exceções) mudam o estilo dos carros toda temporada. Nenhum homem gosta de dirigir um carro que não seja do último tipo, mesmo que o modelo anterior fosse melhor.

O que descrevemos aqui são maneiras de como as pessoas se comportam por medo da crítica, mesmo nas pequenas coisas da vida. Agora vejamos como é que esse medo afeta as pessoas em relação aos assuntos importantes das relações humanas. Pegue, por exemplo, qualquer pessoa que já tenha atingido a "idade da razão" (geralmente entre os 35 e os 40 anos). Se pudesse ler os pensamentos secretos dela, veria uma completa descrença nas fábulas contadas pela maioria dos dogmáticos e teólogos de algumas décadas atrás.

No entanto, é muito raro encontrar alguém que tenha a coragem de falar abertamente sobre o que pensa sobre esse assunto. Se forem muito pressionadas, a maioria das pessoas vai preferir mentir do que confessar que não acredita nas histórias ligadas ao tipo de religião que as acorrentava antes da era das descobertas científicas e da educação.

Por que uma pessoa comum, mesmo em dias esclarecidos como os de hoje, evita mostrar a descrença sobre as fábulas que compunham a base da maioria das religiões algumas décadas atrás? A resposta é: porque elas têm medo de serem criticadas. Homens e mulheres já foram queimados vivos por se atreverem a dizer que não acreditavam em fantasmas. Não há dúvida de que nós herdamos uma consciência histórica que nos faz temer as críticas. Houve uma época, num passado não muito distante, em que uma crítica trazia em si punições pesadas — e ainda traz, em determinados países.

O medo da crítica rouba a iniciativa das pessoas, destrói a imaginação, limita a individualidade, tira a autoconfiança e a prejudica em centenas de outras maneiras. Os pais normalmente causam danos terríveis aos filhos por criticá-los severamente. A mãe de um amigo meu de infância costumava castigá-lo com uma vara quase que diariamente e sempre dizia, para completar o serviço:

— Você vai acabar numa penitenciária antes dos 20 anos!

E ele acabou sendo mandado a um reformatório aos 17.

A crítica é o tipo de coisa que todo mundo recebeu a mais. Todos nós temos um estoque que nos foi dado de graça, independentemente de termos pedido ou não. Os parentes mais próximos costumam ser os piores ofensores. Devia ser considerado crime (porque na verdade é um crime da pior espécie) qualquer pai ou mãe gerar um complexo de inferioridade na mente de um filho por causa de críticas desnecessárias. Os patrões que compreendem a natureza humana tiram o melhor dos funcionários não pela crítica, mas por sugestões construtivas. E os pais podem obter os mesmos resultados dos filhos. As críticas acabam semeando o medo, ou o resentimento, nos corações humanos. Nunca vão gerar amor ou afeição.

SINTOMAS DO MEDO DA CRÍTICA

Esse é um medo quase tão generalizado quanto o medo da pobreza, e os efeitos são igualmente fatais para as realizações pessoais, principalmente porque destrói a iniciativa e desencoraja a imaginação. Os maiores sintomas desse medo são:

Aversão social. Geralmente se manifesta pelo nervosismo, pela timidez numa conversa, e na hora de conhecer estranhos, movimentos confusos das mãos e das pernas e desvio frequente dos olhos.

Falta de compostura. Expressa pelo descontrole da voz, nervosismo diante dos outros, má postura corporal e memória fraca.

Personalidade. Falta de firmeza nas decisões, de charme pessoal e de capacidade de expressar opiniões definitivas. O hábito de fugir das questões, em vez de enfrentá-las de frente. Concordar com a opinião dos outros, sem examiná-la com cuidado.

Complexo de inferioridade. O hábito de se autoengrandecer pelas palavras e ações como forma de encobrir um sentimento de inferioridade. Usar palavras "difíceis" para impressionar os outros (normalmente sem saber o que elas realmente significam). Imitar as roupas, as maneiras e o discurso dos outros. Gabar-se de realizações fictícias. Às vezes, passar uma imagem superficial de superioridade.

Extravagância. O hábito de "estar no mesmo nível do vizinho", gastando mais do que se ganha.

Falta de iniciativa. Desperdício de oportunidades para progredir na vida, medo de expressar a própria opinião, falta de confiança nas próprias ideias, dando respostas evasivas a perguntas vindas de superiores; hesitação na fala e nas maneiras; trapaça, tanto nas palavras como nas ações.

Falta de ambição. Preguiça física e mental, falta de assertividade, lentidão na hora de tomar decisões, que são facilmente influenciadas pelos outros; o hábito de criticar os outros pelas costas enquanto os elogia de frente; o hábito de aceitar a derrota sem protesto, de desistir de um projeto ao sofrer a oposição; desconfiar dos outros sem motivo, falta de tato no modo de falar e agir, incapacidade de aceitar a culpa pelos próprios erros.

O MEDO DA DOENÇA

Esse medo pode ser ligado tanto à herança física como à social. Na origem, está muito ligado às causas do medo da velhice e da morte, porque leva as pessoas a ficarem muito perto de "mundos terríveis", que elas não conhecem realmente, mas dos quais já ouviram histórias angustiantes. Também é opinião corrente que certas pessoas antiéticas, que se dedicam ao negócio de "vender saúde", ajudaram bastante a manter vivo o medo da doença.

Em geral, as pessoas têm medo de doenças por causa das terríveis imagens que foram plantadas na cabeça delas do que pode acontecer se a morte chegar. E também temem as despesas econômicas que a doença pode trazer.

Um médico de respeito avalia que 75% de todos os pacientes que procuram médicos sofrem de hipocondria (doenças imaginárias). Já foi mostrado com muita clareza que o medo da doença, mesmo quando não há o menor motivo para isso, geralmente produz os mesmos sintomas físicos da doença que tanto se receia.

A mente humana é poderosa! Pode construir ou destruir.

Jogando com essa fraqueza comum da humanidade, os vendedores de remédios patenteados ganham verdadeiras fortunas. Essa forma de intimidação sobre uma humanidade crédula se tornou tão dominante há 20 anos que a *Colliers' Weekly Magazine* moveu uma implacável campanha contra alguns dos piores espécimes do ramo dos remédios patenteados.

Quando a epidemia de "gripe" estourou durante a Grande Guerra, o prefeito de Nova York teve que tomar medidas drásticas para conter o estrago que as pessoas estavam causando a si mesmas pelo medo endêmico que tinham da doença. Ele convocou os jornalistas para uma reunião e disse:

— Senhores, acho que se faz necessário pedir para que não publiquem *manchetes garrafais* sobre a epidemia de "gripe". Se os senhores não cooperarem comigo, vamos nos ver diante de uma situação que não teremos como controlar.

Os jornais deixaram de publicar histórias sobre a "gripe", e, em um mês, a epidemia havia sido controlada.

Numa série de experiências feitas há alguns anos, ficou provado que as pessoas podem adoecer exclusivamente pela sugestão. Realizamos essa experiência fazendo com que três conhecidos visitassem "vítimas", a quem fizeram a seguinte pergunta: "O que o está afligindo? Você parece muito doente."

O primeiro questionador geralmente levava a vítima a sorrir e a responder, lepidamente: "Ah, que nada. Eu estou bem."

O segundo normalmente recebia a resposta: "Não sei o que é exatamente, mas não estou me sentindo muito bem."

Enquanto, para o terceiro, a vítima confessava sinceramente que estava passando mal.

Tente fazer isso com um conhecido (se duvidar que pode fazê-lo se sentir angustiado), mas não vá longe demais. Uma seita religiosa costuma se vingar dos inimigos pela "bruxaria". Os integrantes "lançam um feitiço" contra a vítima.

Há provas substanciais de que uma doença, às vezes, começa com um impulso de pensamento negativo. Um impulso assim pode ser passado de uma mente para outra, pela sugestão, ou criada na própria cabeça da pessoa.

Um dia, um homem que era mais sábio do que a próxima frase pode dar a entender me disse:

— Quando uma pessoa me pergunta como estou me sentindo, sempre tenho vontade de responder com um soco na cara.

Médicos costumam mandar que os pacientes mudem de ares para melhorar a saúde, porque uma mudança de "atitude mental" é necessária. A semente do medo da doença mora dentro de todo ser humano. Preocupações, medo, falta de incentivo, decepções no amor e nos negócios ajudam essa semente a germinar e a crescer. A recente depressão econômica fez os médicos ficarem correndo de um lado para o outro, porque todo tipo de pensamento negativo pode causar uma doença.

As decepções no amor e nos negócios estão no alto da lista das maiores causas do medo da doença. Um jovem certa vez sofreu uma desilusão amorosa que o fez dar entrada num hospital. Passou vários meses entre a vida e a morte. Um psicólogo foi chamado para ajudar. O especialista trocou as enfermeiras e colocou perto do paciente *uma jovem muito atraente* que começou (num arranjo prévio com o médico) a tratá-lo amorosamente, desde o primeiro dia na função. Três semanas depois, o paciente recebia alta do hospital, agora sofrendo de uma doença totalmente diferente. Estava apaixonado. O remédio devia ser só um placebo, mas o paciente e a enfermeira acabaram se casando. Ambos gozam de boa saúde enquanto escrevo este livro.

OS SINTOMAS DO MEDO DA DOENÇA

Os sintomas desse medo quase que universal são:

Autossugestão. O hábito de se valer de autossugestões negativas, procurando e esperando encontrar os sintomas de todo tipo de doença. "Curtir" doenças imaginárias e falar delas como se fossem reais. O hábito de experimentar todo tipo de "modismo" e "simpatia" que os outros dizem ter algum valor terapêutico. Falar de operações, acidentes e outras doenças com os outros. Experimentar dietas, exercícios físicos e métodos de emagrecimento sem orientação profissional. Experimentar remédios caseiros, remédios patenteados e remédios de curandeiros.

Hipocondria. O hábito de ficar falando de doença, de concentrar a mente nelas e esperar que apareçam até ter um colapso nervoso. Nenhum remédio engarrafado consegue curar essa mania. Ela surge com os pensamentos negativos e só os pensamentos positivos podem curá-la. Dizem que a hipocondria (um termo médico para uma doença imaginária) certas vezes faz tanto estrago quanto a doença que se teme. A maioria das chamadas doenças "nervosas" vem de doenças imaginárias.

Falta de exercício. O medo de uma doença geralmente interfere nos exercícios físicos que seriam adequados à pessoa, e o resultado é o aumento de peso, quando se evita o mundo exterior.

Suscetibilidades. O medo da doença acaba com a resistência natural do corpo e cria uma condição favorável para qualquer doença. O medo da doença geralmente está muito ligado ao medo da pobreza, especialmente no caso do hipocondríaco, que frequentemente se preocupa com a possibilidade de ter que pagar despesas médicas e hospitalares muito altas. Esse tipo de pessoa passa tempo demais se preparando para a doença, falando da morte, poupando dinheiro para o túmulo no cemitério e para as despesas do funeral etc.

Autopiedade. O hábito de tentar ganhar a simpatia alheia, valendo-se para isso de doenças imaginárias. (As pessoas costumam recorrer a esse truque para não trabalhar.) O hábito de criar uma doença para encobrir uma pura e simples preguiça, ou como desculpa para a falta de ambição.

Destempero. O hábito de usar álcool e drogas para acabar com dores de cabeça, nevralgias etc., em vez de eliminar a causa. O hábito de ficar lendo sobre doenças e se preocupar com a possibilidade de vir a padecer delas. O hábito de ficar lendo anúncios de remédios patenteados.

O MEDO DE PERDER O AMOR DE ALGUÉM

A fonte original desse medo, que é inerente ao ser humano, não exige muita explicação, pois ele, obviamente, nasceu a partir do hábito polígamo dos homens de roubar a companheira do outro, e do hábito de tomar certas liberdades com ela, sempre que pudesse.

O ciúme, assim como outras formas de demência precoce, nasceu do medo de perder o amor de alguém. Esse é o mais doloroso dos temores básicos que acometem as pessoas. Provavelmente, ele gera mais transtorno no corpo e na mente do que qualquer um dos outros medos básicos, e muitas vezes leva à loucura permanente.

O medo de perder o amor de alguém provavelmente remonta à Idade da Pedra, quando os homens roubavam as mulheres pelo uso da força bruta. Hoje, eles continuam a roubar as fêmeas, mas as técnicas são diferentes. Em vez da força, eles apelam para o convencimento, a promessa de comprar roupas bonitas, automóveis e outras "iscas" muito mais eficazes. Os hábitos dos homens são muito parecidos com os do início da civilização, mas a expressão é diferente.

Uma análise criteriosa revela que as mulheres são mais suscetíveis a esse medo do que os homens — algo que se explica facilmente. As mulheres aprenderam, pela experiência, que os homens são polígamos por natureza e que não devem confiar neles, ou deixá-los nas mãos das rivais.

SINTOMAS DO MEDO DE PERDER O AMOR DE ALGUÉM. OS INDICADORES DESSE MEDO SÃO:

Ciúme. O hábito de ter ciúme de amigos e pessoas queridas, mesmo sem qualquer indício ou prova razoável. (O ciúme é uma forma de demência precoce, que às vezes leva à violência sem o menor motivo.)

Colocar defeitos. O hábito de colocar defeitos em amigos, parentes, colegas de trabalho e pessoas queridas à menor provocação ou sem motivo.

Jogo. O hábito de jogar, roubar, trapacear e de correr outros tipos de risco para arranjar dinheiro para as pessoas queridas, achando que o amor pode ser comprado. O hábito de gastar mais do que se ganha, de fazer dívidas, de comprar presentes caros para quem se ama, para criar uma impressão favorável. Insônia, nervosismo, falta de perseverança, de vontade e de autoconfiança, descontrole e mau humor.

O MEDO DA VELHICE

Em geral, esse medo nasce de duas fontes. Primeiro, a de que com a velhice vem a pobreza. Segundo — e de longe a mais comum —, pelas lições falsas e cruéis que as pessoas receberam "a ferro e fogo" no passado, além de outros truques cruelmente desenhados para escravizar o ser humano pelo medo.

No medo básico da velhice, há dois motivos muito fortes para apreensão: um, é o de desenvolver uma desconfiança cada vez maior dos companheiros (que poderiam se apossar de seus bens materiais); e o outro, decorre das imagens terríveis que as pessoas fazem do "outro mundo", que foram plantadas em suas mentes, por herança social, antes de estarem suficientemente esclarecidas.

A possibilidade de ficar doente, que passa a ser mais comum à medida que se envelhece, também é um fator que contribui para esse medo disseminado da velhice. O erotismo é outro fator, à medida que a idade avança, já que ninguém gosta de se tornar menos atraente sexualmente.

Mas o motivo mais comum de se temer a idade está associado à pobreza. Ninguém gosta nem de ouvir a palavra "asilo". Chega a provocar arrepios na espinha de qualquer pessoa que depare com a possibilidade de passar os últimos anos num abrigo de pessoas pobres.

Outro fator que contribui para o medo da velhice é a perspectiva de se dispor de menos autonomia e liberdade, já que a velhice pode trazer tanto a perda da locomoção física quanto da liberdade econômica.

SINTOMAS DO MEDO DA VELHICE

Os sintomas mais comuns desse medo são:

A tendência de desacelerar o ritmo e desenvolver um complexo de inferioridade na época da maturidade mental, em torno dos 40 anos, acreditando equivocadamente que se está começando a "falhar" por causa da idade. (O fato é que os anos mais úteis de uma pessoa, tanto mental como espiritualmente, chegam entre os 40 e os 60 anos.)

O hábito de viver pedindo desculpas, dizer que "está ficando velho", simplesmente porque já passou dos 40 ou dos 50 anos, em vez de inverter a regra e demonstrar gratidão por ter chegado à idade da razão e do entendimento.

O hábito de matar a própria iniciativa, a imaginação e a autoconfiança, acreditando falsamente que se está velho demais para essas coisas. O hábito que homens e mulheres de mais de 40 anos têm de se vestir para aparentar menos idade e se passar por jovens, inspirando o ridículo de amigos e desconhecidos.

O MEDO DA MORTE

Para alguns, esse é o mais cruel de todos os medos básicos. A razão é evidente. As terríveis dores associadas ao medo da morte podem, na maioria das vezes, ser relacionadas ao fanatismo religioso. As pessoas "pagãs" costumam ter menos medo da morte que as "civilizadas". Por centenas de milhões de anos, o ser humano faz perguntas que até hoje não tiveram resposta, como "de onde venho" e "para onde vou"?

Nos piores períodos do passado, as pessoas mais ardilosas e habilidosas tinham uma resposta bem rápida para essas perguntas — desde que se pagasse um preço. E agora vejam qual é a maior fonte do medo da morte.

— Entre na minha tenda, abrace a minha fé, aceite os meus dogmas e eu vou lhe dar o bilhete que vai lhe guiar direto ao paraíso quando morrer — anuncia um líder sectário. — Agora, se quiser ficar fora da tenda, o diabo irá lhe pegar e lhe queimar por toda a eternidade.

"Toda a eternidade" é muito tempo. E fogo é uma coisa horrível. A ideia de uma punição eterna, ainda mais com fogo, não só faz as pessoas temerem a morte, como também perder a razão. Ela destrói o interesse na vida e torna a felicidade impossível.

Nas minhas pesquisas, encontrei um livro chamado *A Catalogue of the Gods* [Catálogo de deuses], que trazia uma lista de *30 mil deuses* que já haviam sido venerados pelos seres humanos. Veja essa! Trinta mil deuses, representados por todo tipo de coisa, desde um lagostim, até o próprio homem. Não admira que os seres humanos fiquem com medo à medida que a morte se aproxima.

Apesar de o líder religioso não ter condições de dar um salvo-conduto até o paraíso, nem de fazer o infeliz descer ao inferno, essa última possibilidade parece ser tão terrível que só o fato de ele pensar nisso toma conta da imaginação de uma maneira tão realista que chega a paralisar a razão e despertar o medo da morte.

O fato é que ninguém sabe, nem nunca soube, como são o inferno ou o paraíso, nem pode dizer se esses lugares realmente existem. A simples falta desse tipo de conhecimento abre as portas da mente humana para qualquer charlatão, que entra e toma conta da mente com um estoque de truques e vários tipos de fraudes e trapaças.

Hoje, o medo da morte não é tão comum como era na época em que não havia grandes faculdades ou universidades. Os cientistas acenderam as luzes da verdade no mundo e essa verdade está rapidamente libertando as pessoas desse terrível medo da morte. Os jovens que agora frequentam as universidades não são tão facilmente impressionáveis com o "ferro e fogo". Com a ajuda da biologia, da astronomia, da geologia e das ciências afins, os medos da Idade da Pedra que tanto se assenhoraram das mentes das pessoas e destruíram o raciocínio foram afastados.

Há hospícios inteiros lotados de homens e mulheres que enlouqueceram por causa do medo da morte.

Esse é um medo inútil. A morte vai chegar de qualquer jeito. Pense nela como uma necessidade e tire isso da cabeça. Ela tem que ser necessária, senão não existiria. Talvez nem seja tão ruim quanto se imagina.

O mundo inteiro é composto de apenas duas coisas: energia e matéria. No curso básico de física, nós aprendemos que nem a matéria, nem a energia (as duas únicas realidades que o ser humano conhece), podem ser criadas ou destruídas. Podem ser transformadas. Destruídas, jamais.

Se a vida for alguma coisa, é energia. Se nem a energia, nem a matéria podem ser destruídas, então é claro que a vida também não pode. A vida, como as outras formas de energia, pode passar por vários processos de transição, de mudança, mas nunca pode ser destruída. A morte não passa de uma transição.

Se a morte não for apenas uma mudança (ou transição), então nada vem depois dela, a não ser um longo e eterno sono tranquilo — e não há porque ter medo do sono. Portanto, trate de se livrar de uma vez por todas do medo da morte.

SINTOMAS DO MEDO DA MORTE

Os sintomas gerais desse medo são:

O hábito de pensar em morrer, em vez de aproveitar a VIDA ao máximo — geralmente, devido a alguma falta de objetivo, ou de algo melhor para fazer. Esse medo é mais comum entre os idosos mas às vezes os mais jovens também são vítimas deles. O maior remédio contra o medo da morte é um desejo ardente de se fazer alguma coisa, prestando um serviço útil aos outros. Quem é ocupado raramente tem tempo para ficar pensando na morte. Acha a vida interessante demais para ficar se preocupando com isso. Às vezes, o medo da morte vem acompanhado do medo da pobreza, quando se acredita que a morte deixará as pessoas queridas à míngua. Em outros casos, o medo da morte é causado pela doença e pela consequente quebra da resistência física. As causas mais comuns do medo da morte são: saúde frágil, pobreza, falta de algo adequado para se fazer, desilusão amorosa, loucura e fanatismo religioso.

AI, AS VELHAS ANGÚSTIAS

Uma angústia é um estado de espírito que se baseia no medo. Ela age devagar, mas com persistência. É insidiosa e sutil. Aos pouquinhos, ela vai "se insinuando" até paralisar o raciocínio de alguém, destruindo a autoconfiança e as iniciativas. A angústia é uma forma de medo prolongado gerado pela indecisão e, por isso, é um estado de espírito que pode ser controlado.

Uma mente inquieta é um problema. E a indecisão deixa a mente inquieta. A maioria das pessoas não dispõe da força de vontade para tomar uma decisão rapidamente e aguentar as consequências, mesmo em condições normais. Nas épocas de dificuldades econômicas (como as que o mundo experimentou recentemente), uma pessoa assim acaba ficando em desvantagem, não só pela lentidão inerente com que toma decisões, mas também por ser influenciada pela indecisão dos outros, que acabaram gerando uma cultura de "indecisão em massa".

Durante a Depressão, no mundo inteiro, a atmosfera ficou contaminada com "Medites" e "Preocupacionites", duas doenças mentais que começaram a espalhar germes depois do frenesi da

Bolsa, em 1929. Só existe um antídoto conhecido contra esses dois germes: o hábito de tomar decisões firmes e imediatas, um antídoto que todo mundo pode aplicar a si mesmo.

A partir do momento em que tomamos a decisão de seguir por uma linha de ação, paramos de nos preocupar com nossa situação. Uma vez, entrevistei um homem que ia morrer na cadeira elétrica duas horas depois. O condenado era o mais calmo dos oito homens que estavam com ele na cela da morte. A calma dele era tanta que eu perguntei como ele se sentia, sabendo que em pouco tempo estaria na eternidade. Com um sorriso de confiança, ele disse:

— Por mim, tudo bem. Olha só, meu irmão, daqui a pouco todos os meus problemas vão se acabar. A vida inteira eu só tive problemas. Para conseguir roupa e comida, sempre foi um sofrimento. Mais um pouco e eu não vou mais precisar dessas coisas. Tenho me sentido bem desde que tive certeza que ia morrer. E naquela hora eu decidi aceitar de bom grado o meu destino.

Enquanto falava, ele devorava um jantar suficiente para três, curtindo cada colherada e aparentemente se deliciando, como se nenhuma desgraça estivesse à espera dele. A decisão fez com que aquele homem se resignasse e aceitasse o destino! Mas a decisão também pode fazer com que as pessoas não aceitem as circunstâncias que julgam indesejáveis.

Os seis medos básicos acabam se transformando num estado de angústia por causa da indecisão. Livre-se para sempre do medo da morte, tomando a decisão de aceitá-la como algo de que não dá para escapar. Espante o medo da pobreza, tomando a decisão de viver com qualquer dinheiro que conseguir acumular. Esmague o medo da crítica decidindo não se importar com o que os outros vão pensar, dizer ou fazer. Elimine o medo da velhice com a decisão de aceitá-la, não como uma desvantagem, mas como uma grande bênção, que traz consigo a sabedoria, o autocontrole e o tipo de compreensão que não está ao alcance dos jovens. Livre-se do medo da doença, decidindo simplesmente se esquecer dos sintomas. Domine o medo de perder o amor de alguém, tomando a decisão de ir em frente mesmo sem amor, se isso for necessário.

Acabe com o hábito de ficar se angustiando, de toda e qualquer forma, tomando uma decisão definitiva de que nada que a vida tem a oferecer vale o preço de tamanha angústia. Com essa decisão virá uma altivez, uma calma e uma tranquilidade de pensamento que lhe trarão felicidade.

Uma pessoa cuja cabeça esteja tomada pelo medo não só destrói as próprias chances de fazer algo inteligente, como também transmite essas vibrações destrutivas para as mentes de todo mundo com quem ela entra em contato — acabando, assim, por destruir as chances dela.

Até um cachorro ou um cavalo percebem quando o dono não tem coragem. Além do mais, o cachorro e o cavalo vão captar as vibrações do medo disparadas pelo dono e se comportar de forma equivalente. Descendo um pouco mais na hierarquia dos animais, encontramos essa mesma capacidade de captar as vibrações do medo. Uma abelha sente imediatamente o medo que passa na cabeça de uma pessoa — por motivos que desconhecemos, a abelha vai picar exatamente a pessoa cuja mente está exalando vibrações de medo, muito mais rápido do que a pessoa que não emite essas vibrações.

As vibrações do medo passam de uma mente para outra, da mesma forma que a voz humana passa da estação transmissora para o aparelho de rádio de alguém — e pelo mesmo meio.

A telepatia mental existe mesmo. Os pensamentos passam de uma mente para outra, voluntariamente, pouco importando se a pessoa que transmite os pensamentos e aquela que capta têm conhecimento disso.

A pessoa que expressa, pelas palavras que diz, pensamentos negativos ou destrutivos pode ter uma certeza quase absoluta de que essas palavras vão gerar uma espécie de "efeito bumerangue" destrutivo, retornando contra ela. A simples emanação de impulsos de pensamento destrutivos (sem palavras) produz um "efeito bumerangue" que se revela de mais de uma maneira. Em primeiro lugar, e talvez o mais importante a ser lembrado, a pessoa que exala pensamentos destrutivos acaba atingindo a própria imaginação criativa. Em segundo, a presença de qualquer emoção destrutiva na mente gera uma personalidade negativa que acaba afugentando as pessoas e geralmente as transforma em antagonistas. A terceira fonte de prejuízo para a pessoa que cultiva ou emana pensamentos negativos está no significativo fato de que esses impulsos de pensamento não só são danosos para os outros, como também se alojam na mente subconsciente da pessoa que os emana, e acabam se tornando parte de sua personalidade.

As pessoas nunca se livram de um pensamento simplesmente o soltando no mundo. Quando um pensamento é liberado, ele parte em todas as direções, por meio do éter, mas também se planta *permanentemente* na mente subconsciente *da pessoa que o libera*.

Seu objetivo na vida, provavelmente, é ter sucesso. Para ter sucesso, você precisa de tranquilidade, atender às necessidades básicas da vida e, acima de tudo, ser feliz. E todos esses indícios de sucesso começam na forma de impulsos de pensamento.

Você tem o poder de controlar sua mente, tem o poder de alimentá-la com os impulsos de pensamento que escolher. Esse privilégio vem acompanhado da responsabilidade de utilizá-los de maneira construtiva. Você é o comandante do seu próprio destino na Terra, da mesma maneira como tem o poder de controlar seus pensamentos. Você pode influenciar, dirigir e acabar controlando seu próprio ambiente, tornando sua vida aquilo que quiser — ou pode não exercer esse direito e se deixar levar pelo mar aberto das "circunstâncias", onde será jogado de um lado para o outro, como um pedaço de madeira nas águas do oceano.

O EXERCÍCIO DO DIABO
O SÉTIMO MAL

Além dos seis medos básicos, tem mais um do qual as pessoas padecem. Trata-se de um solo fértil, onde as sementes do fracasso crescem com fartura. É uma coisa tão sutil que a presença dele não costuma ser detectada. Essa angústia não pode ser chamada realmente de medo, pois está mais entranhada nas pessoas e geralmente é mais fatal do que todos os seis medos juntos. Na falta de uma expressão melhor, vamos chamá-la de suscetibilidade às influências negativas.

As pessoas que acumulam fortunas sempre conseguem se proteger desse terrível mal! As que empobrecem, não! As que desejam ser bem-sucedidas em qualquer profissão precisam preparar a mente para resistir a esse mal. Se estiver lendo essa filosofia com o propósito de acumular dinheiro, deve se analisar cuidadosamente, para ver se não está sendo suscetível a influências negativas. Se não fizer essa análise, vai abrir mão do direito de conseguir seu objeto de desejo.

Faça a análise que vem a seguir. Depois de ler as perguntas, veja se está dando respostas realmente precisas. Faça esse exercício com o mesmo cuidado que tomaria ao caçar um inimigo que soubesse estar à espreita e trate dos seus defeitos do mesmo jeito que lidaria com um inimigo de carne e osso.

Você pode se proteger tranquilamente de um assaltante de beira de estrada, porque, nesse caso, a lei fornece uma normatização organizada para você, mas o "sétimo mal" é mais difícil de ser enfrentado, porque ataca quando você não sabe quando ele está presente. Você pode estar acordado ou dormindo. Além do mais, sua arma é intangível, porque ela é simplesmente... um estado de espírito. Esse mal também é traiçoeiro, porque ele pode atacar de tantas formas da experiência humana quantas elas forem. Às vezes, ele entra na mente por meio das palavras "bem-intencionadas" de parentes. Às vezes, ele parte de dentro, pela própria atitude mental de alguém. Mas ele é sempre tão perigoso quanto um veneno, embora não mate tão depressa.

COMO SE PROTEGER DAS INFLUÊNCIAS NEGATIVAS

Para se proteger das influências negativas, sejam as suas, sejam as das pessoas que estão à sua volta, reconheça que você é um ser dotado de livre-arbítrio e use-o com frequência, até que ele erga uma muralha de imunidade contra as influências negativas.

Aceite o fato de que você, assim como todos os outros seres humanos, é, por natureza, preguiçoso, indiferente e suscetível a qualquer sugestão que se harmonize com a sua fraqueza.

Aceite que você é, por natureza, suscetível a todos os seis medos básicos e prepare a ferramenta do hábito para contra-atacar todos eles.

Reconheça que as influências negativas geralmente atuam no seu subconsciente — por isso são tão difíceis de detectar — e mantenha a mente fechada contra todas as pessoas que de qualquer maneira o deprimam ou desanimem.

Limpe o seu armário de remédios, jogue fora todos os frascos de comprimidos e pare de sucumbir a gripes, dores e doenças imaginárias.

Procure deliberadamente a companhia de pessoas que o influenciam a pensar e a agir por si mesmo.

Não espere pelos problemas, porque eles não costumam decepcionar. Sempre aparecem.

Com toda certeza, a fraqueza mais comum de todos os seres humanos é o hábito de deixar a mente aberta à influência negativa dos outros. Essa fraqueza prejudica ainda mais porque a maioria das pessoas não reconhece que sofre desse mal e muitas das que reconhecem não se dão o trabalho de combatê-lo — e ele acaba se tornando parte incontrolável de seus hábitos diários.

Para ajudar aqueles que realmente querem se ver como são, preparamos a lista de perguntas a seguir. Leia-as e diga as respostas em voz alta, de modo a ouvir sua própria voz. Assim vai ser mais fácil ser sincero consigo.

TESTE DE AUTOANÁLISE

Você costuma reclamar de "estar se sentindo mal"? Se a resposta for sim, por quê?

Você coloca defeito nas pessoas, mesmo diante da menor provocação?

Você costuma cometer erros no trabalho e, em caso positivo, por quê?

Você costuma ser sarcástico e agressivo na sua conversa?

Você, deliberadamente, evita contato com as pessoas e, caso a resposta seja sim, por quê?

Você costuma ter indigestão? Se a resposta for sim, por que motivo?

A vida parece fútil e sem futuro para você? Se acha que sim, por quê?

Você gosta da sua profissão? Se não gosta, por quê?

Você costuma sentir pena de si mesmo? Se a resposta for sim, por quê?

Você tem inveja das pessoas que são melhores que você?

A que você dedica mais tempo? A pensar no sucesso ou no fracasso?

Você ganha ou perde autoconfiança à medida que vai envelhecendo na vida?

Você tira dos seus erros alguma coisa de valor?

Está permitindo que algum parente ou conhecido o angustie? Se sim, por quê?

Você às vezes fica "nas nuvens" e outras no pântano da depressão?

Quem foi a influência mais inspiradora que você teve? Por quê?

Você tolera influências negativas ou desanimadoras que poderia evitar?

Você tem sido desleixado com a sua aparência pessoal? Quando e por quê?

Você aprendeu a "afundar seus problemas" ficando tão ocupado que nem consegue se preocupar com eles?

Você se chamaria de um "fracote esfrangalhado" se deixasse que os outros pensassem por você?

Você deixa de se limpar por dentro, até que a autointoxicação o deixe irritado demais?

Quantos incômodos evitáveis você permite que o perturbem, e o que o leva a tolerar isso?

Você faz uso de álcool, cigarro e drogas para "acalmar os nervos"? Se usa, por que não tentar um pouco de força de vontade?

Alguém "pega no seu pé"? Se a resposta for sim, por quê?

Você tem um grande objetivo definido? Se sim, qual é e quais são os seus planos para alcançá-lo?

Você sofre de algum dos seis medos básicos? Qual ou quais?

Você tem algum método para se proteger da influência negativa dos outros?

Você usa deliberadamente a autossugestão para fazer sua mente pensar positivo?

A que você dá mais valor? Seus bens materiais ou o privilégio de controlar os próprios pensamentos?

Você é facilmente influenciável pelos outros, mesmo contra o seu melhor julgamento?

O dia de hoje acrescentou algum coisa de valor ao seu estoque de conhecimentos ou à sua mente?

Você encara de frente as circunstâncias que o fazem infeliz ou evita essa responsabilidade?

Você analisa todos os seus erros e fracassos e tenta tirar alguma coisa deles ou se comporta como se não fosse problema seu?

Você pode dizer quais são os seus três principais pontos fracos? O que tem feito para corrigi-los?

Você incentiva as pessoas a trazerem as preocupações até você para mostrar simpatia a elas?

Você escolhe, a partir das experiências diárias, lições e influências que ajudem em seu progresso pessoal?

A sua presença exerce, de maneira geral, uma influência negativa na vida das outras pessoas?

Quais são os hábitos dos outros que mais o incomodam?

Você mesmo forma suas opiniões ou se permite ser influenciado pelas outras pessoas?

Você já aprendeu a criar um estado de tranquilidade mental com o qual pode se proteger de todas as influências desanimadoras?

A sua profissão inspira você a ter esperança e fé?

Você está ciente de que possui forças espirituais com poderes suficientes para manter a mente afastada de todo tipo de medo?

A sua religião ajuda a manter sua mente positiva?

Você acha que é seu dever compartilhar das angústias dos outros? Se a resposta for sim, por quê?

Se você acha que "semelhante atrai semelhante", o que você já descobriu sobre si mesmo, analisando os amigos que você atrai?

Qual a ligação que você vê (se é que vê) entre as pessoas com as quais está mais próximo e qualquer tipo de infelicidade que você vivencia?

É possível que uma pessoa que você considera amiga, na verdade, seja sua pior inimiga por causa da influência negativa que exerce em sua mente?

Que regras você usa para julgar quem o ajuda e quem o prejudica?

As pessoas com quem você se relaciona intimamente são mentalmente superiores ou inferiores a você?

A cada 24 horas, quanto do seu tempo você dedica a:

a) sua profissão?
b) dormir?
c) relaxar e se divertir?
d) adquirir bons conhecimentos?
e) nada que preste?

Quem, entre os seus conhecidos, é:

a) quem mais o incentiva?
b) mais o manda ser prudente?
c) mais o desanima?
d) mais o ajuda, de outras maneiras?

Qual a sua maior angústia? E por que você a aceita?

Quando as pessoas lhe oferecem conselhos de graça, que você não pediu, você aceita sem questionar ou analisa os motivos que elas podem ter para falar o que falam?

O que você mais deseja acima de tudo? Você pretende realmente conseguir? Está disposto a subordinar todos os seus outros desejos em favor desse principal? Quanto tempo do seu dia você dedica a conquistar esse objetivo?

Você muda de ideia com frequência? Se a resposta for sim, por quê?

Você termina tudo aquilo que começa?

Você se impressiona facilmente com os diplomas, títulos profissionais ou a riqueza dos outros?

Você se influencia facilmente pelo que as pessoas pensam ou falam de você?

Você se submete às pessoas por causa da posição social ou financeira delas?

Quem você acha que é a maior pessoa viva? De que maneira ela é superior a você?

Quanto tempo você dedicou a analisar e responder estas perguntas? (Pelo menos um dia é necessário para analisar e responder a lista inteira.)

Se você respondeu sinceramente a todas estas perguntas, então sabe mais sobre você do que a maioria das pessoas saberá sobre si mesmas. Estude as perguntas com cuidado, volte a elas uma vez por semana, por vários meses, e vai se impressionar com a grande quantidade de conhecimento que vai obter pelo simples método de responder a estas perguntas com sinceridade. Se não tiver certeza sobre a resposta que deve dar a algumas das perguntas, procure o conselho de alguém que o conheça bem — especialmente alguém que não tenha necessidade de o lisonjear — e veja-se pelos olhos dela. Vai ser uma experiência impressionante.

Você só tem controle sobre os seus pensamentos. Essa é a coisa mais inspiradora e significativa para os seres humanos! Reflete a natureza divina do homem. E essa prerrogativa é o único meio que você tem para controlar o seu destino. Se não conseguir controlar a própria mente, pode ficar certo de que não vai controlar mais nada.

Se precisar ser descuidado com suas posses, que seja então com os bens materiais. *Sua mente é o seu bem espiritual!* Proteja-a e use-a com o cuidado que se deve dispensar a uma realeza divina. Foi para isso que você recebeu seu livre-arbítrio.

Infelizmente, não existe proteção legal contra aqueles que, de propósito ou por ignorância, envenenam a mente dos outros com sugestões negativas. Esse tipo de destruição deveria ser severamente punido, porque ela pode destruir (e geralmente destrói) as chances de uma pessoa adquirir aqueles bens materiais protegidos por lei.

Pessoas com mentes negativas tentaram convencer Thomas Edison de que ele jamais poderia criar uma máquina capaz de reproduzir a voz humana, "porque nunca ninguém fabricou uma coisa dessas". Mas Edison não acreditou. Sabia que a mente poderia produzir qualquer coisa que ela pudesse conceber e acreditar, e esse conhecimento foi a única coisa que fez Edison se erguer acima da massa de pessoas comuns.

Pessoas com mentes negativas disseram a F.W. Woolworth que ele iria "falir" se tentasse administrar uma loja que só vendesse artigos de cinco e dez centavos. Mas ele não acreditou. Sabia que poderia fazer qualquer coisa, dentro do racional, se apoiasse seus planos na fé. Exercendo o direito de tirar da própria cabeça as sugestões negativas dos outros, ele amealhou uma fortuna de mais de 100 milhões de dólares.

Pessoas de mente negativa disseram a George Washington que ele não poderia entrar em guerra contra as forças amplamente superiores da Inglaterra, mas ele exerceu o direito supremo de acreditar que podia, e é por isso que este livro foi publicado sob a bandeira listrada dos Estados Unidos da América, enquanto o nome lorde Cornwallis foi totalmente esquecido.

Os pessimistas de plantão riram de inveja quando Henry Ford experimentou o primeiro protótipo de automóvel nas ruas de Detroit. Alguns chegaram a dizer que nada de útil poderia ser feito com aquilo. Outros, que ninguém jamais pagaria para ter uma bugiganga daquelas. E Ford retrucou:

— Pois eu vou cobrir a terra de automóveis.

E foi exatamente isso o que ele fez!

A decisão de acreditar no próprio julgamento fez com que ele juntasse uma fortuna muito maior do que a que as próximas cinco gerações vão ser capazes de gastar. Para o bem daqueles que querem ganhar muito dinheiro, não custa nada lembrar que praticamente a única diferença entre Henry Ford e a maioria dos mais de 100 mil funcionários que trabalhavam para ele é a seguinte: ele controla a própria mente, enquanto os outros não controlam.

Ford foi citado várias vezes neste livro, porque é um exemplo impressionante do que um homem pode fazer com a própria mente quando se dispõe a controlá-la. Essa história joga por terra aquela velha desculpa que as pessoas usam de que "nunca tiveram uma chance". Ford também nunca teve a chance dele. Mas ele criou a própria oportunidade e insistiu nela, até se tornar mais rico que Creso.

O controle da mente é resultado do hábito e da autodisciplina. Ou você controla a mente, ou ela controla você. Não tem meio-termo. O método mais prático para se controlar a mente é o de mantê-la ocupada com um objetivo definido, apoiado num plano bem-feito.

Analise o trabalho de qualquer um que tenha atingido um sucesso digno de nota e vai perceber que ele controla a própria mente e que, além disso, a direciona para atingir objetivos bem-definidos Sem esse controle o sucesso não é possível.

CINQUENTA E SETE DESCULPAS ESFARRAPADAS DO VELHO "SE"

As pessoas que não alcançam o sucesso têm uma característica em comum. Elas conhecem *todos os motivos por que fracassaram* e acreditam ter desculpas muito sólidas para a falta de realizações.

Algumas das desculpas são até bem-bolada e algumas realmente se apoiam em fatos. Mas essas desculpas não servem como moeda. O que o mundo quer saber é uma coisa só: você foi bem-sucedido?

Um analista de personalidade montou uma lista com as desculpas mais comuns. Quando ler a lista, analise-se cuidadosamente, e veja quantas delas você usa. Lembre-se, também, de que a filosofia apresentada neste livro torna todas elas obsoletas.

    SE eu não tivesse que sustentar mulher e filhos...
    SE eu tivesse mais fibra...
    SE eu fosse rico...
    SE eu tivesse tido uma boa educação...
    SE eu tivesse um emprego...
    SE não fosse pela minha saúde...
    SE eu tivesse tempo...
    SE a economia estivesse melhor...
    SE as pessoas me compreendessem...
    SE a minha situação fosse diferente...
    SE eu pudesse viver a vida outra vez...

SE eu não tivesse medo do que OS OUTROS vão dizer...
SE eu tivesse tido uma chance...
SE eu tivesse uma chance agora...
SE as outras pessoas não tivessem "armado" contra mim...
SE nada me parar agora...
SE eu fosse mais novo...
SE eu pudesse fazer tudo o que eu quisesse...
SE eu tivesse nascido rico...
SE eu tivesse os "contatos certos"...
SE eu tivesse o mesmo talento dos outros...
SE eu fosse mais ousado e assertivo...
SE eu tivesse aproveitado as oportunidades que tive...
SE as pessoas não me irritassem tanto...
SE eu não tivesse que cuidar da casa e das crianças...
SE eu conseguisse juntar algum dinheiro...
SE o meu chefe gostasse de mim...
SE eu tivesse alguém para me ajudar...
SE a minha família me entendesse...
SE eu morasse numa cidade grande...
SE eu pudesse ao menos começar...
SE eu fosse livre...
SE eu tivesse a mesma personalidade de certas pessoas...
SE eu não fosse tão gordo...
SE as pessoas conhecessem o meu talento...
SE eu tivesse "só uma" chance...
SE eu conseguisse me livrar das minhas dívidas...
SE eu não tivesse fracassado...
SE eu pelo menos soubesse como...
SE as pessoas não ficassem todas contra mim...
SE eu não tivesse tantas preocupações...
SE eu me casasse com a pessoa certa...

SE as pessoas não fossem tão burras...
SE a minha família não fosse tão perdulária...
SE eu tivesse mais confiança em mim mesmo...
SE a sorte não estivesse contra mim...
SE eu tivesse estrela...
SE não fosse pelo fato de que "o que tem de ser, será"...
SE eu não tivesse que trabalhar tanto...
SE eu não tivesse perdido todo o meu dinheiro...
SE eu morasse em outro bairro...
SE eu não tivesse o meu "passado"...
SE eu tivesse o meu próprio negócio...
SE as pessoas pelo menos me escutassem...
SE... e esse é o maior SE de todos...

> eu tivesse a coragem de me ver como realmente sou, se eu *descobrisse o que há de errado comigo e tratasse de corrigir isso*, aí, sim, eu teria chance de lucrar com os meus erros e aprender alguma coisa com as experiências dos outros, porque sei que tem alguma coisa errada comigo, senão, agora, *eu estaria no lugar em que deveria estar*, se tivesse passado mais tempo analisando as minhas falhas, e menos tempo inventando desculpas para encobri-las.

Inventar desculpas para justificar fracassos é um passatempo nacional. É um hábito tão velho quanto a raça humana e *totalmente fatal para o sucesso*! E por que as pessoas se apegam tanto às desculpas de estimação? A resposta é clara. Elas defendem as desculpas porque foram elas que inventaram! A desculpa de uma pessoa é produzida pela imaginação dela. Faz parte da natureza humana defender suas criaturas.

Inventar desculpas é um hábito muito enraizado no comportamento das pessoas. Não é fácil se livrar de um hábito, especialmente quando ele justifica alguma coisa que fazemos. Platão sabia bem disso quando disse: "A maior de todas as vitórias é conquistar o próprio self. Ser conquistado por ele é uma vergonha, uma vilania."

Outro filósofo pensava a mesma coisa quando sentenciou: "Para mim foi uma grande surpresa descobrir que a maioria das coisas feias que eu via nos outros não passava de um reflexo da minha própria natureza."

"Para mim sempre foi um mistério", escreveu Elbert Hubbard, "por que as pessoas passam tanto tempo se iludindo com desculpas que encobrem as fraquezas. O tempo que elas gastam, se fosse usado de outra maneira, seria suficiente para curar a tal fraqueza, e aí ninguém precisaria de desculpas."

Por último, gostaria de lembrar que: "A vida é um jogo de xadrez, e quem está do outro lado é o tempo. Se você hesitar antes de mexer as peças, ou não mexer rapidamente, o tempo vai acabar eliminando-as do jogo. Você está medindo forças contra um oponente que não aceita indecisão!"

Antes, talvez, você tivesse uma desculpa lógica para não ter obrigado a vida a lhe dar o que pedisse, mas agora essa desculpa já não serve mais, porque, agora, você está na posse de uma Chave Mestra que abre as portas para as muitas riquezas da Vida.

Essa Chave Mestra é intangível, mas poderosa! É o privilégio de poder criar, *na sua própria mente*, um desejo ardente para uma forma definida de riqueza. Você não tem que pagar nada para usar essa Chave, mas existe um preço se você não usá-la. E esse preço é o fracasso. A recompensa, no entanto, é estupenda, se fizer bom uso da Chave. É a satisfação de *conquistar o próprio self e fazer a Vida lhe pagar o preço que você pedir.*

A recompensa vale o esforço. Será que você pode começar a se convencer?

"Se houver uma relação entre nós", disse o imortal Emerson, "nós iremos nos encontrar." Neste final, gostaria de pegar emprestada essa citação e dizer: "Se houver uma relação entre nós, por meio destas páginas nós nos encontramos."

FIM

Este livro foi composto pela tipologia Palatino LT Std,
em corpo 11 e impresso em papel offwhite
no Sistema Cameron da Divisão Gráfica
para a Distribuidora Record.